L'OSTÉOPOROSE

Données de catalogage avant publication (Canada)

Nelson, Miriam E.

L'ostéoporose : prévenir, vaincre et traiter la maladie

Traduction de : Strong women, strong bones.

1. Ostéoporose chez la femme – Ouvrages de vulgarisation. 2. Ostéoporose – Prévention – Ouvrages de vulgarisation.
3. Ostéoporose – Traitement – Ouvrages de vulgarisation. I. Wernick, Sarah. II. Titre.

RC931.O73N4514 2001 616.7'16 C2001-941211-8

Illustrations :
Copyright ©1999, David W. Dempster, photo p. 35
La photo de la p. 53 a été reproduite avec la permission de E. F. Eriksen, D. W. Axelrod, F. Melsen, *Bone Histomorphometry*, Raven Press Ltd, 1994, p. 26-28.

L'illustration de la p. 58, tirée de *The Wellness Guide to Lifelong Fitness* (Rebus, New York), écrit par Timothy P. White, Ph. D., et les éditeurs de l'université de la Californie, à Berkeley, *Wellness letter*, p. 230, a été redessinée avec la permission d'un photographe.

Les photos de la p. 96 ont été reproduites avec la permission de Hologic, Inc.

Le questionnaire Q-AAP, p. 177, a été reproduit avec la permission de la Canadian Society for Exercise Physiology.

DISTRIBUTEURS EXCLUSIFS:

- Pour le Canada
et les États-Unis:
MESSAGERIES ADP*
955, rue Amherst
Montréal, Québec
H2L 3K4
Tél.: (514) 523-1182
Télécopieur: (514) 939-0406
* Filiale de Sogides ltée

- Pour la France et les autres pays:
VIVENDI UNIVERSAL PUBLISHING SERVICES
Immeuble Paryseine, 3, Allée de la Seine
94854 Ivry Cedex
Tél.: 01 49 59 11 89/91
Télécopieur: 01 49 59 11 96
Commandes: Tél.: 02 38 32 71 00
Télécopieur: 02 38 32 71 28

- Pour la Suisse:
VIVENDI UNIVERSAL PUBLISHING SERVICES SUISSE
Case postale 69 - 1701 Fribourg - Suisse
Tél.: (41-26) 460-80-60
Télécopieur: (41-26) 460-80-68
Internet: www.havas.ch
Email: office@havas.ch
DISTRIBUTION: OLF SA
Z.I. 3, Corminbœuf
Case postale 1061
CH-1701 FRIBOURG
Commandes: Tél.: (41-26) 467-53-33
Télécopieur: (41-26) 467-54-66

- Pour la Belgique et le Luxembourg:
VIVENDI UNIVERSAL PUBLISHING SERVICES BENELUX
Boulevard de l'Europe 117
B-1301 Wavre
Tél.: (010) 42-03-20
Télécopieur: (010) 41-20-24
http://www.vups.be
Email: info@vups.be

L'ouvrage original américain a été publié par G. P. Putnam's Sons,
division de Penguin Putnam Inc.,
sous le titre *Strong Women, Strong Bones*

Dépôt légal : 3e trimestre 2001
Bibliothèque nationale du Québec

ISBN 2-8904-4700-6

Pour en savoir davantage sur nos publications,
visitez notre site : **www.edjour.com**
Autres sites à visiter : www.edhomme.com • www.edtypo.com
www.edvlb.com • www.edhexagone.com • www.edutilis.com

L'Éditeur bénéficie du soutien de la Société de développement des entreprises culturelles du Québec pour son programme d'édition.

Nous reconnaissons l'aide financière du gouvernement du Canada par l'entremise du Programme d'aide au développement de l'industrie de l'édition (PADIÉ) pour nos activités d'édition.

Dr MIRIAM E. NELSON

AVEC LA COLLABORATION
DU Dr SARAH WERNICK

L'OSTÉOPOROSE

Prévenir, traiter et vaincre la maladie

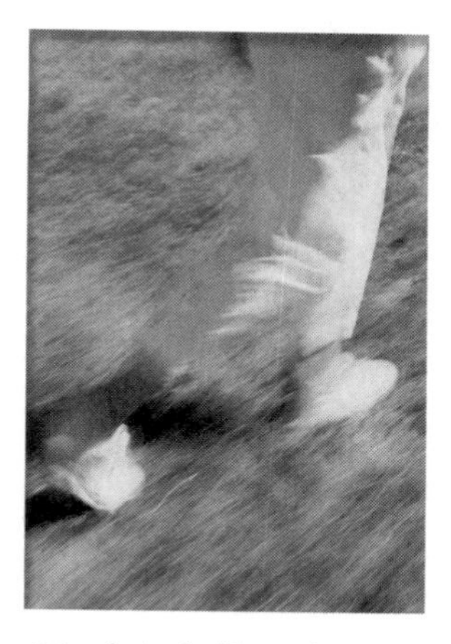

Traduit de l'américain
par Linda Cousineau

Avertissement important

Le programme proposé dans ce livre est basé sur d'importantes recherches scientifiques. Le livre contient des indications détaillées ainsi que des mesures de prévention concernant l'ostéoporose. Il est essentiel que vous les lisiez attentivement. Certains exercices ne conviennent pas aux personnes qui auraient subi des pertes de masse osseuse ou qui seraient aux prises avec d'autres problèmes médicaux.

Ce livre *ne doit pas* remplacer les services d'un professionnel de la santé qui vous connaît personnellement. L'un des éléments essentiels de la prise en charge de votre santé consiste à faire faire régulièrement votre bilan médical et à travailler de concert avec les professionnels de la santé.

Si vous suivez un traitement pour l'ostéoporose ou pour tout autre trouble de santé ou si vous pensez avoir besoin d'attention médicale, il est important, avant d'entreprendre ce programme, d'en discuter avec votre médecin.

Remerciements

Ce livre n'aurait pas vu le jour sans le concours et l'expertise de nombreuses personnes à qui je tiens à exprimer ma reconnaissance, mon respect et toute ma gratitude.

Je remercie très sincèrement les Drs Ronenn Roubenoff et Irwin Rosenberg. Leur soutien indéfectible et l'importance qu'ils accordent à la diffusion des résultats de recherches scientifiques ont rendu ce livre possible.

Je suis aussi très reconnaissante au *Department of Patient and Professional Education* de la *National Osteoporosis Foundation* d'avoir soigneusement révisé mon manuscrit et de l'avoir judicieusement commenté. Merci au Dr Robert Neer d'avoir lu le livre en entier, ainsi que d'avoir su clarifier plusieurs points et me corriger au besoin. Je remercie aussi les Dres Joan Bassey, Sarah Booth, Bess Dawson-Hughes, Wendy Kohrt, Christine Snow et Katherine Tucker qui, grâce à leurs travaux dans le domaine, ont su me conseiller quant aux exercices, à l'alimentation et à la promotion de la santé osseuse. Merci aux Dres Kristin Baker, Melissa Bernstein, Christina Economos et Carmen Castaneda Sceppa pour leur grande disponibilité à répondre à mes questions sur les exercices et l'alimentation. Et enfin aux Dres Elizabeth Ross et Meryl LeBoff qui m'ont fourni des précisions sur les traitements médicamenteux.

Je tiens à remercier tout particulièrement Jennifer Layne, M. Sc., C.S.C.S. qui, avec son expertise extraordinaire, a contribué de manière importante à mes trois livres en traduisant des résultats de recherches scientifiques en des exercices pratiques et efficaces.

Merci à Joseph Walsmith, M. Sc., d'avoir généreusement répondu à mes questions sur l'équilibre corporel et les chutes ainsi qu'à Rebecca Seguin et Karyn Roach pour leur précieuse collaboration dans la recherche et l'élaboration de diverses sections du livre.

Un merci très spécial aussi au Dr William Lockeretz, mon collègue de l'Université Tufts, qui a passé le livre au crible avec son attention et sa perspicacité habituelles.

Mes sincères remerciements à Larry Lindner et au *Tufts University Health & Nutrition Letter* pour le soutien généreux accordé à mes livres.

Je veux aussi remercier Robert Butler, M. D. et ses confrères de la Fondation Brookdale pour m'avoir toujours encouragée dans mes efforts de vulgarisation des notions scientifiques.

Ce livre a aussi bénéficié de la participation d'hommes et de femmes dont les vies ont été touchées par l'ostéoporose. Des mercis chaleureux à Carol Quinlan, Isabel Chiang et Jane Mosher pour leur aide avec les illustrations et à ces femmes et ces hommes qui nous ont confié les détails de leur expérience de vie en nous permettant de publier leur histoire : Anne, Annie, Denise, Dorothée, Jacqueline, Julia, Catherine, Laura, Léonie, Liliane, Lise, Marie, Nancy, Patricia, Bernard, Jacques et Richard. J'ai aussi eu la chance de profiter de l'appui et des commentaires des membres de mon groupe d'exercice du samedi matin constitué de voisins et de voisines.

Enfin, j'aimerais exprimer mon amour et ma gratitude à ma famille et à mes amis qui ont, une fois de plus, su composer avec mes horaires hétéroclites pendant que j'écrivais ce livre et ont néanmoins continué de m'encourager.

Préface

Les quatre dernières années ont été vraiment passionnantes pour moi. Jamais je n'aurais cru qu'un si grand nombre de femmes pouvaient s'intéresser à l'entraînement-musculation. Depuis la parution de mon premier livre, Strong Women Stay Young *en 1997, j'ai reçu des milliers de lettres, de messages par courrier électronique et d'appels de femmes de partout à travers le monde qui ont été assez aventureuses pour entreprendre un programme d'entraînement-musculation. Je suis particulièrement ravie lorsque j'entends dire que plusieurs générations de femmes s'entraînent ensemble : des filles avec leur mère et parfois leurs grands-mères et même leurs arrière-grands-mères.*

Puisqu'une partie de ma mission consiste à faire connaître les bienfaits de l'entraînement-musculation pour la santé des femmes, j'ai souvent l'occasion de m'adresser à des professionnels ou à des groupes communautaires partout aux États-Unis et à l'étranger. Après avoir expliqué mon propos, je réponds aux questions de l'auditoire. L'année dernière, j'ai remarqué que plus de la moitié des questions qui m'étaient posées concernaient l'ostéoporose. De plus en plus, les femmes reconnaissent l'importance de maintenir leur capital osseux en vieillissant, mais elles hésitent quant à la meilleure stratégie à adopter pour y parvenir. La réponse réside dans l'alimentation, les traitements médicamenteux et l'exercice physique. J'ai donc décidé d'écrire ce livre pour rassembler toutes les informations pertinentes et nécessaires pour vaincre cette terrible maladie.

Mes recherches et celles de nombreux autres chercheurs m'ont appris beaucoup au sujet de l'ostéoporose. Mais j'ai appris tout autant des femmes avec lesquelles j'ai travaillé. Je sais que la douleur de l'ostéoporose n'est pas seulement physique. Cette maladie est aussi source de souffrance émotionnelle : des changements qui minent la vitalité d'un trop grand nombre de femmes qui ont encore une vie significative à vivre. J'ai moi-même été témoin de la dévastation que peut causer cette maladie. Le jour où j'ai terminé ce livre et où je l'ai envoyé à mon éditeur, mon père m'a téléphoné pour m'annoncer une mauvaise nouvelle. Sa sœur, une de mes tantes préférées, qui souffrait d'ostéoporose depuis de nombreuses années, venait de tomber et de se fracturer la hanche et l'épaule. Cette maladie avait anéanti sa joie de vivre. Tout aurait pu être si différent pour elle si on avait su à l'époque ce que l'on sait aujourd'hui, et si les médicaments que nous avons maintenant avaient été disponibles il y a dix ans.

Les femmes plus âgées prennent des mesures pour se protéger de l'ostéoporose. Celles qui en sont atteintes bénéficient de nouveaux traitements. Je suis aussi très contente de voir le nombre de femmes plus jeunes qui se préoccupent davantage de l'avenir de leurs os, parce que plus on adopte les mesures préventives tôt, plus il est facile de maintenir ses os en bonne santé.

Un mois après la publication de ce livre, j'aurai quarante ans. Plus que jamais, je suis consciente de mes risques concernant l'ostéoporose : je suis une femme, de race blanche, je suis mince et il y a dans ma famille des antécédents d'ostéoporose. Je sais aussi que je peux, dès aujourd'hui, prendre des mesures pour maintenir la solidité de mes os toute ma vie durant. C'est pourquoi, peu importe à quel point je suis occupée, je m'efforce de maintenir une vie active et de bien m'alimenter.

Quel que soit votre âge, je vous exhorte à adopter ce slogan génial du Programme de sensibilisation à l'ostéoporose du Massachusetts... Soutenez vos os. Eux vous soutiennent bien.

Première partie

On peut prévenir l'ostéoporose

CHAPITRE PREMIER

Le voleur silencieux

Je donne beaucoup de conférences dans les écoles. Je demande aux jeunes à quoi ressemble une personne atteinte d'ostéoporose et ils répondent : « À une vieille dame toute recroquevillée. » Quand je leur dis que je souffre moi-même d'ostéoporose, ils en restent bouche bée. À 34 ans, très sportive, je suis l'image même de la santé. Je leur dis : « Vous ne devez pas tenir vos os pour acquis ! »

C'est à 27 ans que j'ai appris que j'étais atteinte d'ostéoporose. Je faisais de la course de compétition. J'ai commencé à souffrir de fractures de fatigue aux pieds et même dans le fémur. Je me suis fracturé le poignet à trois reprises, et une fois je me suis fracturé les deux poignets en même temps ! Je savais que quelque chose n'allait pas.

JULIA

Vous êtes peut-être atteinte d'ostéoporose ou encore il se peut que vous ayez déjà subi une perte de masse osseuse. Peut-être vous préoccupez-vous de votre ossature parce que votre grand-mère s'est fracturé la hanche ou parce que votre mère commence à avoir le dos courbé et à manifester des signes de « bosse de douairière » ? Vous avez raison de vous poser des questions. Vingt-huit millions d'Américains, en majorité des femmes, souffrent d'ostéoporose, un amincissement dangereux des os. Quand on fait de l'ostéoporose, les os deviennent si fragiles qu'ils risquent de se fracturer à la moindre chute ou encore du seul fait de soulever un bébé ou même d'une étreinte quelque peu exubérante.

Bien que les symptômes se manifestent habituellement par la suite, nous savons maintenant que les lésions invisibles surviennent plus tôt, beaucoup plus tôt que nous ne l'aurions cru. Pour Julia, cela avait probablement commencé alors qu'elle était à l'université: «Je faisais partie de la Division Élite de course de fond et sur piste, et j'avais même reçu une bourse d'études, explique-t-elle. Mon régime alimentaire était bien équilibré et j'étais plutôt excessive en ce qui a trait à l'exercice.» Chez la femme, le niveau d'œstrogènes peut diminuer si elle fait trop d'exercice ou si elle ne mange pas suffisamment. Le fait de ne pas toujours avoir ses règles est un signe d'un taux d'œstrogènes faible. Or, il y avait des années que Julia n'était pas menstruée régulièrement.

Heureusement, la plupart des jeunes femmes ont des cycles menstruels normaux et jouissent de la protection naturelle que procurent les œstrogènes. Ces hormones jouent un rôle fondamental dans la santé des os. Mais lorsque la production d'œstrogènes ralentit, la perte de masse osseuse s'amorce. Vers l'âge de 35 ans, nous commençons à perdre jusqu'à 1 p. 100 de notre masse osseuse chaque année et les pertes augmentent rapidement après la ménopause.

L'ostéoporose est une maladie insidieuse parce qu'elle est invisible et qu'on ne sent pas la détérioration qu'elle engendre. La plupart des personnes qui en sont atteintes l'ignorent. Et puis, survient une fracture. Chaque année, 430 000 Américains se retrouvent à l'hôpital à cause de fractures dues à l'ostéoporose. Les fractures de la hanche, qui représentent environ 300 000 cas, sont particulièrement dévastatrices. Une victime sur cinq meurt dans l'année qui suit et la moitié d'entre elles perdent leur autonomie à jamais. La plupart d'entre nous connaissons quelqu'un qui s'est fracturé la hanche. Mais peut-être seriez-vous surprise d'apprendre que les complications liées à une telle fracture tuent plus de femmes chaque année que le cancer du sein. La prévention de l'ostéoporose est vraiment une question de vie ou de mort, au même titre que la prévention du cancer ou des maladies du cœur.

Les fractures de la hanche ne représentent pourtant que la pointe de l'iceberg. Des millions de femmes souffrent de symptômes pénibles qu'elles n'associent pas à la fragilité de leurs os. Une femme peut ne pas se rendre compte que sa douleur chronique au dos provient d'une fracture par tassement de ses vertèbres, des vertèbres fragiles qui se sont affaissées sous le stress de la vie quotidienne. L'ostéoporose peut faire vieillir une femme avant son temps, et il est possible qu'elle ne se doute pas que sa courbure dorsale ou sa protubérance ventrale sont causées par des fractures à la colonne vertébrale.

Et puis il y a les retombées sur le plan émotionnel. À 54 ans, Catherine a appris qu'elle avait subi une perte importante de masse osseuse et elle a sombré dans une profonde dépression :

> *J'avais l'impression de ne plus avoir d'avenir. Ma mère venait tout juste d'emménager dans un centre de soins prolongés et je me disais : « C'est moi qui vais prendre la prochaine place ! »*
>
> *Je suis devenue un ermite. J'étais terrifiée à l'idée de sortir l'hiver. Si je devais traverser une rue glacée, je demandais à quiconque se trouvait là si je pouvais lui tenir le bras en lui expliquant que j'avais peur de tomber. Je ne sortais plus le soir. Je ne portais plus de sacs de provisions lourds. Je n'allais plus promener le chien de peur qu'il ne tire subitement sur la laisse et que je ne tombe.*

Avec l'aide et le soutien de son mari, Catherine a entrepris un programme d'exercices et elle a amélioré son alimentation. Son médecin lui a prescrit un traitement médicamenteux pour renforcer ses os. « C'est encore un défi, dit-elle, mais j'aime bien l'idée de donner de la force à mon corps. »

L'ostéoporose frappe une femme sur trois. Mais il est possible de défier cette probabilité. Les experts médicaux considèrent maintenant qu'il est possible de prévenir l'ostéoporose. Et de la traiter. Grâce à de nouvelles découvertes portant sur l'alimentation, les exercices et les traitements médicamenteux, vous pouvez vous protéger. Il suffit de savoir comment.

JACQUELINE

Février : « Je suis trop jeune pour me sentir aussi vieille. »

Voici comment Jacqueline se décrivait la première fois qu'elle m'a écrit : « J'ai 44 ans et j'ai l'impression d'en avoir 60. » L'année précédente, on lui avait annoncé qu'elle souffrait d'ostéoporose. Elle poursuivait en disant :

« Je suis fatiguée et faible. Mon corps est très flasque et j'ai honte de porter un short ou des blouses sans manches. Je suis vraiment découragée. »

Mars : « Je me suis inscrite à un cours d'entraînement-musculation. »

Un mois plus tard, elle m'envoyait un message par courrier électronique pour me dire qu'elle avait commencé à s'entraîner :

« J'augmente graduellement les poids que j'utilise pour mes exercices et j'ai plus d'énergie. Ce cours m'a permis d'améliorer ma confiance en moi-même. J'ai aussi acheté un film vidéo sur le yoga et je sens une amélioration de mon équilibre corporel et de ma souplesse. »

Juillet : « On me surnomme "La mère aux outils". »

Son dernier message se lisait comme suit :
« La différence est incroyable. Et pas seulement physiquement : je me sens aussi plus forte sur le plan émotionnel. Je

viens tout juste de rentrer d'un projet paroissial en Alaska. Nous avons construit un presbytère pour une église missionnaire. Il y avait une équipe, composée surtout de femmes, qui s'occupait de la cuisine et des repas collectifs et une autre qui s'occupait de la construction et dont je faisais partie. Mes coéquipiers étaient surtout des hommes et ils étaient étonnés de voir les charges que je pouvais soulever. Ils ont commencé à m'appeler "La mère aux outils". Le dernier soir, ils m'ont décerné un prix. »

Les mythes concernant l'ostéoporose

Certaines femmes ne se préoccupent pas de cette maladie même si elles le devraient. D'autres sont terrifiées et ne savent pas quoi faire. D'autres encore *pensent* faire tout ce qu'il faut pour prévenir l'ostéoporose : elles font régulièrement de l'exercice et surveillent leur alimentation, mais les mesures préventives qu'elles ont adoptées ne sont pas nécessairement les plus efficaces.

> *J'ai passé un test de densité osseuse il y a quatre ans, et on m'a dit que je faisais un peu d'ostéoporose. J'étais en état de choc. À 61 ans, je courais encore une trentaine de kilomètres par semaine et j'avais une saine alimentation. J'étais convaincue que mon régime alimentaire et mon programme d'exercices maintenaient mes os en bonne santé. Mon médecin m'a fait remarquer que si je n'avais pas fait ces choses, cela aurait sans doute été pire.*
>
> LILIANE

Croyez-vous encore à ces mythes populaires concernant l'ostéoporose ?

Mythe numéro 1 : L'ostéoporose est une maladie de vieilles dames.

Les femmes dans la vingtaine et dans la trentaine peuvent souffrir d'ostéoporose. Heureusement, cela est rare et la plupart des jeunes victimes ont des facteurs de risque importants tels que l'utilisation prolongée de médicaments stéroïdes ou des troubles de l'alimentation échelonnés sur de longues périodes. Ironiquement, beaucoup de ces jeunes victimes sont des athlètes ou des danseuses, des femmes qui ont l'air en forme et en parfaite santé.

L'état de nos os reflète la vie que nous avons menée depuis notre enfance, en passant par l'adolescence et le début de l'âge adulte. C'est pourquoi on peut dire que l'ostéoporose est une maladie qui commence dans l'enfance.

> *J'ai 44 ans et l'année dernière j'ai appris que je faisais de l'ostéoporose. Quand j'y pense, je suis persuadée que j'en suis atteinte depuis la trentaine, parce que j'ai souffert de troubles de l'alimentation pendant de nombreuses années. Je me sens différente. Seules mes deux meilleures amies sont au courant. La plupart des gens se demanderaient ce qu'il y a de si terrible pour une femme de mon âge d'être atteinte d'ostéoporose et j'ai honte d'avouer que je n'ai pas pris soin de ma santé. Ma mère a de meilleurs os que moi. Elle a toujours veillé à sa santé et aujourd'hui elle en récolte les fruits.*
>
> LAURA

Mythe numéro 2 : Après la ménopause, les femmes peuvent prévenir l'ostéoporose en choisissant des boissons et des aliments enrichis de calcium et en prenant des suppléments de calcium.

Beaucoup de femmes boivent leur lait religieusement, achètent des céréales enrichies de calcium et prennent un supplément de calcium juste au cas. Avant la ménopause, un supplément de calcium peut aider à bâtir des os solides. Chez les femmes plus âgées, cependant, on n'a *jamais* pu démontrer que le seul fait d'augmenter la consommation de calcium pouvait augmenter la densité osseuse ou aider à prévenir les fractures. Si par contre on ajoute de la vitamine D à ce calcium, l'effet est spectaculaire : la densité osseuse augmente de manière significative et l'incidence de fractures diminue de 50 p. 100. Tout cela parce que la vitamine D est nécessaire à l'absorption du calcium et à sa transformation en tissu osseux, et que beaucoup de femmes ménopausées n'en ont pas assez. Des études récentes suggèrent par ailleurs que d'autres éléments nutritifs seraient aussi importants.

Mythe numéro 3 : La marche est le meilleur exercice pour prévenir et traiter l'ostéoporose.

La marche est un merveilleux exercice. Pour le cœur. Mais aucune étude n'a jamais permis de démontrer que les femmes dans la quarantaine ou plus âgées pouvaient augmenter leur densité osseuse en commençant à faire de la marche. La marche ne stimule que légèrement les os. Si, par contre, vous faites de la marche depuis des *décennies,* vous pouvez bénéficier d'un effet cumulatif. Les femmes qui ont toujours beaucoup marché, et ce de façon régulière, auront une densité osseuse supérieure et un risque de fracture de 30 p. 100 inférieur à celui de leurs consœurs inactives du même âge. Toutefois, les effets à court terme de la marche sur les os sont mineurs. Même un programme échelonné sur un an n'aura que très peu d'effets.

Mais n'allez pas croire que je critique la marche ! Au contraire, c'est l'une de mes activités physiques préférées. Aucun autre exercice aérobique ne s'intègre aussi facilement dans un horaire chargé. Et c'est un exercice qui convient à presque tout le monde. Je vous encourage fortement à prendre l'habitude de marcher : en plus d'avoir une foule d'effets bénéfiques sur votre santé, cela vous aidera à retarder d'éventuelles pertes de masse osseuse. De la même façon, la natation et le vélo constituent d'excellents exercices pour le cœur. Mais parce qu'il s'agit d'exercices sans sauts et qui n'impliquent pas de mise en charge, ils n'ont que très peu d'effets sur vos os. Encore une fois, je ne vous suggère pas de laisser tomber ces activités agréables, mais si vous voulez prévenir l'ostéoporose et les fractures, votre programme d'exercices devrait aussi inclure d'autres activités.

Comme vous le savez sans doute, l'haltérophilie ne s'adresse pas seulement à ceux qui veulent ressembler à « Miss Olympia » ou à Arnold Schwarzenegger. Mes recherches ainsi que celles de plusieurs autres montrent qu'avec seulement deux ou trois séances d'entraînement-musculation par semaine, les femmes peuvent freiner la perte de masse osseuse, voire recouvrer un certain niveau de densité osseuse. Tout cela *sans* développer de gros muscles ! Bien au contraire, leurs silhouettes ont plutôt tendance à s'amincir et à prendre de belles proportions.

Nous commençons aussi à nous rendre compte que les exercices aérobiques plus intenses comprenant des sauts et l'ascension d'escaliers peuvent être fort bénéfiques pour l'ossature pourvu qu'ils soient faits correctement. Par ailleurs, les exercices d'équilibre sont aussi très importants pour aider à prévenir les chutes. Pensez-y : si vos os sont fragiles, vous ne voulez surtout pas tomber ! Or, si notre risque de chute augmente, c'est parce que notre équilibre corporel décroît habituellement avec l'âge. Ainsi, un programme d'activités physiques comprenant des exercices pour améliorer la densité osseuse et l'équilibre peut réduire de façon importante votre risque de fractures attribuables à l'ostéoporose.

La recherche

En quête des meilleurs exercices pour les os

Vers le milieu des années 1980, j'ai recruté 36 femmes inactives âgées de 50 à 70 ans pour voir si un programme de marche audacieux échelonné sur un an pouvait influencer la santé de leurs os. Après avoir mesuré leur densité osseuse, nous les avons réparties en deux groupes. La moitié des femmes se rencontraient quatre fois par semaine pour une séance de marche de 50 minutes. Les autres, celles du groupe témoin, continuaient à être inactives.

Notre laboratoire est situé au centre ville de Boston près des jardins publics, des endroits de choix pour marcher. J'ai moi-même marché avec les femmes du projet et nous avons eu beaucoup de plaisir. Après un an, nous avons de nouveau mesuré la densité osseuse des femmes des deux groupes. Quelle déception ! La marche n'avait eu aucun effet sur la densité des os de la hanche. Elle avait cependant eu un léger bienfait sur la colonne vertébrale : la densité osseuse des vertèbres s'était maintenue chez les marcheuses tandis qu'elle avait diminué chez les femmes du groupe témoin.

Pendant ce temps, mes collègues de l'Université Tufts exploraient les effets de l'entraînement-musculation. Intriguée par leurs résultats, j'ai entrepris une autre étude portant sur des femmes ménopausées. Cette fois, les femmes du groupe d'exercices venaient au laboratoire deux fois par semaine pour soulever des poids. Un an plus tard, les femmes du groupe témoin, celles qui n'avaient pas fait les exercices, avaient subi des pertes de masse osseuse d'environ 2 p. 100. Rien d'inhabituel après la ménopause. Mais celles qui avaient fait les exercices avec poids et haltères avaient obtenu des *augmentations* de l'ordre de 1 p. 100 en moyenne. Qui plus est, dans une épreuve qui mesurait leur équilibre corporel, celui-ci s'était amélioré de 14 p. 100, réduisant encore davantage leur risque de fracture. Ces résultats ont été publiés dans le *Journal of the American Medical Association* en 1994.

Mythe numéro 4 :
La masse osseuse que l'on perd est perdue à jamais.

Les traitements les plus récents permettent en fait de regagner une certaine quantité de masse osseuse. Je ne prétends pas qu'une femme atteinte d'ostéoporose puisse recouvrer tout son capital osseux, non, les traitements ne sont pas encore aussi efficaces que cela. Mais même de petites augmentations de densité osseuse peuvent faire une différence notable dans les risques de fracture. L'hormonothérapie de remplacement ainsi que les nouveaux médicaments peuvent diminuer ces risques de 50 à 75 p. 100 ! Et il semblerait qu'on puisse les réduire encore davantage en associant la pharmacothérapie à un programme d'exercices et à un régime alimentaire adéquat.

J'ai 48 ans et je prends du Synthroid pour un problème de glande thyroïde depuis de nombreuses années. Je sais que ce médicament peut affecter mes os et cela m'inquiète. J'en ai parlé à mon médecin, il y a environ deux ans, et il m'a dit que je devrais faire vérifier ma densité osseuse. Elle était normale.

Il y a beaucoup de choses qu'on ne peut pas contrôler, mais je suis de ces gens qui cherchent les moyens de contrôler leur avenir. Je faisais déjà des exercices aérobiques, surtout du vélo et de la natation. Mais pour favoriser la santé de mes os, j'ai décidé de changer pour des exercices avec mise en charge. Maintenant je fais presque toujours du jogging, de la marche ou j'utilise un escalier d'exercice. J'ai commencé à prendre du calcium et de la vitamine D et je veille à prendre chaque jour trois à quatre portions de produits laitiers. Je m'entraîne aussi à soulever des poids deux fois par semaine.

Il y a quelques mois, j'ai repassé un test de densité osseuse. Les résultats ont montré une augmentation de masse osseuse de 5 p. 100.

Patricia

Mythe numéro 5 : Les hommes ne sont pas affectés par l'ostéoporose.

Malheureusement, si. On évalue à près de deux millions le nombre d'Américains atteints d'ostéoporose, une maladie encore très peu soignée chez eux. Pourtant, au cours de sa vie, un homme risque beaucoup plus de souffrir d'une fracture liée à l'ostéoporose que d'un cancer de la prostate.

Jacques

Je suis radiologue. L'année dernière, nous avons reçu un nouvel ostéodensitomètre. J'ai moi-même sauté sur l'appareil pour voir comment on se sentait pendant l'examen. Mes résultats, très anormaux, révélaient de l'ostéoporose. Cela paraissait impossible. J'étais un homme de 37 ans en excellente santé. J'ai cru que l'appareil était défectueux et je me suis testé sur de l'équipement différent. Mais j'ai obtenu les mêmes résultats.

Malgré le choc que m'a causé ce diagnostic, j'ai compris pourquoi j'avais eu autant de fractures récemment. Six mois plus tôt, en effet, lors d'une randonnée au lac avec ma famille, je m'étais fracturé des côtes en tombant à l'eau. Je m'étais dit que c'était de la pure malchance. L'année d'avant, j'avais glissé sur une plaque de glace dans un parking et je m'étais fracturé l'omoplate. Mon orthopédiste avait été perplexe. Il avait regardé la radiographie et m'avait dit : « Ce qui m'étonne, c'est que tu ne te sois pas simplement disloqué l'épaule. C'est plutôt rare d'avoir une fracture avec une telle chute. » Mais je portais des sacs lourds au moment de l'accident et je me suis dit que j'avais dû mal tomber. Ni mon médecin ni moi n'avons pensé à l'ostéoporose. Mais après le test d'ostéodensitométrie, j'ai compris pourquoi mes os s'étaient fracturés aussi facilement.

Je n'avais aucun facteur de risque évident. J'étais en excellente forme physique et très actif : je suis capitaine d'une équipe de cyclistes et je m'alimente bien. Mon médecin m'a fait un bilan de santé complet et j'ai découvert que j'avais un problème endocrinien : mon taux de testostérone était faible. En voyant les résultats de mon bilan de santé, je me suis aperçu que j'avais eu des symptômes de déficience hormonale depuis un certain temps déjà. Je n'avais pas beaucoup d'énergie et je ne me sentais pas dans mon assiette. Je m'étais demandé si ce n'était pas lié à la quarantaine.

Je prends maintenant de la testostérone, du Fosamax et des suppléments de calcium avec de la vitamine D. Je fais du tapis roulant ; j'ai commencé à m'entraîner avec des poids et des haltères et j'adore ! C'est très gratifiant d'augmenter sa force physique. Voilà 16 mois maintenant que je suis ce programme thérapeutique et je me sens en pleine forme. En moins de deux ans, ma densité osseuse a augmenté au point où je ne suis même plus considéré comme une personne atteinte d'ostéoporose.

Mais les hommes, et même leurs médecins, ignorent habituellement ce problème. Un sondage Gallup a révélé que moins de 2 p. 100 des hommes avaient été avisés par leur médecin d'un risque d'ostéoporose. Ce livre s'adresse principalement aux femmes, mais les hommes peuvent aussi suivre le programme qui y est proposé pour renforcer leur ossature. D'ailleurs, un chapitre leur est tout spécialement consacré.

Le programme : La force des femmes, la force des os

Quel que soit votre âge, quel que soit votre point de départ, ce programme vous aidera à améliorer vos os. Même si vous avez déjà subi des pertes importantes de masse osseuse ou des fractures, il n'est pas trop tard.

Le programme présenté dans ce livre associe les trois mesures essentielles pour prévenir et traiter l'ostéoporose : l'alimentation, l'activité physique et (lorsque c'est nécessaire) un traitement médicamenteux. J'aimerais souligner que ces mesures sont toujours plus efficaces lorsqu'elles sont utilisées ensemble. Par exemple, si vous suivez déjà une hormonothérapie de remplacement, vous pouvez réduire davantage votre risque de fracture en faisant aussi de l'entraînement-musculation.

L'alimentation

Vous surveillez sans doute votre alimentation, mais il se pourrait que quelques ajustements mineurs vous permettent d'améliorer plus encore la santé de vos os. La plupart des femmes constatent que lorsqu'elles modifient leur alimentation pour tenir compte de la santé de leurs os, elles se trouvent à adopter un régime alimentaire plus sain pour l'ensemble de l'organisme.

On pense surtout au calcium, mais il ne s'agit là que d'un des éléments clés pour une saine ossature. Ainsi, la vitamine D est aussi très importante, peut-être même plus que le calcium. Le régime alimentaire idéal pour la santé des os comprend des fruits et des légumes en abondance. Nous savons par ailleurs que les éléments nutritifs qui contribuent à la santé des os incluent les vitamines K et C, le magnésium, le potassium et sans doute encore d'autres vitamines et minéraux. Et il semble que le soja pourrait aussi avoir un effet bienfaisant sur les os.

L'activité physique

J'espère que vous êtes déjà physiquement active. Si oui, vous pouvez continuer à faire les activités que vous aimez. Il se peut néanmoins que vous ne fassiez pas tout ce qu'il est possible de faire pour renforcer vos os. Ce livre peut vous éclairer sur ce point. Et si vous êtes inactive, alors le programme proposé vous permettra de modifier en douceur votre style de vie pour qu'il devienne plus sain et plus actif.

De nouvelles études révèlent que seulement deux minutes par jour de sauts à la verticale (oui, sauter de haut en bas) peuvent améliorer la santé de vos os de manière appréciable. Vous avez sans doute déjà entendu les mises en garde concernant les dangers des exercices physiques avec sauts pour les articulations et effectivement, les sauts ne sont pas indiqués pour tout le monde. Mais les femmes de moins de 50 ans qui sont en forme et en bonne santé peuvent bénéficier de ce genre d'exercice pourvu qu'elles prennent certaines précautions. D'autres exercices aérobiques intenses comme de monter des escaliers sont aussi sans danger pour la plupart des femmes. Le programme que je vous propose ici comprend des sauts à la verticale, pour celles qui peuvent en faire, ainsi que d'autres exercices qui ont fait leurs preuves pour les os.

Les traitements médicamenteux

Si vous êtes comme moi, vous préférez sans doute ne pas prendre de médicaments. Pourtant, un traitement médicamenteux peut s'avérer très bénéfique pour celles qui ont subi des pertes de masse osseuse. Jusqu'à tout récemment, le choix était plutôt limité. Mais il existe maintenant plusieurs nouveaux médicaments efficaces. Ainsi, l'un d'eux favorise non seulement la formation de nouveau tissu osseux, mais permet aussi de diminuer le risque de cancer du sein.

Comment ce livre peut vous aider

Il est facile de ne pas se préoccuper de la santé de ses os, surtout quand on est jeune et que la ménopause semble loin. Mais notre squelette doit durer toute notre vie. *L'OStéoporose* vous indique tout ce que vous devez savoir pour prendre en charge la santé de vos os.

Voici ce que contient ce livre :

Les plus récentes données scientifiques

Les femmes disent ne pas être très motivées à changer leur mode de vie si elles ne comprennent pas les raisons pour lesquelles elles devraient le faire. Ceci est particulièrement important quand il s'agit d'une maladie comme l'ostéoporose qui progresse silencieusement. Les symptômes n'apparaissent habituellement que lorsque la perte de masse osseuse est appréciable. D'où l'importance de savoir ce qui se passe dans son corps avant qu'il ne soit trop tard.

- Le chapitre 2 décrit le processus de formation des os ainsi que les nombreux facteurs qui l'influencent.
- Le chapitre 3 explique comment l'ostéoporose se développe et vous indique les signes précurseurs à surveiller.

Le dépistage

Nous avons beaucoup plus de chance que nos mères et nos grands-mères. L'ostéoporose a frappé les générations précédentes sans avertissement. Mais nous disposons maintenant de moyens qui nous permettent d'être à l'affût du danger bien avant que ne survienne une fracture.

- Le chapitre 4 vous aidera à déterminer si vous êtes prédisposée à voir votre masse osseuse diminuer.
- Le chapitre 5 vous explique comment les tests de densitométrie osseuse fonctionnent et pourquoi ce genre d'examen est aussi important que la mammographie. Les meilleurs tests de densitométrie osseuse permettent de prédire le risque de fracture encore plus précisément que les niveaux de cholestérol ne permettent de prédire le risque de crise cardiaque ou la tension artérielle le risque d'accident vasculaire cérébral. Pourtant, ces tests d'ostéodensitométrie sont sous-utilisés et ils ne sont pas toujours couverts par les assurances maladie. En conséquence, plus de 90 p. 100 des gens qui ont subi des pertes importantes de masse osseuse ignorent leur problème. Vous découvrirez si, oui ou non, vous avez besoin de passer un test de densitométrie osseuse et vous apprendrez comment présenter votre réclamation à votre compagnie d'assurance.
- Le chapitre 6 porte sur un facteur que l'on oublie trop souvent dans le cas de cette maladie : les chutes. Vous

pourriez être surprise de vos résultats quand vous ferez les tests d'équilibre qui y sont proposés ! Les problèmes d'équilibre ne concernent pas seulement les personnes âgées. La plupart d'entre nous commençons à éprouver des problèmes d'équilibre bien avant l'âge de 50 ans. Heureusement, vous pouvez faire beaucoup pour vous protéger, en commençant par des exercices tout simples jusqu'au réaménagement de votre environnement immédiat pour prévenir les chutes.

Un plan d'action

Les trois chapitres suivants entrent dans le vif du sujet.

- Le chapitre 7 vous aide à évaluer votre régime alimentaire et vous indique les modifications à y apporter. Il vous propose cinq menus quotidiens complets qui conviennent à toutes, même à celles qui surveillent leur poids ou qui ne consomment pas de produits laitiers.
- Le chapitre 8 vous explique en détail le programme d'exercices destiné à renforcer vos os. Ce programme comprend des exercices aérobiques avec mise en charge, de l'entraînement-musculation, des sauts à la verticale (si appropriés), des exercices d'équilibre et des étirements. Le programme peut paraître chargé, mais lorsque vous maîtriserez les mouvements, il vous faudra moins de trois heures par semaine pour faire vos exercices. Vous apprendrez à concevoir une routine sécuritaire et efficace qui vous conviendra personnellement.
- Le chapitre 9 décrit tous les médicaments actuels approuvés pour prévenir et traiter l'ostéoporose, y compris l'hormonothérapie de remplacement de même que les médicaments tels que Fosamax, Evista et la calcitonine. Mentionnons cependant qu'il n'existe pas de traitement universel qui convienne à tout le monde. Enfin, il sera question de nombreux autres traitements qui n'ont pas encore fait leurs preuves, mais sur lesquels on m'interroge souvent.

- Le chapitre 10 est en fait un petit cahier d'exercices dans lequel vous pouvez rassembler tout ce dont vous avez besoin. Je vous accompagnerai aussi dans une démarche annuelle d'une heure pour vous fixer des objectifs et vous aider à rester sur la bonne voie.

J'ai commencé une hormonothérapie de remplacement et un programme d'entraînement-musculation. Un an plus tard, j'ai passé un nouveau test de densité osseuse et j'ai obtenu de meilleurs résultats.

Aujourd'hui, je soulève des poids, je fais de la course, de la marche, de la randonnée pédestre et du vélo. Je monte et descends les deux escaliers de la maison des milliers de fois par jour. Je bois du jus d'orange enrichi de calcium ; j'ai une saine alimentation qui comprend des produits laitiers à faible teneur en gras de même que du saumon en boîte, avec les arêtes. Je prends des suppléments de calcium et de vitamines qui contiennent de la vitamine D. Je suis toujours mon hormonothérapie et je ne m'inquiète pas.

LILIANE, 65 ANS

Vous trouverez aussi dans ce livre :

- Au chapitre 11, une section consacrée à l'ostéoporose chez les hommes qui explique comment ils peuvent adapter le programme proposé à leurs propres besoins.
- Au chapitre 12, des réponses aux questions les plus courantes.
- Des appendices comprenant un glossaire et une bibliographie.

L'ostéoporose *ne fait pas* inévitablement partie du vieillissement. Le programme présenté dans ce livre est destiné à prévenir la perte de masse osseuse de même que les fractures. Mais il fait bien davantage. Les mesures qui aident à améliorer la santé de vos os contribuent aussi, de multiples façons, à l'amélioration de votre état émotionnel et de votre bien-être général.

Anne

Il y a trois ans, je suis tombée dans l'escalier d'un magasin d'appareils électroménagers. Je me suis si gravement fracturé le poignet que j'ai dû être hospitalisée. On m'a alors fait passer des examens pour les os et j'ai appris que je souffrais d'ostéoporose. J'ai commencé à faire des exercices. Je me rends trois fois par semaine à un centre de conditionnement physique où je soulève des poids lourds, je cours sur un tapis roulant et j'utilise un escalier d'exercice. J'ai aussi entrepris un traitement médicamenteux. Un an après cette chute, je me suis à nouveau fracturé le poignet, mais cette fois la fracture était moins grave. Et l'année dernière, je suis tombée deux fois et je n'ai subi aucune fracture.

Avant, j'adorais escalader les *White Mountains,* mais j'avais dû abandonner ce genre d'activités. Aujourd'hui je peux recommencer. C'est comme si j'avais rajeuni. Cet été, par exemple, je suis partie en expédition dans le Yosemite avec mon fils aîné et ma petite-fille. Nous avons campé dans l'arrière-pays pendant sept jours et six nuits. J'ai porté un sac à dos pesant près de 15 kg sans le moindre problème. J'ai eu beaucoup de plaisir pendant cette excursion. Nous avons escaladé le *Half Dome* de ce parc national, un endroit exceptionnel ! Le sentier n'est rien de plus qu'une étroite plate-forme aménagée à même le roc. Un homme qui montait devant nous a entendu mon fils m'appeler maman. Il s'est tourné vers moi et m'a demandé : « Quel âge avez-vous ? » Et je lui ai répondu : « Soixante-quatorze ans. » Il a bien failli perdre pied !

CHAPITRE 2

La vie secrète des os

Votre corps contient plus de 200 os, mais on ne les voit pas. Pesez avec votre doigt sur votre avant-bras ou sur votre hanche et explorez vos os à travers la peau. Sentez comme ils sont durs : plutôt comme de la pierre que comme de la chair. Le mot « squelette » vient du grec *skeletos* qui signifie « desséché ». Mais les os sont bel et bien vivants. Comme tous les tissus vivants, ils sont toujours en train de se renouveler et de se réparer. Et ils ont besoin qu'on s'occupe d'eux pour rester en bonne santé.

Les os jouent trois rôles importants dont deux que vous connaissez certainement. D'abord, le squelette donne la structure à notre corps. C'est lui qui nous permet de nous tenir debout et de nous déplacer. Sans nos os, nous nous effondrerions comme un chapiteau sans mâts. Les os protègent aussi nos organes internes et fragiles. Le crâne renferme le cerveau, la cage thoracique abrite le cœur et les vertèbres protègent la moelle épinière. Les os ont aussi une troisième fonction qui est moins évidente, bien que tout aussi vitale : ils servent d'entrepôt pour les minéraux essentiels, le calcium en particulier.

Ce chapitre vous entraîne sous la peau et vous explique les activités étonnamment complexes des os. Quand vous en connaîtrez les bases, vous pourrez comprendre comment l'ostéoporose se développe et pourquoi les divers traitements fonctionnent.

Sous la surface

Lorsque vous touchez vos os à travers la peau, vous n'en sentez que l'extérieur. À l'intérieur se trouve un tissu plus poreux, avec une structure alvéolée. Bien que les deux couches portent le nom d'« os » et que les deux soient dures, il s'agit en fait de deux tissus différents :

- **l'os cortical** ou dense : couche extérieure très compacte et lourde qui représente environ 80 p. 100 de notre capital osseux.
- **l'os trabéculaire** ou spongieux : couche interne poreuse et légère qui a une structure en treillis et qui compte pour environ 20 p. 100 de notre masse osseuse.

Comme vous pouvez le voir sur la photo de la page suivante, l'os cortical est beaucoup plus solide que l'os trabéculaire. Tous nos os contiennent ces deux types de tissus, mais en proportions variables. Les longs os des bras et des jambes sont surtout constitués d'os cortical dense, et leurs extrémités, d'os trabéculaire spongieux. D'autres os, comme ceux des vertèbres, les petits os du poignet et ceux du bassin, sont composés presque entièrement d'os trabéculaire avec une mince couche extérieure d'os cortical. L'os trabéculaire est particulièrement vulnérable à l'ostéoporose. C'est pourquoi tant de fractures ostéoporotiques surviennent dans la colonne vertébrale, les poignets et les hanches, où les os sont composés en grande partie d'os trabéculaire.

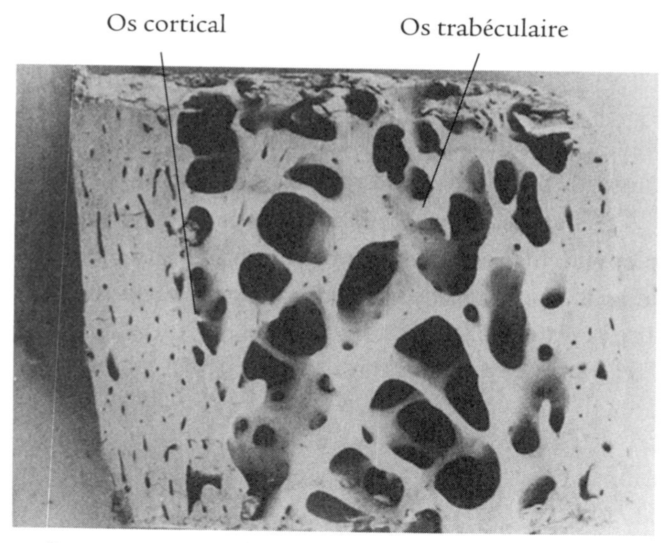

STRUCTURE DE L'OS CORTICAL ET TRABÉCULAIRE

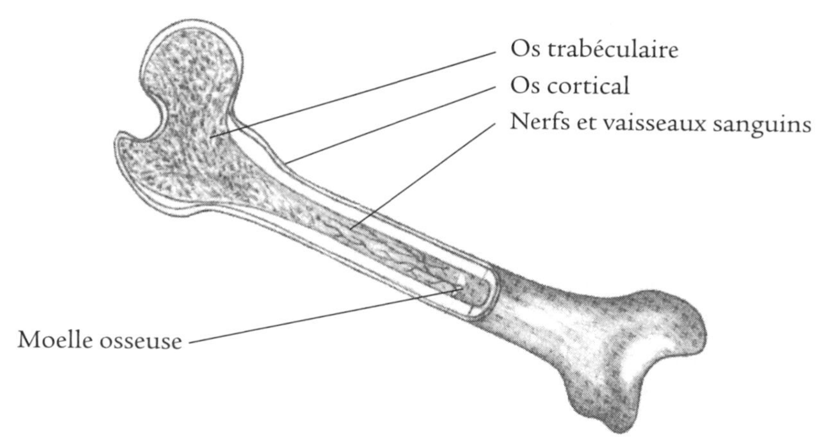

À L'INTÉRIEUR D'UN FÉMUR

Sous la couche externe dure de l'os cortical se trouve la structure alvéolée de l'os trabéculaire. Au milieu, sur le sens de la longueur, le fémur est surtout constitué de tissu cortical et vers les extrémités, plutôt de tissu trabéculaire. Les vaisseaux sanguins et les nerfs parcourent aussi le tissu osseux. Au centre, se trouve un canal creux qui contient la moelle osseuse, là où sont fabriqués les globules sanguins.

La formation du tissu osseux

Si vous pouviez voir votre squelette sous l'œil puissant d'un microscope, vous verriez quelque chose qui ressemble à un chantier de construction grouillant d'activité. Ainsi, tandis qu'une équipe de cellules osseuses s'affaire à démolir une petite région de l'os, une autre arrive pour la rebâtir. La santé de nos os dépend de ce processus qu'on appelle **remodelage**.

Les cellules osseuses responsables de la démolition sont les **ostéoclastes**. Elles sécrètent un acide qui dissout le tissu osseux lequel libère, dans le sang, du calcium ainsi que d'autres minéraux. Une grande partie de ce matériel sera recyclé et réutilisé dans le processus de remodelage. Mais une certaine partie sera utilisée pour d'autres fonctions que je décrirai un peu plus loin. Il faut comprendre que lorsque l'organisme a besoin de plus de calcium, il donne l'ordre aux ostéoclastes de dissoudre davantage de tissu osseux. D'où l'importance de consommer suffisamment de calcium.

Les ostéoclastes peuvent dissoudre suffisamment de tissu osseux pour créer une petite cavité dans l'os. Quand ils ont terminé leur travail, les ostéoclastes meurent et la deuxième étape du remodelage commence. Une équipe de cellules différentes, celle des **ostéoblastes**, se rassemble sur le site. Ces cellules tapissent la cavité de collagène, une substance moelleuse et collante qui sert de charpente au tissu osseux. Ensuite, elles puisent du calcium et d'autres minéraux dans le sang et forment des cristaux sur le collagène. Le collagène et les minéraux durcissent et deviennent du tissu osseux. Quand les ostéoblastes ont fini leur travail, ils sont transformés en cellules osseuses matures et s'intègrent au nouveau tissu osseux. Bien que toujours vivants, ils ne sont désormais plus actifs.

À la fin du cycle de remodelage, la cavité a été remplie avec un nouveau tissu osseux. Le processus complet dure entre trois et six mois ; il est donc beaucoup plus long que le renouvellement des autres tissus corporels. C'est pourquoi une fracture osseuse prend beaucoup plus de temps à guérir qu'une lésion de la peau ou des muscles. Et c'est aussi pourquoi il faut si longtemps avant de pouvoir constater les effets des traitements ou des mesures de prévention de l'ostéoporose.

RAPPEL TERMINOLOGIQUE

Voici un truc simple pour distinguer les rôles de ces deux types de cellules osseuses :

Les ostéo*c*lastes dé*c*omposent les os.
Les ostéo*b*lastes *b*âtissent les os.

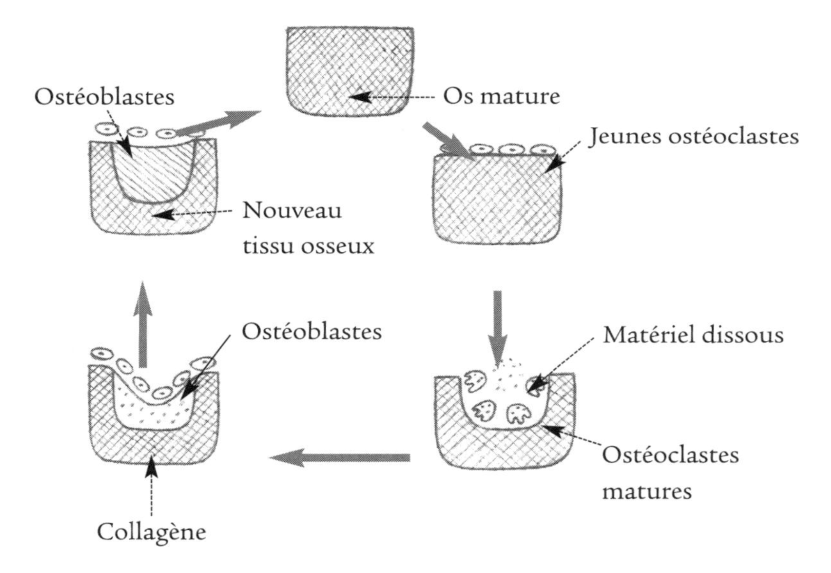

LE REMODELAGE OSSEUX

1. *Le remodelage commence lorsque de jeunes ostéoclastes arrivent sur le site.*
2. *Les ostéoclastes matures dissolvent le tissu osseux, créant ainsi une cavité.*
3. *Les ostéoblastes tapissent la cavité de collagène.*
4. *Des cristaux de calcium et d'autres minéraux sont attirés dans le collagène pour former le nouveau tissu osseux.*
5. *La cavité est remplie et le cycle de remodelage est complet.*

Quand les ostéoclastes sont plus actifs que les ostéoblastes, la décomposition du tissu osseux excède la reconstruction et il en résulte une perte de masse osseuse.

Les trois facteurs principaux qui déterminent la masse osseuse

Nos os croissent lentement et leur densité est le reflet de tout ce que nous avons vécu. Trois facteurs principaux sont responsables de la structure de notre squelette.

Les œstrogènes

Parce que les œstrogènes sont des hormones sexuelles, beaucoup de femmes ne se rendent pas compte que la plupart des tissus corporels, même ceux qui, comme les os, ne semblent pas liés à la vie sexuelle, possèdent des récepteurs spéciaux pour les œstrogènes. C'est pourquoi la ménopause nous affecte beaucoup plus que le cycle menstruel. Tout au long de notre vie, notre masse osseuse croît et décroît avec nos niveaux d'œstrogènes.

Les œstrogènes stimulent l'activité des ostéoblastes bâtisseurs d'os. Plus important encore, ces hormones freinent l'action de décomposition des ostéoclastes. Après la ménopause, ce système de freinage ne fonctionne plus. Si notre capital osseux diminue en vieillissant, ce n'est pas parce que les ostéoblastes cessent de bâtir, mais plutôt parce que l'activité des ostéoclastes incontrôlables l'emporte sur celle des ostéoblastes.

Les œstrogènes ont aussi des effets indirects sur nos os. Les cellules qui fabriquent le tissu osseux disposent de plus de calcium libre avant la ménopause parce que les œstrogènes aident les intestins à absorber le calcium des aliments et qu'ils en favorisent la conservation par les reins qui en excrètent alors moins. Enfin, les œstrogènes stimulent l'action de la vitamine D essentielle au métabolisme du calcium.

D'autres hormones ont aussi une influence sur les os, comme la calcitonine, l'hormone de croissance, l'hormone parathyroïdienne et la testostérone. (Eh oui, les femmes aussi produisent de la testostérone, mais en petites quantités seulement.) Un autre effet indirect des œstrogènes est leur influence sur la libération de ces autres hormones. Nous reviendrons plus en détail sur ces processus complexes au chapitre 9 où il sera question des traitements médicamenteux.

EST-CE QUE LE STRESS PROLONGÉ OU LA DÉPRESSION CHRONIQUE PEUVENT AFFECTER NOS OS ?

On imagine facilement qu'une femme atteinte d'ostéoporose puisse devenir anxieuse ou déprimée. Mais est-ce que l'anxiété ou la dépression peuvent *causer* des pertes de masse osseuse ? C'est justement ce qu'a révélé une étude faite en 1996 et publiée dans le *New England Journal of Medicine* qui portait sur 24 paires de femmes âgées de 30 à 40 ans. Les femmes avaient été appariées selon leur poids et leur alimentation, mais une femme de chaque paire avait des antécédents de dépression prolongée tandis que l'autre n'en avait pas. Les chercheurs ont constaté que les femmes qui étaient déprimées avaient une densité osseuse inférieure à celle de leurs consœurs.

Comment expliquer ces résultats ? Nous n'en sommes pas encore certains, mais ils pourraient être liés à l'hydrocortisone, une hormone qui est libérée quand une personne est stressée. L'hydrocortisone, qui est produite par les glandes surrénales, inhibe la formation de nouveau tissu osseux et diminue l'absorption du calcium, deux effets qui nuisent aux os.

L'activité physique

Nous savons depuis longtemps que lorsque nous sollicitons nos tissus corporels, ceux-ci s'adaptent au défi. Quand nous soulevons des poids, nos muscles deviennent plus forts. Quand nous courons ou pratiquons un autre genre d'activité aérobique et vigoureuse, nous augmentons nos capacités cardiaque et pulmonaire. Dès le XIXe siècle, les scientifiques ont formulé l'hypothèse selon laquelle les os réagissaient de façon similaire, mais à l'époque, on ne disposait d'aucun moyen pour mesurer la densité osseuse chez les vivants.

Dans les années 1940 et 1950, des études fascinantes portant sur des malades alités ont fourni des précisions supplémentaires. Médecins et infirmières avaient remarqué, à leur grande consternation, qu'il arrivait souvent que les patients hospitalisés s'affaiblissent après une maladie ou une intervention chirurgicale. Ils se sont dit que les patients alités perdaient sans doute de leur capital musculaire et osseux. En suivant ces patients de près, ils ont découvert qu'après seulement une semaine au lit, le taux de calcium dans l'urine augmentait considérablement. L'inactivité dissolvait les os !

En examinant les astronautes qui revenaient sur Terre dans les années 1960, on a pu confirmer ces observations. (Voir l'encadré.) Les chercheurs se sont aussi aperçus que lorsque les patients redevenaient actifs, leur masse osseuse augmentait de nouveau. Ces découvertes ont influencé les pratiques médicales et si vous avez été hospitalisée récemment, vous avez remarqué qu'on encourage les patients à se lever le plus tôt possible, même après une chirurgie lourde.

MISE EN GARDE : VOYAGER DANS L'ESPACE PEUT NUIRE À VOS OS !

Dans les premiers temps du programme spatial, les astronautes qui revenaient sur Terre étaient si faibles qu'il fallait parfois les porter pour les sortir de la capsule spatiale. Les analyses révélaient qu'ils avaient perdu de leur capital musculaire et osseux. Ces hommes auparavant si sains et vigoureux perdaient en moyenne 1 p. 100 de leur masse osseuse en une seule semaine. La raison : l'apesanteur.

Ces observations étonnantes ont mis en évidence l'importance de la gravité pour nos os. Aujourd'hui, les astronautes font des exercices sur des appareils spéciaux qui visent à faire travailler leurs muscles. S'ils subissent encore une certaine perte de masse osseuse, c'est que les séances d'entraînement ne compensent que partiellement l'absence de gravité, mais les effets négatifs sont certainement moins importants qu'auparavant.

Vers la fin des années 1960 et au cours des années 1970, les scientifiques ont finalement mis au point des outils pour mesurer la densité des os. Ces appareils ont inspiré toute une vague de chercheurs qui s'intéressaient au développement des os et à l'activité physique. Bien que nous sachions maintenant comment les os réagissent à l'activité physique, nous ignorons encore exactement le pourquoi de ce phénomène, mais au moins trois mécanismes entrent en jeu :

- Les ostéoblastes bâtisseurs d'os sont stimulés par les forces mécaniques que génère l'exercice. Chaque fois que vos pieds frappent le sol lorsque vous marchez, vos os sont stimulés à croître. C'est la raison pour laquelle la marche est meilleure pour vos os que la natation, et c'est aussi pourquoi le jogging et la course, qui sont des exercices avec des sauts plus intenses, valent encore mieux que la marche.
- La force constante des muscles qui tirent sur les os stimule aussi l'action des ostéoblastes. Plus vos muscles sont forts, plus ils stimulent vos os. On ne remarque pas cette stimulation autant que les effets de la course ou d'autres exercices avec mise en charge. Mais à cause de sa constance ou de sa régularité, son effet sur les os est très puissant.
- L'activité physique augmente la sécrétion d'hormone de croissance ainsi que d'autres hormones qui favorisent la croissance des os et des muscles. Si vous faites beaucoup d'exercice, vous aurez des taux plus élevés de ces hormones.

C'est en examinant le cas des athlètes d'élite que nous avons pu vérifier l'action de ces mécanismes. Ainsi, dans une étude qui comparait les bras droit et gauche de joueurs de tennis professionnels, les chercheurs ont constaté que les os du bras qui tenait la raquette étaient de 15 à 20 p. 100 plus denses que ceux de l'autre bras. Une autre étude qui portait sur les os des jambes a permis de montrer que les coureurs de fond avaient une densité osseuse de 10 à 20 p. 100 supérieure à celle de gens du même âge qui ne pratiquaient pas ce sport. Des études plus récentes ont aussi permis de mettre en évidence que, chez les haltérophiles (hommes ou femmes), les os de la colonne vertébrale et des hanches avaient une densité d'environ 10 p. 100 supérieure à celle de coureurs. La leçon à tirer pour nous tous : plus nos os sont stimulés par nos muscles et par l'exercice, plus ils sont denses.

L'alimentation

Une bonne alimentation est essentielle à une ossature solide et son importance devient encore plus grande en vieillissant parce que le risque de perte de masse osseuse augmente et que l'organisme n'assimile pas les nutriments aussi efficacement. Les deux éléments nutritifs les plus importants pour les os sont le calcium et la vitamine D. Mais au cours de la dernière décennie, nous avons découvert que d'autres vitamines et minéraux jouaient aussi des rôles importants dans la santé des os. Comme vous le verrez, la plupart de ces éléments nutritifs proviennent des fruits et des légumes. Des études de populations ont permis de démontrer que les gens qui consomment beaucoup de fruits et de légumes, et notamment du soja, ont des os plus sains. Bien que nous ne connaissions pas encore toutes les raisons de ce phénomène, les recherches en ce domaine foisonnent et nous commençons à obtenir des éléments de réponse.

La recherche

Pourquoi les fruits et les légumes sont bons pour les os

En 1968, un article publié dans la revue médicale *Lancet* suggérait qu'un régime alimentaire contenant moins de viande et plus de fruits et de légumes pouvait améliorer la santé des os. La raison: un meilleur équilibre de l'acidité dans le sang.

Notre corps travaille fort pour maintenir un niveau adéquat d'acidité dans le sang. L'un des mécanismes utilisés pour corriger l'excès d'acidité consiste à décomposer du tissu osseux pour libérer des minéraux comme le potassium, le magnésium et le calcium, capables de neutraliser l'acidité. En fait, notre squelette est un peu comme un immense comprimé d'antiacide. Effectivement, certains antiacides contiennent les mêmes minéraux que ceux cités ci-dessus.

Cette hypothèse de l'acidité intéresse aujourd'hui encore les chercheurs. Katherine Tucker, Ph. D. et ses collègues de l'Université Tufts se sont penchés sur les cas de 1164 hommes et femmes qui participaient à l'étude bien connue intitulée « Framingham Heart Study ». Ils ont examiné l'apport alimentaire des sujets et leur ont fait passer des tests de densitométrie osseuse. Les résultats, publiés en 1999 dans l'*American Journal of Clinical Nutrition,* ont révélé une forte corrélation positive entre la consommation de fruits et de légumes et la densité minérale des os.

Les minéraux

Notre squelette est constitué de minéraux. En effet, nos os sont composés d'environ 38 p. 100 de calcium. Mais le calcium n'est pas le seul élément minéral des os: environ 17 p. 100 de la masse osseuse est constituée de phosphore et les os contiennent aussi du magnésium, du potassium, du zinc et du sodium.

La plupart d'entre nous n'avons aucune difficulté à consommer des quantités suffisantes de minéraux essentiels, sauf en ce qui concerne le calcium. Quatre-vingt-dix pour cent des femmes américaines ont une alimentation qui ne leur fournit pas assez de calcium. Heureusement, le problème est facile à corriger (voir chapitre 7).

Les vitamines

Les vitamines jouent un rôle différent mais tout aussi essentiel. Elles sont nécessaires pour catalyser diverses réactions biochimiques impliquées dans le processus de formation des os. Nous savons, depuis 1920, que la vitamine D est nécessaire à l'absorption du calcium et que sans elle, notre organisme ne peut utiliser celui que nous consommons. Cette vitamine essentielle aide aussi les ostéoblastes à incorporer les minéraux dans les os. Nous savons maintenant que d'autres vitamines sont aussi nécessaires pour le développement des os. Par exemple, les vitamines C et K contribuent, chacune à leur façon, à la production de collagène, la première étape de formation du tissu osseux.

La densité osseuse au rythme des saisons

À moins que nous prenions des suppléments de vitamine D, nos os changent selon les saisons. Leur densité dépend entre autres de notre exposition au soleil, dont les rayons contribuent à la formation de vitamine D. La densité osseuse atteint donc son maximum après l'été. Les pertes saisonnières commencent plus tard, à l'automne, lorsque les jours raccourcissent. La densité atteint son niveau annuel le plus faible vers la fin du printemps. Et puis, les journées se font plus longues. La différence entre les densités maximale et minimale peut être de l'ordre de 3 à 4 p. 100. C'est pourquoi il est important de toujours faire faire ses tests de densité osseuse pendant la même période de l'année.

Le calcium, un élément crucial !

Le calcium ne sert pas seulement à la formation des os. Il joue aussi un rôle essentiel dans des fonctions vitales comme la transmission des influx nerveux, la coagulation du sang, la régulation de la tension artérielle et la contraction des muscles. Il est nécessaire à chaque battement du cœur et il entre en jeu chaque fois que nous bougeons un doigt ou clignons des yeux. Le calcium que nous utilisons provient de deux sources : des aliments que nous mangeons et de nos os.

Notre organisme contrôle rigoureusement le niveau de calcium dans le sang grâce à des mécanismes complexes qui en ajustent constamment le taux, l'augmentant ou le diminuant pour le maintenir à l'intérieur d'une étroite zone optimale. Si notre alimentation nous fournit suffisamment de calcium, nous n'avons pas besoin de puiser dans les réserves de nos os, mais dans les cas d'insuffisance chronique, notre corps sacrifiera nos os pour obtenir le calcium dont il a besoin. Certains traitements médicamenteux prescrits pour prévenir et traiter l'ostéoporose sont basés sur notre compréhension des mécanismes de régulation du calcium.

Quand l'organisme a besoin de plus de calcium

Une diminution du taux de calcium dans le sang déclenche plusieurs mécanismes qui veilleront à le faire remonter. Il s'agit d'ajustements subtils, un peu comme les tout petits ajustements de volant que l'on fait quand on conduit sur une route droite.

- La sécrétion d'hormone parathyroïdienne augmente. Les glandes parathyroïdes, quatre minuscules glandes situées dans le cou, activent les ostéoclastes. En décomposant le tissu osseux, ces cellules permettent au calcium d'être libéré dans le sang.
- Une plus grande quantité de vitamine D est convertie en forme active par les reins. Plus de calcium pourra donc

être absorbé des aliments consommés. Habituellement, l'organisme n'absorbe que 20 à 35 p. 100 du calcium que nous consommons, mais ce pourcentage peut augmenter de manière significative lorsque c'est nécessaire.

- Les reins commencent à conserver du calcium : ils en excrètent moins dans l'urine.

Le développement des os au cours de la vie

On peut comparer le squelette à un compte en banque. Plus nous y déposons pendant nos jeunes années, et plus nous dépensons avec circonspection, plus notre retraite sera aisée.

Au cours des 25 premières années de vie, notre organisme est programmé pour augmenter son capital osseux. La quantité de tissu osseux que nous accumulons dépend de notre sexe (les hommes l'augmentent plus grâce à la testostérone), de nos gènes, de notre état de santé, de notre mode de vie et surtout de notre alimentation et de l'exercice que nous faisons. Ces années sont si importantes pour l'avenir de nos os que certains experts parlent de l'ostéoporose comme d'une maladie pédiatrique avec des conséquences gériatriques.

Dans la deuxième moitié de la vie, la tendance naturelle est à la perte de masse osseuse. Néanmoins, on peut faire beaucoup pour prévenir ou du moins retarder ces pertes.

L'enfance

Grâce à l'hormone de croissance qui stimule le travail des ostéoblastes bâtisseurs, les os croissent considérablement pendant l'enfance. De la naissance à l'âge de deux ans, la masse osseuse double. Et à l'âge de 10 ans, elle aura doublé de nouveau.

L'adolescence

La croissance des os s'accélère à la puberté lorsque les hormones sexuelles commencent à exercer leur magie. Les jeunes peuvent grandir de 10 à 15 cm en une seule année ; leurs os s'allongent et s'épaississent. À la fin de la puberté, les adolescents ont doublé la masse osseuse qu'ils avaient à l'âge de 10 ans.

On peut augmenter son capital osseux à tout âge de la vie, mais jamais aussi facilement qu'à l'adolescence, moment où le corps est en pleine croissance. C'est aussi pendant cette période que s'installent les habitudes de vie, y compris celles qui influencent la santé des os. À l'âge de 18 ans, nous avons accumulé environ 90 p. 100 du maximum de notre masse osseuse.

La période jeune adulte

Les os continuent de se développer après l'adolescence, mais beaucoup plus lentement. La plupart d'entre nous atteignons notre pic de masse osseuse vers le début ou le milieu de la vingtaine. Pendant la trentaine, le processus de remodelage que j'ai expliqué plus tôt est à peu près en équilibre : l'organisme produit à peu près la même quantité de tissus osseux qu'il perd.

Toutefois, certaines femmes subissent des pertes précoces ou particulièrement rapides de tissu osseux. En fait, même des femmes dans la vingtaine qui souffrent de troubles de l'alimentation, d'irrégularités menstruelles ou d'autres problèmes peuvent perdre des quantités appréciables de tissu osseux. (Il sera question de ces facteurs de risque ainsi que d'autres au chapitre 4.)

Au début de la vingtaine, j'ai souffert de troubles de l'alimentation récurrents. À un certain moment, je ne pesais plus que 35 kg. Je n'avais plus de règles. Un psychiatre m'a parlé des risques d'ostéoporose, mais je n'ai pas tenu compte de cet avertissement. Je me disais que je pourrais prendre des œstrogènes après ma ménopause. Puis, l'année dernière, je me suis tordu le pied gauche en faisant du jogging et je me suis fracturé un des métatarses. Je voyais le médecin toutes les deux semaines, car ma fracture ne guérissait pas. Cela a duré trois mois. Je lui ai parlé de mes problèmes d'alimentation en lui expliquant que je craignais que ces derniers n'aient affecté mes os. Il m'a répondu que je ne pouvais pas souffrir d'ostéoporose à mon âge: j'avais 43 ans. Bien qu'à contrecœur, il m'a tout de même fait passer un test. J'étais atteinte d'ostéoporose avancée.

LAURA

LES OS PENDANT LA GROSSESSE ET L'ALLAITEMENT

La grossesse et l'allaitement exigent beaucoup du corps de la femme. Les changements hormonaux permettent à son organisme d'utiliser le calcium de manière beaucoup plus efficace, mais cela ne compense pas entièrement. Il est donc essentiel pour les femmes enceintes d'augmenter leur apport de calcium et de bien s'alimenter. Les suppléments de calcium sont particulièrement importants pour les femmes qui allaitent leur bébé pendant plus de six mois et pour celles qui ont des grossesses rapprochées. Avec un bon régime alimentaire, la mère peut probablement regagner son capital osseux en moins d'un an après avoir cessé d'allaiter.

Avant la ménopause

Vers le milieu de la trentaine, nos os atteignent un point tournant. L'équilibre entre les ostéoclastes et les ostéoblastes commence à se rompre et pour la première fois de notre vie, nous perdons plus de tissu osseux que nous n'en fabriquons. Au cours de la période qui précède la ménopause, notre masse osseuse décroît de 0,5 à 1 p. 100 par année.

La diminution de production d'œstrogènes est la principale cause de ce changement, mais elle n'est pas la seule. En vieillissant, notre organisme voit aussi diminuer sa capacité d'absorber le calcium contenu dans les aliments, en partie du moins parce que notre peau produit moins de vitamine D.

Cependant, nous demeurons, pour la plupart, assez bien protégées pendant ces années et les pertes de masse osseuse ne nous rendent pas encore vulnérables aux fractures. Mais plus nous pourrons préserver notre capital osseux avant la ménopause, mieux nous serons préparées pour affronter l'avenir.

La ménopause

Au cours des deux années qui précèdent la ménopause et pendant les cinq années qui la suivent, les niveaux d'œstrogènes diminuent et nos os subissent d'importantes modifications. Sans les œstrogènes pour les refréner, les ostéoclastes décomposeurs augmentent leurs activités d'environ 20 p. 100, mais les ostéoblastes ne suivent pas. Il en résulte donc une perte de masse osseuse. Les femmes ménopausées perdent entre 1 et 3 p. 100 de leur masse osseuse chaque année, et chez certaines, ces pertes peuvent atteindre les 5 p. 100. À cause de la rapidité des changements qui surviennent, ces années constituent une période critique pour l'instauration de mesures préventives.

Cinq ans après la ménopause et jusqu'à l'âge de 70 ans

Les pertes de masse osseuse se font plus lentement, mais elles sont toujours de l'ordre de 1 ou 2 p. 100 par année. Quand, pendant cette période, le capital osseux a diminué de 30 à 40 p. 100 en moyenne, l'ossature de la femme devient dangereusement fragile.

Après 70 ans

Heureusement, les pertes de masse osseuse se font de plus en plus lentement et elles ne sont plus que de 0,5 à 1 p. 100 par année après l'âge de 70 ans. Mais beaucoup de femmes ont subi des pertes tellement importantes que toute diminution supplémentaire augmente significativement leur risque de fracture. Vers l'âge de 85 ou 90 ans, il se peut que la femme n'ait plus que la moitié du capital osseux qu'elle avait quand il était à son maximum.

De nombreux facteurs influencent la masse osseuse et seuls certains d'entre eux peuvent être contrôlés. Et la nature ne joue pas toujours en notre faveur. Quoi qu'il en soit, nos os demeurent le siège d'échanges dynamiques tout au long de notre vie. Et nous pouvons, à tout âge, contribuer à réduire les risques d'ostéoporose et de fractures. Qui plus est, de nouvelles études semblent aussi indiquer que l'on puisse *augmenter* son capital osseux. Il n'est jamais trop tard pour s'y mettre !

CHAPITRE 3

Anatomie de l'ostéoporose

L'ostéoporose est une maladie silencieuse. Vous pouvez perdre de la masse osseuse pendant des années sans vous en apercevoir, jusqu'à ce que vous tombiez. Les désagréments qui accompagnent d'autres maladies chroniques n'ont rien de plaisant, mais au moins ils sonnent l'alarme. Si l'ostéoporose est si tragique, c'est parce qu'il n'y a, pour cette maladie, aucun symptôme précoce : on ne se sent pas différente, il n'y a ni douleur ni signe extérieur. Elle frappe généralement sans crier gare et on ne s'en aperçoit habituellement que lorsque la perte de masse osseuse est déjà avancée.

Une fracture ostéoporotique est loin de ressembler à un bras cassé pendant l'adolescence, où après quelques semaines dans un plâtre décoré des gribouillages multicolores de vos amis, vous êtes complètement remise. Dans le cas d'une fracture due à l'ostéoporose, vous pourriez ressentir de la douleur même une fois l'os guéri et vous risqueriez aussi une certaine déformation du membre atteint. Votre vie peut être changée, non seulement à cause de votre incapacité fonctionnelle, mais aussi par la peur et la dépression qui affligent souvent les victimes d'ostéoporose.

Ce chapitre fait la lumière sur le processus invisible de perte de masse osseuse. Mais rassurez-vous, on peut maintenant prévenir l'ostéoporose si l'on s'y prend assez tôt. Et si vous en êtes déjà atteinte, sachez que la maladie *peut* être traitée.

Un sabotage silencieux

La plupart des scientifiques pensent qu'une certaine perte de masse osseuse est inévitable en vieillissant. Mais en prenant des mesures pour minimiser les pertes, on peut protéger ses os des risques de fracture. Grâce à de nouveaux tests décrits plus en détail au chapitre 5, vous pouvez faire évaluer l'état de vos os.

Les médecins distinguent deux degrés de perte de matière osseuse :

- **l'ostéopénie,** caractérisée par une densité osseuse anormalement faible et
- **l'ostéoporose,** grave désordre dans lequel la perte de matière osseuse est si importante que les os deviennent littéralement poreux, d'où le terme d'« ostéoporose ».

Tandis que l'ostéopénie dégénère en ostéoporose, la microarchitecture du tissu osseux se détériore. Les os deviennent beaucoup plus fragiles et le risque de fracture augmente. La densité osseuse est à elle seule le meilleur indice de prédiction du risque de fracture. Pour comprendre pourquoi, il suffit de regarder les photos qui montrent des microradiographies des os.

> *Quand on ne sait rien de l'ostéoporose, on pense qu'il s'agit d'une simple courbure des épaules. Rien de très inquiétant. Mais quand on connaît quelqu'un qui en est atteint, on découvre la vérité.*
>
> ANNIE

Les os vulnérables

Quand la densité osseuse est faible, tout os du corps, quel qu'il soit, risque plus de se fracturer. Mais un ensemble de facteurs rendent les os de la colonne vertébrale, des poignets et des hanches particulièrement vulnérables.

La colonne vertébrale

Les vertèbres, ces os délicats de la colonne vertébrale, sont surtout constitués de tissu osseux trabéculaire. Quand on perd de son capital osseux, les vertèbres deviennent extrêmement vulnérables aux fractures à cause de leur petite taille et de leur structure fragile. Chez une femme atteinte d'ostéoporose, même des gestes banals du quotidien comme soulever une valise, éternuer ou se pencher pour attacher ses lacets risquent de causer des fractures des vertèbres.

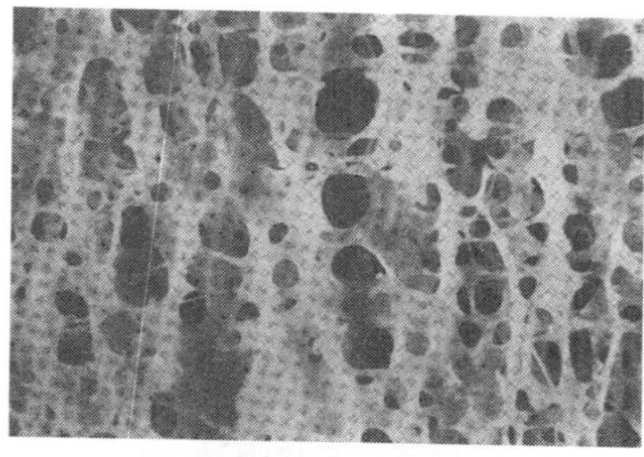

Microradiographie d'un os normal

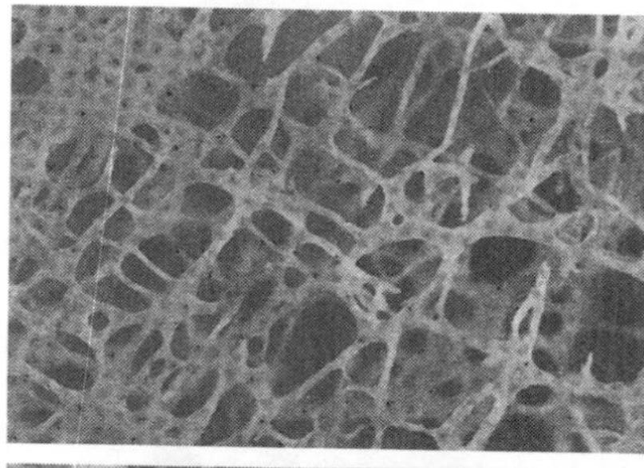

Microradiographie d'un os atteint d'ostéopénie

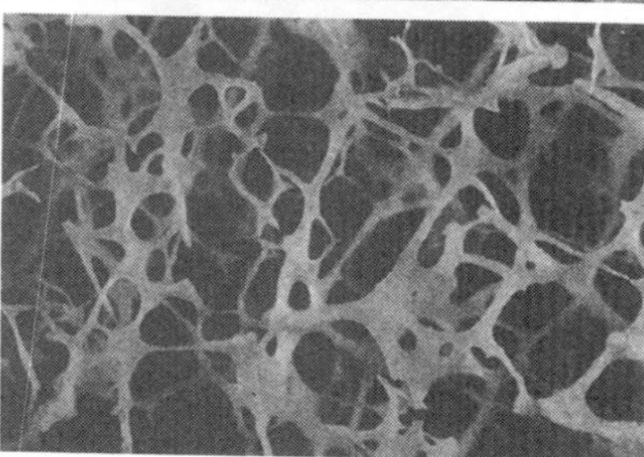

Microradiographie d'un os atteint d'ostéoporose

Les fractures des vertèbres sont celles qui surviennent le plus souvent chez les victimes d'ostéoporose. Aux États-Unis, on estime à 700 000 annuellement le nombre de fractures des vertèbres. Environ le tiers des femmes de plus de 60 ans, et la moitié de celles de plus de 80 ans, subissent au moins une fracture des vertèbres. Malgré leur importance, ces nombres ne reflètent probablement pas toute la réalité puisque près des deux tiers des fractures vertébrales ne sont jamais diagnostiquées.

Il peut paraître étrange qu'une femme puisse se fracturer une vertèbre sans s'en rendre compte, mais seulement la moitié de ces fractures proviennent de chutes et elles ne causent pas toujours de douleur. Le seul fait de se pencher vers l'avant peut, chez une femme atteinte d'ostéoporose avancée, causer une fracture des vertèbres. De plus, si la femme ressent de la douleur, elle peut penser qu'il s'agit tout simplement d'une élongation musculaire.

Les différentes parties de la colonne vertébrale

Votre colonne vertébrale est constituée de 24 vertèbres et d'un os plat et plus grand au bas, le sacrum, ainsi que d'un tout petit os caudal situé sous ce dernier, le coccyx. Vous pouvez sentir vos vertèbres : ce sont la série de petites bosses centrales qui courent le long de votre dos. Entre chaque paire de vertèbres se trouve un disque plat et cylindrique fait de cartilage résistant qui sert à amortir les chocs qui proviennent de nos mouvements.

On peut diviser la colonne vertébrale en trois parties :

- **La colonne cervicale,** qui comprend les 7 premières vertèbres du haut. C'est cette partie de la colonne qui supporte la tête. C'est aussi celle qui risque le moins de subir des fractures à cause de l'ostéoporose.
- **La colonne dorsale,** qui comprend les 12 vertèbres situées derrière le thorax et auxquelles sont attachées une paire de côtes chacune. La position caractéristique penchée vers l'avant des victimes d'ostéoporose résulte de fractures dans cette région de la colonne.

- **La colonne lombaire,** qui compte 5 vertèbres. Des douleurs dans cette région peuvent provenir de fractures ou d'autres problèmes.

Les symptômes

En lisant ce chapitre, il se peut que vous reconnaissiez certains des symptômes décrits. Si c'est le cas, il est important de déterminer si vous avez une fracture ou un autre problème comme une scoliose (déviation de la colonne) ou encore une dégénérescence des disques. Toute fracture des vertèbres constitue un signe d'alarme : si vous avez subi une fracture, le risque d'une deuxième fracture est beaucoup plus grand. Il est donc urgent de prendre des mesures préventives. Des radiographies diagnostiques peuvent vous aider à clarifier la situation.

Parlez à votre médecin des tests de densitométrie osseuse si vous avez l'un des symptômes suivants :

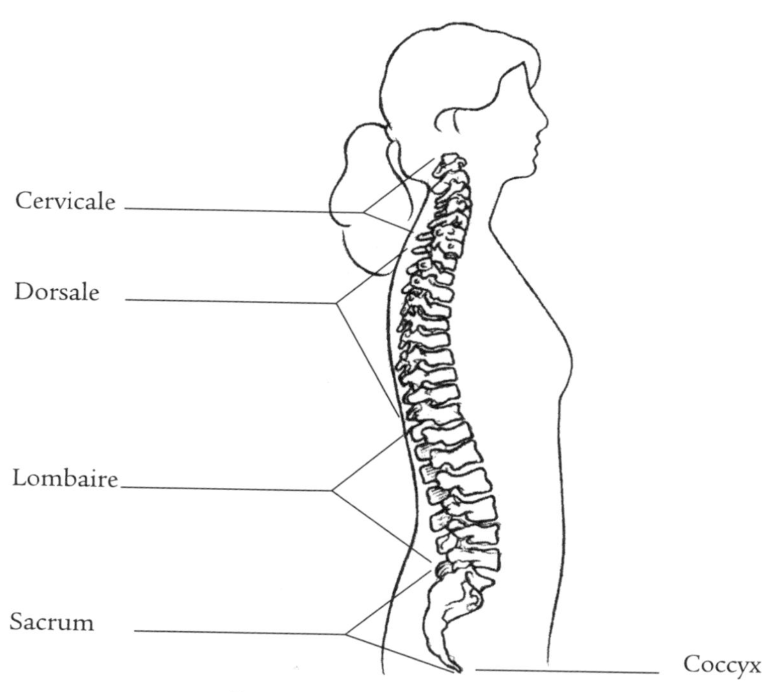

LA COLONNE VERTÉBRALE

- **Un mal de dos.** Cela ne signifie pas que vous fassiez de l'ostéoporose, puisque les maux de dos peuvent provenir de sources variées comme d'une élongation musculaire ou de lésions neurologiques. Une fracture ostéoporotique cause habituellement de la douleur dans le milieu ou la partie supérieure du dos. Tout de suite après la fracture, la douleur est souvent intense et nettement localisée. Mais les fractures ostéoporotiques peuvent aussi causer des douleurs bénignes et une gêne plutôt diffuse.

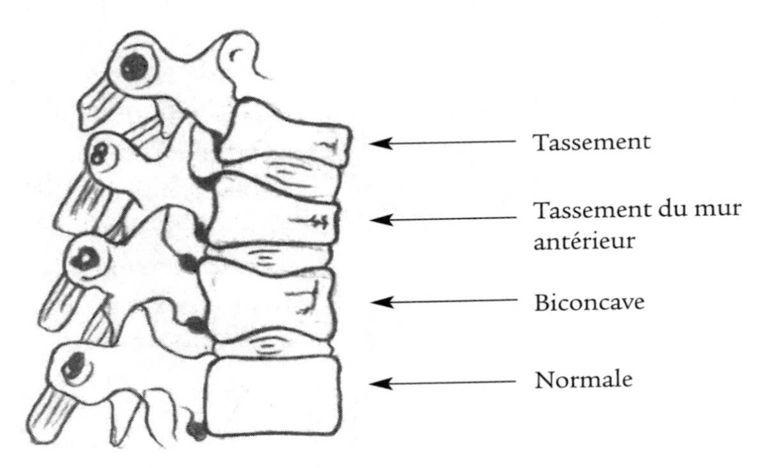

LES FRACTURES DE LA COLONNE

Fracture par tassement. *Toute la vertèbre s'effondre. Ce genre de fracture cause souvent d'intenses douleurs au dos ainsi qu'une réduction de la taille de la victime.*
Fracture par tassement du mur antérieur. *La partie avant de la vertèbre s'affaisse, mais l'arrière demeure intact. Ce genre de fracture est responsable de la « bosse de douairière » et de la posture penchée vers l'avant caractéristiques des victimes d'ostéoporose.*
Fracture biconcave. *La partie centrale de la vertèbre s'effondre. Cette fracture constitue souvent la première étape d'une dégénérescence vers un tassement du mur antérieur ou un tassement complet. Les fractures biconcaves peuvent aussi causer de la douleur.*

- **Une réduction de taille.** Les femmes qui subissent plusieurs fractures en peu de temps peuvent aussi voir leur taille diminuer rapidement. Dans les cas d'ostéoporose grave où il y a beaucoup de fractures, la taille peut diminuer de 15 à 20 cm. Toutes les femmes de plus de 35 ans devraient mesurer leur taille une fois par année, le matin de préférence (voir encadré). Une perte de plus de 4 cm pourrait être un signe de fracture vertébrale.
- **Une posture courbée et la « bosse de douairière ».** Ces symptômes redoutables et bien connus sont groupés sous le terme médical de **cyphose** et sont habituellement dus à des fractures du mur antérieur vertébral. Lorsque le problème est modéré, la femme peut penser qu'elle a tout simplement une mauvaise posture.

CHRONOMÉTREZ VOTRE TAILLE

Votre taille varie en fonction du moment de la journée. Le matin, elle est à son maximum. Au cours de la journée, la gravité exerce sa pression sur votre colonne vertébrale et fait sortir l'eau des disques qui se trouvent entre vos vertèbres. En conséquence, à la fin de la journée vous aurez perdu entre 0,5 et 1 cm. Pendant la nuit, tandis que vous êtes couchée, vos disques se réhydratent. Et puisque vos activités de la journée varient plus que celles qui ont lieu pendant votre sommeil, le matin constitue le moment idéal pour mesurer votre taille.

Je suis allée voir mon médecin pour un bilan de santé. Il m'a mesurée et je faisais 1,59 m. Mais je faisais auparavant 1,64 m et j'ai dit au médecin : « Il faut que nous parlions d'ostéoporose. » J'ai remarqué une différence dans ma taille. Je n'arrive plus à atteindre le haut des armoires comme avant. Les coussins que j'ai achetés pour la voiture et mon fauteuil de travail ergonomique ne me conviennent plus.

CATHERINE

NON, CE N'EST PAS QUE VOUS ENGRAISSEZ

Souvent, les femmes atteintes d'ostéoporose me disent: « Je commence à avoir un petit ventre. Il faudrait que je perde du poids. » Mais elles n'ont pas pris de poids et elles ne sont pas grasses. Le problème vient de l'ostéoporose. Des fractures ont modifié la courbure de leur colonne vertébrale et font en sorte que la partie inférieure pousse vers l'avant, et contre l'estomac et les autres organes internes. C'est ce qui cause la protubérance abdominale (et peut-être aussi de l'indigestion et de l'essoufflement). Elles n'ont pas besoin d'un régime amaigrissant, mais plutôt de médicaments pour régler leur problème de perte de masse osseuse et d'exercices pour renforcer leurs muscles abdominaux ainsi que ceux qui interviennent dans la posture. De telles mesures peuvent faire une différence appréciable pour ces femmes.

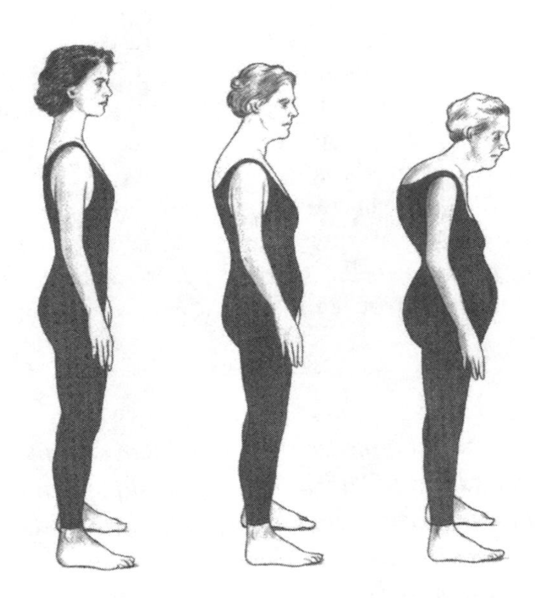

À QUOI RESSEMBLE L'OSTÉOPOROSE ?

Ces changements ne font pas partie du vieillissement normal. Au fur et à mesure que l'ostéoporose progresse, la taille et la posture de la femme changent.

On ne peut pas guérir une vertèbre qui s'est affaissée et il n'est pas possible non plus de regagner les centimètres perdus ou de redresser une colonne vertébrale courbée. Mais les douleurs dorsales dues à l'ostéoporose peuvent être traitées, et on peut prévenir d'autres fractures en associant un traitement médicamenteux à un programme d'exercices comme nous le verrons aux chapitres 8 et 9.

Le poignet

La plupart des fractures ostéoporotiques qui surviennent chez les femmes dans la quarantaine ont lieu dans le poignet. Aux États-Unis, on compte chaque année 250 000 fractures du poignet. Si vous avez plus de 45 ans, votre risque de vous fracturer le poignet est de 15 p. 100. Voici le scénario le plus courant : une femme tombe. D'instinct, elle cherche à amortir sa chute en tendant le bras et elle se casse le poignet.

Contrairement aux fractures des vertèbres, celles du poignet sont toujours trop douloureuses pour passer inaperçues. Une simple radiographie confirmera le diagnostic. La plupart de ces fractures peuvent être traitées par un plâtre qui immobilise les os jusqu'à ce qu'ils soient guéris. Quand les lésions sont plus graves, la chirurgie peut être nécessaire pour fixer l'os avec des tiges métalliques. Une fois le plâtre enlevé, la femme peut avoir besoin de physiothérapie pour retrouver sa force et sa flexibilité.

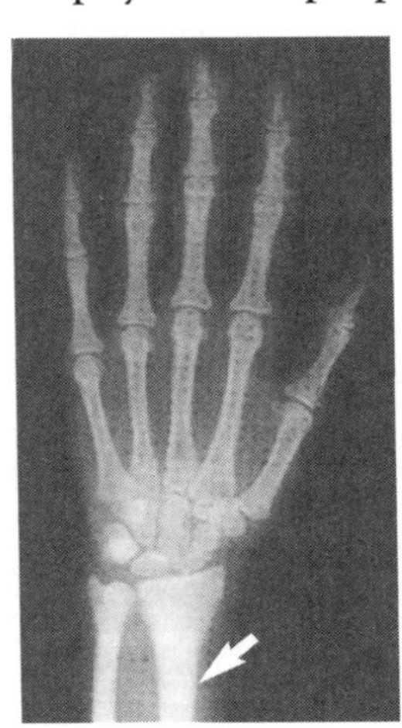

FRACTURE DU POIGNET

La flèche indique l'endroit où surviennent la plupart des fractures : à l'extrémité du radius. Ce genre de fracture porte le nom de « fracture de Pouteau-Colles », d'après les Drs Pouteau et Colles qui l'ont décrite il y a plus d'un siècle.

Près de la moitié des femmes qui se fracturent le poignet en guérissent complètement après environ deux mois de traitement et de réadaptation. Mais chez les autres, les symptômes persistent, notamment une douleur et une faiblesse du poignet ainsi qu'une diminution de leur capacité fonctionnelle. Si les os ne se replacent pas correctement ou encore s'ils ne guérissent pas parfaitement, le poignet peut être déformé de manière permanente ou encore hypertrophié à jamais.

À l'instar des fractures des vertèbres, celles du poignet constituent une alerte quant à la possibilité de perte de masse osseuse. Les femmes qui se sont déjà cassé le poignet ont un risque de fracture de la hanche ou des vertèbres deux fois plus élevé que la normale. Il est donc urgent et important pour elles de prendre des mesures préventives.

La hanche

Les fractures de la hanche constituent la conséquence la plus dévastatrice de l'ostéoporose parce qu'elles entraînent trop souvent, chez les victimes, une foule de complications dues à la chirurgie et à l'immobilisation. Plus la femme est âgée et plus les conséquences d'une fracture de la hanche risquent d'être graves.

J'aimerais souligner que le fait de vous fracturer la hanche *ne signifie pas* que vous êtes condamnée à l'incapacité et à la dépendance ! Les médicaments, l'exercice et une bonne alimentation peuvent faire toute la différence. Certaines femmes récupèrent non seulement le niveau fonctionnel qu'elles avaient avant la fracture, mais elles deviennent même plus fortes et en meilleure forme.

C'était il y a neuf ans, un peu après Noël. Je jouais aux cartes et le téléphone a sonné. Je suis allée répondre et je suis revenue en courant. J'ai glissé sur le linoléum et je suis tombée. Je me suis cassé la hanche. La fracture a très bien guéri. Un an et demi plus tard, je suis allée skier et je me suis cassé la jambe du même côté, juste sous le genou. Les bons soins de mon médecin m'ont vite remise sur pieds.

L'hiver dernier, lorsque j'ai appris que je faisais de l'ostéoporose, j'étais découragée. Comment savoir que l'on fait de l'ostéoporose quand on ne sent rien ? Je fais beaucoup d'exercices et de l'entraînement-musculation. Je prends du Fosamax et des suppléments diététiques contenant du calcium et de la vitamine D. Je suis prudente désormais. J'accepte que l'on m'aide quand j'enlève les contre-fenêtres. Je ne fais plus de ski alpin, seulement du ski de fond. Et dans l'ensemble, je me sens en pleine forme !

NANCY, 80 ans

DE NOUVEAUX TRAITEMENTS POUR LES OS CASSÉS

De nouveaux traitements voient le jour qui pourraient grandement accélérer le processus de guérison des fractures. En ce moment toutefois, ils n'en sont encore qu'au stade expérimental.

- Des ciments synthétiques pour les os pourraient servir à traiter les fractures des bras et des jambes de même que celles des vertèbres affaissées. Le ciment est injecté dans l'os cassé et le nouveau tissu osseux se forme ensuite autour. Bien que cette méthode ne permette pas de guérir la fracture comme telle et malgré que les ciments soient difficiles à travailler, ce procédé peut tout de même aider à réduire la douleur, à améliorer la capacité fonctionnelle et à prévenir les déformations.
- Les ultrasons et les courants électriques semblent stimuler la réparation des os longs, ceux des bras et des jambes, après une fracture. À la maison, les patients peuvent utiliser un petit appareil pendant 20 minutes chaque jour. Ces techniques semblent efficaces lorsque les segments d'os fracturés ne reprennent pas bien.
- Des implants médicamenteux ont aussi été mis à l'essai pour traiter les fractures des os longs. Une substance stimulante est introduite dans un matériau spongieux que l'on place dans l'os fracturé tout près de la lésion. L'implant semble stimuler la croissance et la réparation du tissu osseux.

J'ai déjà expliqué comment les femmes dans la quarantaine peuvent se fracturer le poignet en tombant. Mais en vieillissant, notre façon de tomber change aussi. Généralement, les femmes plus âgées se déplacent plus lentement. Au lieu d'être projetées vers l'avant en tombant, elles ont plutôt tendance à s'affaisser et à tomber sur le côté. Leurs réflexes étant plus lents, il arrive qu'elles n'aient pas le temps de tendre le bras pour amortir la chute. Et même si elles réussissent à tendre les mains, il se peut qu'elles ne soient pas assez fortes pour amortir le choc. C'est pourquoi elles tombent souvent sur la hanche. Et c'est aussi la raison pour laquelle il y a beaucoup plus de fractures de la hanche chez les femmes âgées de 75 ans et plus.

Les fractures de la hanche ne passent jamais inaperçues : la douleur est considérable et toute mise en charge est impossible. Quatre-vingt-dix pour cent des fractures de la hanche proviennent de chutes. Mais les os peuvent aussi se fracturer sans qu'il y ait eu de traumatisme et dans ce cas, c'est la fracture elle-même qui cause la chute. Bien que la plupart des femmes sachent tout de suite ce qu'il en est, il faut confirmer la fracture par radiographie pour en déterminer la nature et choisir le traitement approprié.

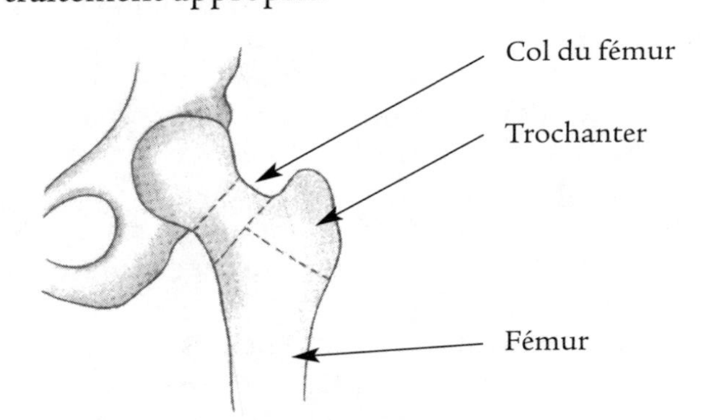

FRACTURE DE LA HANCHE

Les flèches indiquent les sites où surviennent le plus fréquemment les fractures de la hanche : il s'agit du col du fémur et de la région du trochanter.

Presque toutes les fractures de la hanche nécessitent une chirurgie. Si l'os est assez solide, on le répare avec des vis et des tiges. Sinon, on doit remplacer l'os iliaque au complet par une hanche artificielle. Pour la plupart des patients, il faut compter une semaine d'hospitalisation et deux à trois mois de réadaptation après une fracture de la hanche.

Les autres fractures

Bien que les fractures ostéoporotiques surviennent le plus souvent dans les vertèbres, la hanche ou le poignet, *tous* les os sont sujets aux fractures chez les personnes atteintes d'ostéoporose. Si vous vous fracturez un os après l'âge de 40 ans, il se peut que vous souffriez d'ostéopénie ou d'ostéoporose. Un test de densitométrie osseuse peut vous éclairer à cet effet.

L'OSTÉOPOROSE PEUT-ELLE AFFECTER LES DENTS ?

À 65 ans, une femme aura perdu en moyenne six à huit dents permanentes, en comptant ses dents de sagesse. Mais quel rapport avec l'ostéoporose, me direz-vous ? On a toujours cru qu'en vieillissant, on ne perdait ses dents qu'à cause de caries ou de maladies des gencives. Mais on s'aperçoit maintenant que la perte de masse osseuse pourrait aussi affecter la dentition. C'est logique. Quand la densité osseuse de la mâchoire diminue, les dents ne sont plus retenues aussi solidement. Elles peuvent se déchausser et tomber. De nouvelles études révèlent par ailleurs que les femmes ménopausées qui suivent une hormonothérapie de remplacement perdent moins leurs dents en vieillissant.

Les retombées émotionnelles de l'ostéoporose

La douleur et l'incapacité fonctionnelle que causent l'ostéoporose sont pénibles. Mais les répercussions émotionnelles peuvent être encore pires, comme l'explique Annie :

J'avais 44 ans. Je venais d'apprendre que j'étais en ménopause, et je n'étais pas préparée à cette nouvelle. Quand on m'a dit que je faisais de l'ostéopénie, j'étais complètement dévastée. Combien de temps me restait-il avant que l'ostéoporose ne s'installe ?

Après avoir reçu ce diagnostic, j'avais l'impression de voir et d'entendre partout des choses sur l'ostéoporose. J'ai rencontré une femme à l'épicerie que je n'avais pas vue depuis un an et demi, une femme dans la soixantaine qui avait toujours été pleine d'énergie. Elle fait maintenant de l'ostéoporose. Elle a l'air si différente. Sa taille a diminué considérablement et elle ressent beaucoup de douleur.

Une femme peut réussir à s'adapter à des changements de son mode de vie, mais des activités quotidiennes comme la préparation des repas ou la vie sexuelle peuvent devenir difficiles ou pénibles ; son médecin peut lui dire qu'il vaut mieux qu'elle abandonne son sport préféré à cause du risque de fracture. Certaines femmes sont gênées de leur apparence et elles peuvent préférer éviter les rencontres sociales plutôt que d'être vues par d'anciens amis. Je n'ai pas été étonnée d'apprendre que lorsque des chercheurs canadiens ont demandé à des femmes atteintes d'ostéoporose d'évaluer l'importance des différents problèmes associés à leur maladie, les problèmes émotionnels venaient en tête de liste. La peur de la fracture, et non de la douleur, était en effet la principale inquiétude rapportée. Les femmes ont aussi signalé la colère et la frustration ainsi qu'une impression de toujours être dépassées par les événements et enfin, une peur terrible de tomber qui restreignait leur façon de vivre.

L'anxiété et la peur sont courantes chez les femmes qui ont subi des pertes de masse osseuse. Selon Annie :

Il y a toujours cette conscience du danger. Je n'ai jamais été du genre casse-cou, mais je suis un peu plus prudente, un peu plus prévoyante. Prenez, par exemple, l'équipe paroissiale de balle molle. Quand on fait de l'ostéoporose, on pense : « Et si je reçois la balle sur la jambe, est-ce que je ne risque pas une fracture ?» Et puis, quand on sait qu'on ne peut pas faire quelque chose, on se dit : «J'aurais tant aimé...»

Quant à Jacqueline :
Je n'ai pas parlé de ma maladie aux gens. Je me sentais si vieille. Je travaille dans un centre d'accueil et je vois des vieilles dames très voûtées. Et je me disais : «Est-ce ce qui m'attend ?»

En tête de liste des réactions émotionnelles rapportées par les femmes se trouvait aussi la colère. Tristement, la plupart des réactions de colère rapportées sont dirigées contre les femmes elles-mêmes. Elles se disent qu'elles auraient dû mieux prendre soin de leur corps quand elles étaient plus jeunes, ou encore qu'elles auraient dû passer un test de densitométrie osseuse alors qu'il était encore temps de prévenir une grande partie des conséquences fâcheuses.

La dépression et les autres problèmes d'ordre émotionnel associés à l'ostéoporose passent souvent inaperçus et ne sont pas toujours traités. Il s'agit donc d'une double tragédie. Les émotions négatives aggravent les conséquences de la maladie et peuvent nuire au traitement. J'espère que vous n'hésiterez pas à consulter un professionnel si vous vous sentez dépassée par l'ostéoporose.

Heureusement, lorsque les femmes prennent leur santé en mains, quand elles commencent à faire des exercices, à modifier leur alimentation, à suivre un traitement médicamenteux, elles se sentent de nouveau en contrôle. Leurs symptômes physiques s'estompent et régressent, et leur humeur s'améliore. Lise, qui a appris qu'elle souffrait d'ostéoporose à l'âge de 42 ans, prend du Fosamax et des suppléments diététiques contenant du calcium et de la vitamine D. Elle fait aussi de l'entraînement-musculation. Deux ans après son diagnostic, elle raconte :

J'ai encore de la douleur, mais il y a eu beaucoup d'amélioration comparativement à l'année dernière. Avant, je me traînais les pieds, le dos courbé. Maintenant, je marche le dos plus droit. J'ai le pied plus sûr. Les gens me regardent et disent : « Wow ! » Naturellement, mon humeur est aussi meilleure. Je suis beaucoup plus heureuse. Je me sens mieux dans tous les sens du mot !

L'ostéoporose est une maladie redoutable. Mais le chemin que nous avons parcouru au cours des dernières années me paraît très encourageant. Nous sommes beaucoup plus chanceuses que nos mères et nos grands-mères. Que ce soit sur le plan de la prévention de la maladie ou du fait de vivre avec des pertes de masse osseuse ou des fractures, il y a tant de choses que nous pouvons faire. Et il n'est jamais trop tôt, ni trop tard, pour commencer.

DEUXIÈME PARTIE

FAITES VÉRIFIER VOS OS

CHAPITRE 4

Êtes-vous à risque ?

L'ostéoporose vous guette-t-elle ? Si vous êtes une femme, la réponse est oui. *Toutes* les femmes sont sujettes à l'ostéoporose et leur possibilité d'être atteinte augmente avec l'âge. Mais le sexe et l'âge ne sont pas les seuls facteurs de risque de cette maladie. La liste complète est beaucoup plus longue. Elle comprend des facteurs comme vos antécédents médicaux, lesquels sont incontournables, et d'autres, comme l'alimentation ou le tabagisme, sur lesquels vous pouvez agir.

Ce chapitre vous propose un questionnaire simple pour vous aider à évaluer votre risque d'ostéoporose. J'aimerais souligner que même si vous cumulez plusieurs facteurs de risque, *rien* ne peut remplacer un test de densitométrie osseuse ! Mon objectif, avec ce chapitre, est de faire ressortir les domaines dans lesquels vous pouvez agir pour influencer la santé de vos os. La seule façon de déterminer si vous faites de l'ostéopénie ou de l'ostéoporose consiste à passer un des tests que je décris un peu plus loin, au chapitre 5.

En lisant ce chapitre, cochez les cases qui s'appliquent à votre cas. Les facteurs de risque sont cumulatifs, donc chaque case cochée signifie un risque accru. Portez une attention particulière aux cases ombragées, car il s'agit des facteurs de risque sur lesquels vous pouvez agir.

Avez-vous des antécédents familiaux d'ostéoporose ?

Cochez toutes les réponses qui s'appliquent à votre cas :

Ma mère fait (ou faisait) de l'ostéoporose. ☐

Mon père fait (ou faisait) de l'ostéoporose. ☐

Un de mes frères ou sœurs fait (ou faisait) de l'ostéoporose. ☐

Nous pensons maintenant que la masse osseuse maximale est déterminée par des facteurs génétiques à 60 ou 70 p. 100. Donc, si un de vos parents ou les deux étaient atteints d'ostéoporose et s'ils ont subi des fractures, votre risque est élevé. Et si votre sœur aînée en est atteinte, méfiez-vous !

Et plus vos parents, frères ou sœurs ont développé la maladie tôt, plus votre risque est élevé. Par exemple, si votre mère s'est cassé la hanche à l'âge de 80 ans ou plus, votre risque est environ deux fois plus élevé que la moyenne. Mais si elle s'est fracturé la hanche alors qu'elle n'avait que 60 ou 70 ans, votre risque est trois fois plus élevé que la moyenne.

VOS PARENTS SOUFFRAIENT-ILS D'OSTÉOPOROSE ?

Ce n'est que depuis récemment que le grand public peut avoir recours aux tests de mesure de densité osseuse. Auparavant, les médecins ne pouvaient diagnostiquer l'ostéoporose qu'après une fracture, et encore ! Beaucoup de femmes se rendent compte tardivement, en y réfléchissant ou en regardant de vieilles photos, que leurs parents étaient probablement atteints d'ostéoporose.

Voici quelques-uns des signes :

- fracture de la hanche, du poignet ou du bassin ;
- diminution de taille de plus de 4 cm ;
- bosse de douairière ou posture voûtée ;
- douleur chronique au dos.

Nous ne connaissons pas tous les mécanismes associés aux facteurs génétiques du risque d'ostéoporose, mais deux d'entre eux pourraient être la production d'œstrogènes et le métabolisme de la vitamine D. Votre poids et votre type morphologique, qui sont en grande partie héréditaires quoiqu'aussi tributaires de votre mode de vie, constituent aussi des facteurs importants.

Vous êtes-vous cassé un os ?

Je me suis cassé un os après l'âge de 40 ans. ☐

Les études montrent que les femmes qui subissent des fractures après l'âge de 40 ans souffrent d'ostéoporose ou risquent fort de développer la maladie. Et ceci est vrai quel que soit l'os fracturé et même si la fracture provient d'un traumatisme.

J'ai des symptômes de fractures des vertèbres. ☐

Beaucoup de femmes ont des fractures des vertèbres, mais ne s'en rendent pas compte. Les symptômes suivants pourraient indiquer des fractures ostéoporotiques des vertèbres : une diminution de taille de plus de 4 cm, une bosse de douairière, une douleur chronique dans le milieu ou le haut du dos.

Quel est votre héritage racial ?

Je suis blanche. ☐

Je suis asiatique. ☐

Plus votre peau est claire, plus votre risque d'ostéoporose est élevé. Voici les pourcentages de femmes de plus de 50 ans de races différentes qui sont atteintes d'ostéoporose :

Blanches et Asiatiques	30 p. 100
Latino-Américaines	16 p. 100
Noires	10 p. 100

Les chercheurs ne connaissent pas encore les raisons pour lesquelles les femmes de race noire jouissent de cette protection. Le poids pourrait être un facteur, car les Noires ont en effet tendance à être plus lourdes et à avoir de plus gros muscles et de plus gros os. À noter cependant que certaines études indiquent que cet avantage se maintient même lorsque les chercheurs tiennent compte du poids des sujets.

Je tiens à souligner que les femmes noires *ne sont pas* à l'abri de cette maladie. Mais, comme les hommes, elles la développent habituellement plus tard dans la vie. Parmi les femmes de 90 ans et plus, les différences raciales sont minimes. La prévention est donc importante pour toutes.

Quels sont vos antécédents menstruels ?

Parce que les œstrogènes sont si importants pour la formation des os, votre degré d'exposition à ces hormones (au cours de votre vie) est un bon indice de prédiction de votre masse osseuse : plus vous avez été exposée longtemps à ces hormones et plus vos os ont de chances d'être forts et solides. La façon la plus simple d'évaluer votre exposition aux œstrogènes consiste à examiner votre cycle menstruel.

J'ai eu mes premières règles à l'âge de 15 ans ou plus tard. ☐

Le risque d'ostéoporose est plus élevé chez les femmes qui ont leurs premières règles relativement tard, c'est-à-dire à 15 ans ou plus.

AVIS AUX MÈRES D'ADOLESCENTES

À 14 ans, votre fille devrait manifester des signes de puberté : développement des seins, apparition de poils aux aisselles et premières règles. Si ces changements ne se sont pas produits quand elle atteint l'âge de 15 ans, parlez-en à son médecin. Il pourrait s'agir d'un problème médical, bien que certaines filles en santé se développent simplement plus tard.

J'ai eu des interruptions de règles ou des irrégularités menstruelles. ☐

Certaines femmes ont des irrégularités menstruelles qui ne sont pas causées par une grossesse ou l'allaitement ni par l'imminence de la ménopause : elles ont rarement leurs règles ou encore celles-ci cessent complètement. Et je ne parle pas ici d'un retard occasionnel ou d'un mois sans règles, mais bien de symptômes récurrents et qui durent depuis longtemps.

Les interruptions menstruelles ou l'irrégularité des règles indiquent une exposition plus faible aux œstrogènes, ce qui signifie un risque élevé de perte de masse osseuse. *Une jeune femme qui n'a pas ses règles peut perdre autant de matière osseuse qu'une femme postménopausée.*

Il faut prendre au sérieux les anomalies du cycle menstruel. S'il s'agit d'un problème hormonal et qu'on le corrige, on peut regagner du tissu osseux. Parfois, le problème peut être corrigé par des changements dans l'alimentation et un léger gain de poids. On peut aussi avoir recours à des médicaments, et même aux pilules anticonceptionnelles.

Cochez tous les énoncés pertinents :

Je suis en ménopause. ☐

J'ai eu ma ménopause avant l'âge de 45 ans. ☐

J'ai été ménopausée prématurément parce qu'on m'a enlevé les ovaires. ☐

Après la ménopause, toutes les femmes sont plus susceptibles de subir des pertes de masse osseuse. Mais le risque est accru chez celles qui sont ménopausées tôt, c'est-à-dire avant l'âge de 45 ans. Car plus les règles d'une femme cessent tôt, moins celle-ci sera exposée aux œstrogènes. Et parce que les ovaires continuent tout de même de produire une certaine quantité d'œstrogènes après la ménopause, le risque d'ostéoporose est légèrement plus élevé chez celles qui se sont fait enlever les ovaires. L'hormonothérapie de remplacement peut compenser en partie, mais pas entièrement.

Quel est votre type morphologique ?

Je suis grande et mince. ☐

Si jamais Barbie vieillit, son risque d'ostéoporose sera très élevé. Les femmes minces ont habituellement une masse osseuse inférieure à celle de femmes normales ou plus lourdes et elles sont particulièrement susceptibles de subir des fractures, surtout si elles sont aussi grandes. Plus les os sont longs, plus ils se cassent facilement. Et bien sûr, plus une femme est grande, plus elle tombe de haut.

Les femmes grandes et minces ont par ailleurs un risque additionnel si leur poids est inférieur à la normale. Mais, parce que nous sommes si sensibilisés aux risques des excès de poids, nous oublions parfois que la minceur extrême n'est pas saine non plus. Elle entraîne des risques accrus d'ostéoporose, de cancer et d'infertilité.

Un poids insuffisant nuit à vos os de trois manières :

- Les femmes très minces ont tendance à avoir des taux d'œstrogènes inférieurs à la moyenne.
- Puisqu'il y a moins de force appliquée sur les os, leur croissance n'est pas aussi fortement stimulée.
- Un apport calorique moindre signifie que la femme risque de ne pas recevoir tous les éléments nutritifs dont elle a besoin.

Comment déterminer si votre poids vous rend plus susceptible de faire de l'ostéoporose ? Mesurez d'abord votre taille, pesez-vous et déterminez votre indice de masse corporelle (IMC) d'après le tableau de la page suivante. Si votre IMC est inférieur à 19, votre poids est insuffisant. Un indice compris entre 19 et 25 est sain. Finalement, si votre IMC est supérieur à 26, votre risque d'ostéoporose est inférieur à la moyenne.

Mon indice de masse corporelle est inférieur à 19. ☐

INDICE DE MASSE CORPORELLE
(POUR LES FEMMES ET LES HOMMES)

1. Trouvez votre taille dans la colonne de gauche.
2. Trouvez votre poids dans la rangée qui correspond à votre taille.
3. Voyez le titre de la colonne pour déterminer votre IMC.

TAILLE M. (po)	POIDS INSUFFISANT IMC INFÉRIEUR À 19 (poids inférieur à) kg (lb)	POIDS SANTÉ IMC ENTRE 19 ET 25 (poids dans cet intervalle) kg (lb)	EXCÈS DE POIDS IMC SUPÉRIEUR À 26 (poids supérieur à) kg (lb)
1,45 (58)	41 (91)	41 - 56 (91 - 123)	56 (123)
1,48 (59)	43 (94)	43 - 58 (94 - 127)	58 (127)
1,50 (60)	44 (97)	44 - 60 (97 - 132)	60 (132)
1,53 (61)	45 (100)	45 - 62 (100 - 136)	62 (136)
1,55 (62)	47 (104)	47 - 64 (104 - 141)	64 (141)
1,58 (63)	49 (107)	49 - 66 (107 - 146)	66 (146)
1,60 (64)	50 (110)	50 - 68 (110 - 150)	68 (150)
1,63 (65)	52 (114)	52 - 70 (114 - 155)	70 (155)
1,65 (66)	54 (118)	54 - 73 (118 - 160)	73 (160)
1,68 (67)	55 (121)	55 - 75 (121 - 165)	75 (165)
1,70 (68)	57 (125)	57 - 77 (125 - 170)	77 (170)
1,73 (69)	59 (128)	59 - 80 (128 - 175)	80 (175)
1,75 (70)	60 (132)	60 - 82 (132 - 180)	82 (180)
1,78 (71)	62 (136)	62 - 84 (136 - 185)	84 (185)
1,80 (72)	64 (140)	64 - 86 (140 - 190)	86 (190)

Quels sont vos antécédents nutritionnels ?

J'ai suivi toutes sortes de régimes amaigrissants, mais je finis toujours par reprendre le poids perdu. ☐

Des cycles fréquents de pertes de poids suivies de gains augmentent votre risque d'ostéoporose, surtout si les hausses de poids sont de plus de sept kilos. Pourquoi ? Parce que la plupart des gens qui perdent du poids perdent aussi de leur masse osseuse (et musculaire). On pense que des pertes de poids rapides peuvent nuire à la masse musculaire et à l'ossature parce qu'elles déclenchent la libération d'hormone parathyroïdienne, laquelle stimule l'activité des ostéoclastes décomposeurs de tissu osseux.

La meilleure façon de contrer ces effets lorsqu'on entreprend un régime amaigrissant consiste à perdre du poids lentement (pas plus d'un kilo par semaine) et à faire des exercices aérobiques et de développement de la force pour protéger ses os et ses muscles.

J'ai souffert de troubles de l'alimentation. ☐

Les troubles de l'alimentation, qui comprennent l'anorexie et la boulimie, sont très courants chez les jeunes femmes, notamment chez les athlètes. Jusqu'à 30 p. 100 des athlètes universitaires souffrent d'un désordre alimentaire quelconque et le nombre est encore plus élevé parmi celles qui font de la compétition. Le cycle menstruel des femmes anorexiques s'interrompt et elles ne peuvent donc plus profiter de l'effet bénéfique des œstrogènes sur les os. Leur poids est insuffisant et elles consomment très peu de calcium. Quant aux boulimiques, il se peut que leur poids soit suffisant et que leur cycle menstruel demeure intact, mais leurs purges entraînent des carences en calcium.

Les troubles de l'alimentation peuvent avoir des conséquences à long terme parce que ce genre de problème survient habituellement pendant l'adolescence ou au début de la vingtaine, des périodes pendant lesquelles les jeunes femmes augmentent normalement leur capital osseux. Les femmes qui souffrent d'un trouble de l'alimentation risquent d'avoir un pic de masse osseuse inférieur à la normale, ce qui réduit leur marge de sécurité pour les années à venir.

Un avantage imprévu

Les femmes savent que l'obésité entraîne de nombreux problèmes de santé, dont un risque accru de maladie cardiovasculaire, de diabète, de cancer du sein et d'autres formes de cancer, d'arthrite et de problèmes articulaires. C'est pourquoi elles sont souvent très étonnées d'apprendre qu'un excès de poids constitue en fait un avantage pour les os.

L'une des raisons est mécanique : plus une femme est lourde, plus il y a de tension appliquée sur ses os à chaque pas et plus ses os sont stimulés à se développer. Au fil des ans, ses os s'adaptent au poids supplémentaire en devenant plus denses. Une autre des raisons est hormonale : les cellules adipeuses produisent une sorte d'œstrogènes à faible activité. Mais, bien qu'un supplément d'œstrogènes ait un effet bienfaisant sur les os, il augmente le risque de cancer du sein et d'autres cancers.

Les experts *ne recommandent pas* aux femmes qui ont un poids santé d'essayer de l'augmenter. Tout avantage pour les os serait éclipsé par des inconvénients associés à d'autres systèmes ou organes du corps. Il faut aussi noter que les femmes qui ont un excès de poids ne sont pas à l'abri de l'ostéoporose. Leur risque est tout simplement moins élevé.

Vos antécédents médicaux augmentent-ils votre risque ?

Les problèmes médicaux et les médicaments utilisés pour les traiter peuvent affecter les os. Vous trouverez ci-dessous certains des problèmes les plus courants qui augmentent le risque d'ostéoporose. Sachez cependant que cette liste est loin d'être exhaustive. Si vous souffrez de quelque trouble médical que ce soit, demandez à votre médecin si votre problème peut affecter la santé de vos os.

La recherche

La triade athlétique : aménorrhée, troubles de l'alimentation et perte de masse osseuse

La participation des femmes aux sports de compétition a considérablement augmenté au cours des années 1970 et 1980. À cette époque, je courais moi-même des marathons et je savais que beaucoup de celles qui couraient avec moi étaient aménorrhéiques, c'est-à-dire qu'elles n'avaient plus leurs règles. Dans ce temps-là, cependant, on ne considérait pas qu'il s'agissait d'un problème, au contraire, beaucoup de femmes y voyaient plutôt un avantage. Puis, en 1984, j'ai lu un article troublant écrit par des chercheurs de l'Université de la Californie à Los Angeles : ils y rapportaient que les jeunes athlètes aménorrhéiques avaient une densité osseuse vertébrale de 20 à 30 p. 100 inférieure à celle d'athlètes qui avaient toujours leurs règles.

Mes collègues de l'Université Tufts et moi avons décidé de pousser plus loin les recherches dans ce domaine. Nous avons recruté 28 coureuses dans la vingtaine et dans la trentaine. Toutes avaient un poids normal et couraient au moins 40 kilomètres par semaine. Onze des femmes n'avaient pas eu de règles depuis au moins un an tandis que les autres avaient un cycle menstruel normal. Or, la densité osseuse des femmes qui n'avaient pas de règles était significativement plus faible que celle des autres. Par ailleurs, les taux sanguins d'estradiol (la plus puissante des hormones œstrogènes) de ces femmes étaient de 70 p. 100 inférieurs à ceux de leurs consœurs. Bien qu'aucune n'avait un IMC anormal, elles disaient consommer 500 calories de moins que celles qui avaient toujours leurs règles. Nous avons aussi remarqué que beaucoup de ces femmes avaient des habitudes alimentaires déréglées. Par exemple, certaines ne prenaient qu'un seul repas par jour, ou se servaient des portions exceptionnellement réduites de beaucoup d'aliments : 5 ml (1 cuillerée à thé) de fromage cottage ou trois amandes.

Nos résultats ont été publiés dans la revue *American Journal of Clinical Nutrition* en 1985. C'était la première étude à suggérer un lien entre l'aménorrhée, des troubles alimentaires et une faible densité osseuse. D'autres études ont suivi qui ont confirmé cette tendance que l'on appelle désormais « triade athlétique ». N'est-il pas ironique, cependant, que ce genre de problème affecte surtout des femmes qui semblent en parfaite forme physique, aussi bien des danseuses que des athlètes ?

Dans une autre étude, nous nous sommes penchés sur les cas de 96 athlètes féminines d'élite, des femmes invitées à courir le marathon de Boston. Ces femmes, dans la vingtaine, la trentaine et la quarantaine, semblaient toutes en bonne santé, mais 19 p. 100 d'entre elles n'avaient plus leurs règles. Cette fois, nous nous sommes intéressés aux fractures de fatigue, une blessure courante chez les coureurs de compétition. Trente-six pour cent des femmes qui avaient toujours leurs règles avaient subi une ou plusieurs fractures de ce type. Mais le nombre grimpait à 72 p. 100 chez celles qui n'avaient plus de règles, signe clair que leurs os étaient déjà dans un état critique.

Je souffre de polyarthrite rhumatoïde. ☐

La polyarthrite rhumatoïde est une maladie auto-immune. Autrement dit, les mécanismes de défense du système immunitaire qui protègent habituellement contre les maladies sont, dans ce cas, dirigés contre l'organisme même de la personne. L'une des conséquences de cette maladie est une augmentation de l'activité des ostéoclastes qui entraîne une perte nette de masse osseuse. Et le problème n'est qu'amplifié par les médicaments utilisés pour traiter la maladie. Ceux qui sont atteints de polyarthrite rhumatoïde peuvent voir leur capital osseux diminuer rapidement.

Il est intéressant de noter, cependant, que les femmes atteintes d'arthrose sont habituellement *moins* sujettes à l'ostéoporose. Peut-être est-ce parce que de nombreuses victimes d'arthrose ont un excès de poids, ce qui réduit le risque d'ostéoporose. Mais des facteurs génétiques encore inconnus pourraient aussi être en cause.

J'ai un problème de glande thyroïde. ☐

Les personnes atteintes d'hyperthyroïdie, une glande thyroïde trop active, ont un risque plus élevé d'ostéoporose. L'excès de thyroxine stimule en effet l'activité des ostéoclastes qui dissolvent les os.

Mais l'ironie veut qu'une glande thyroïde paresseuse (hypothyroïdie) soit aussi un facteur de risque. Dans ce cas, le risque provient non pas de la maladie elle-même, mais des médicaments utilisés pour la traiter. Jusqu'à ce que la posologie soit bien réglée, il se peut que la personne reçoive une trop grande quantité de médicament.

J'ai un problème de glande parathyroïde. ☐

Les parathyroïdes, quatre minuscules glandes situées dans le cou, sécrètent l'hormone parathyroïdienne (PTH), qui joue un rôle important dans le processus de remodelage osseux. Quand les glandes sécrètent trop de cette hormone, l'activité des ostéoclastes augmente de façon appréciable, ce qui cause une perte de matière osseuse.

Je souffre de diabète de type 1 et il n'est pas bien contrôlé. ☐

Le diabète de l'adulte n'est pas associé à l'ostéoporose et le lien entre le diabète de type 1 (diabète juvénile) et la perte de masse osseuse n'est pas encore tout à fait clair. Les diabétiques qui arrivent à contrôler leur problème ne semblent pas courir de risque accru. Mais ceux dont le diabète est instable et qui ont de la difficulté à contrôler leur taux de sucre sanguin sont plus susceptibles de développer de l'ostéoporose.

J'ai une intolérance au lactose. ☐

Certaines personnes souffrent de ballonnements, de crampes ou de diarrhée lorsqu'elles consomment des produits laitiers. C'est parce que leur organisme ne produit pas suffisamment de lactase, l'enzyme requise pour métaboliser le lactose, le sucre contenu dans le lait et les autres produits laitiers. Puisque ces gens ne tolèrent pas ces aliments, ils en consomment moins, au grand détriment de leurs os. L'intolérance au lactose est plus courante chez les Noires, les Asiatiques et les Latino-Américaines. C'est d'ailleurs une des raisons pour lesquelles les Noires et les Latino-Américaines peuvent souffrir d'ostéoporose malgré leur tendance génétique à avoir des os forts et solides. Au chapitre 7, je parlerai plus en détail des stratégies à adopter pour ceux et celles qui s'avèrent intolérants au lactose.

Je souffre d'un trouble de digestion chronique. ☐

Les problèmes de digestion tels que les allergies alimentaires, la colite ou la maladie de Crohn rendent l'absorption du calcium par l'organisme plus difficile. Ce qui signifie un risque accru d'ostéoporose.

Prenez-vous des médicaments qui affectent vos os ?

Même si une maladie n'affecte pas la santé des os, il se peut que les médicaments utilisés pour la traiter aient un effet négatif sur ceux-ci. Vous trouverez ci-dessous certains des médicaments les plus courants qui fragilisent les os. Si vous prenez régulièrement un médicament quel qu'il soit, demandez à votre médecin s'il risque d'affecter la santé de vos os.

Je prends des stéroïdes. ☐

On prescrit des stéroïdes (par exemple, de la prednisone ou de la cortisone) pour traiter une grande variété de problèmes de santé dont l'asthme, la polyarthrite rhumatoïde, les ulcères, la colite, le lupus, le glaucome et l'infection au VIH. Ces médicaments ont des effets qui entraînent des pertes de masse osseuse : ils diminuent l'absorption du calcium, en augmentent l'excrétion dans l'urine et inhibent la formation de tissu osseux par les ostéoblastes.

Je prends des hormones thyroïdiennes. ☐

Les hormones thyroïdiennes utilisées pour traiter l'hypothyroïdie risquent d'augmenter la décomposition des os si la posologie n'est pas bien réglée.

Je prends des médicaments pour l'épilepsie. ☐

On a recours aux anticonvulsivants pour traiter l'épilepsie et d'autres troubles convulsifs. Certains de ces médicaments peuvent affecter la densité osseuse en entravant l'absorption du calcium.

Je prends un diurétique non thiazidique. ☐

On prescrit des diurétiques pour traiter les maladies cardiaques et l'hypertension artérielle. Ces substances augmentent le débit urinaire et en conséquence la quantité de calcium excrété. Les diurétiques thiazidiques font toutefois exception et préservent le calcium. Si vous prenez des médicaments pour votre tension artérielle et que vous vous inquiétez de la santé de vos os, parlez-en à votre médecin et demandez-lui si vous ne pourriez pas changer pour un thiazidique. Sachez cependant que ce dernier n'est malheureusement pas assez puissant pour traiter tous les problèmes qui nécessitent des diurétiques.

Je prends un analogue de l'hormone de libération des gonadotrophines. ☐

On utilise des analogues de l'hormone de libération des gonadotrophines pour traiter les fibromes, l'endométriose et le cancer de la prostate (chez les hommes). Ces médicaments, comme le Lupron, ont des effets indésirables sur les os.

J'utilise un antiacide qui contient de l'aluminium. ☐

Les antiacides, qui sont offerts en vente libre ou sur ordonnance médicale, servent à traiter les brûlures d'estomac, les ulcères et autres troubles digestifs. Certains de ces médicaments contiennent de l'aluminium qui, lorsqu'il est consommé en grandes quantités, interfère avec l'absorption du calcium.

QUAND LES MÉDICAMENTS NUISENT À VOS OS

Les médicaments peuvent nous sauver la vie. Néanmoins, une substance qui est bénéfique pour un système de l'organisme peut causer des effets indésirables ailleurs dans l'organisme. Pour en connaître davantage sur un médicament que vous prenez, parlez-en à votre médecin et lisez la notice qui accompagne votre médicament. **Si vous croyez qu'il peut y avoir un problème, n'arrêtez pas de prendre votre médicament.** Consultez votre médecin et posez-lui les questions suivantes :

- Existe-t-il d'autres médicaments équivalents à celui-ci ?
- Peut-on réduire la posologie ?
- Puis-je réduire la dose ou cesser de prendre le médicament si mes symptômes s'atténuent ?
- Que puis-je faire pour contrer les effets indésirables sur mes os ?
- Devrais-je faire vérifier ma densité osseuse pendant que je prends ce médicament ?

Votre mode de vie affecte-t-il vos os ?

Les exercices physiques et une saine alimentation sont d'une importance cruciale pour le développement des os et pour le maintien de leur densité quand on vieillit. Je vous indiquerai plus loin dans ce livre les activités, les aliments et les suppléments diététiques qui favorisent la croissance et la santé de vos os.

Je ne fais pas beaucoup d'exercice. Je passe moins de trente minutes par jour à faire des activités physiques vigoureuses ou moyennement vigoureuses. ☐

Moins vous êtes active, plus votre risque d'ostéoporose et de fractures est élevé. Les femmes qui font régulièrement de l'exercice, quelle qu'en soit la forme ou la nature, ont des os plus forts. Elles jouissent aussi d'un meilleur équilibre corporel et d'une meilleure coordination, ce qui réduit leur risque de chutes.

Généralement, mon alimentation quotidienne ne comprend pas quatre portions d'aliments riches en calcium. ☐

Il y a une forte corrélation entre la quantité de calcium consommée au cours de sa vie et la densité osseuse. Les personnes qui consomment moins de 600 mg de calcium par jour, soit environ la quantité contenue dans deux verres de lait, ont un risque particulièrement élevé d'ostéoporose.

Mon exposition au soleil est inférieure à 10 minutes par jour et je ne consomme ni aliments enrichis de vitamine D ni suppléments de vitamine D. ☐

La vitamine D est essentielle au métabolisme du calcium. Ainsi, de faibles taux de cette vitamine vous rendent plus susceptible de souffrir d'ostéoporose. On peut obtenir la vitamine D dont l'organisme a besoin en s'exposant au soleil, par l'alimentation (les meilleures sources étant le lait et les céréales enrichies) ou encore dans des suppléments diététiques. Le soleil incite les cellules de la peau à fabriquer de la vitamine D. Mais en hiver, nous ne sommes pas assez exposées au soleil. Et en vieillissant, la capacité de l'organisme à produire de la vitamine D diminue. Il est donc très important, à ces périodes, d'en trouver suffisamment dans notre alimentation ou de compenser avec des suppléments.

La plupart du temps, je ne mange pas au moins cinq portions de fruits et de légumes par jour. ☐

Les femmes qui consomment beaucoup de fruits et de légumes ont une meilleure densité osseuse. Grâce à la vitamine C que contiennent les agrumes, ces fruits sont particulièrement bénéfiques à la santé des os. Les légumes verts et feuillus, avec leur vitamine K, sont aussi très bons.

Ma consommation de boissons alcoolisées dépasse habituellement les sept verres par semaine. ☐

Les personnes qui boivent plus de sept consommations de boissons alcoolisées par semaine risquent plus que les autres d'avoir une faible densité osseuse et de subir des fractures. L'alcool nuit à la santé des os de trois façons:

- L'alcool diminue l'activité des ostéoblastes bâtisseurs d'os.
- Une consommation élevée d'alcool est associée à une mauvaise alimentation.
- L'excès d'alcool a des effets néfastes sur l'équilibre corporel, ce qui augmente le risque de chutes et de fractures.

Je bois plus de quatre tasses de café (non décaféiné) par jour (ou je consomme beaucoup de caféine d'autres sources). ☐

Une consommation de caféine de plus de 400 mg par jour, soit l'équivalent de quatre tasses de café, double le risque de fractures de la hanche. La caféine a un effet diurétique qui augmente l'excrétion de calcium dans l'urine. Une autre préoccupation tient aussi au fait que les boissons contenant de la caféine remplacent peut-être d'autres liquides qui contiennent du calcium.

Bien que le café soit la principale source de caféine (environ 100 mg par tasse), il ne faut pas oublier le thé, qui en contient environ 40 mg par tasse. Par ailleurs, beaucoup de gens ne se rendent pas compte que les boissons gazeuses peuvent contenir autant de caféine que le thé (et certaines, presque autant que le café).

Je suis fumeuse ou encore, je fumais. ■

La cigarette est l'un des principaux facteurs de risque de l'ostéoporose. Les femmes qui ont des antécédents de tabagisme ont une densité osseuse significativement inférieure et sont plus susceptibles de subir des fractures que celles qui n'ont jamais fumé parce que l'usage de la cigarette diminue les taux d'œstrogènes. Les femmes qui fument ont aussi tendance à commencer leur ménopause plus tôt. Si vous avez cessé de fumer, félicitations ! Votre risque est de beaucoup réduit, bien qu'il demeure plus élevé que celui d'une personne qui n'a jamais fumé.

Votre profil de risque

Les facteurs de risque de l'ostéoporose sont cumulatifs. N'oubliez pas que votre risque est élevé dès le départ du seul fait que vous soyez une femme. Vérifiez maintenant les cases claires que vous avez cochées. Il s'agit des facteurs de risque incontournables comme vos antécédents médicaux, des facteurs contre lesquels vous ne pouvez rien. Regardez maintenant les cases ombragées que vous avez cochées. Elles représentent les facteurs de risque sur lesquels vous pouvez agir. ***Plus vous avez de facteurs de risques incontournables, plus il est important de minimiser ceux sur lesquels vous pouvez intervenir.***

Je sais d'expérience qu'il est inquiétant de s'apercevoir qu'on a des facteurs de risque d'ostéoporose auxquels on n'avait jamais pensé. Bien que je m'intéresse aux os depuis que je suis toute petite et que je travaille dans ce domaine depuis plus de dix ans, écrire ce chapitre a été très révélateur pour moi. Je mange bien et je fais beaucoup d'exercice, mais d'autres facteurs de risque sont toujours présents. Je me rends compte une fois de plus que je ne suis pas à l'abri de l'ostéoporose.

Faire le bilan de mon profil de risque a renouvelé mon enthousiasme et j'espère qu'il en sera de même pour vous. Quel que soit votre âge ou vos autres facteurs de risque, il y a tant de choses que vous pouvez faire pour protéger vos os et prévenir l'ostéoporose.

CHAPITRE 5

Faites vérifier l'état de vos os

À l'époque de nos parents, la seule façon de savoir si on perdait de la masse osseuse était de se fracturer un os. Aujourd'hui, un simple test de 15 minutes permet de mesurer précisément la densité des os. Vous pouvez savoir si vos os sont dangereusement fragiles sans subir de fracture et tandis qu'il est encore temps de prendre des mesures préventives.

Bien qu'il s'agisse d'une percée extraordinaire, je ne recommande pas à toutes les femmes de se précipiter pour aller passer un test de densitométrie osseuse. Ce chapitre vous aidera à décider du moment où vous devriez passer un tel test. Je décrirai aussi les différents tests disponibles pour que vous puissiez connaître les choix qui s'offrent à vous et que vous sachiez à quoi vous attendre.

Ai-je besoin d'un test de densitométrie osseuse ?

Beaucoup de femmes qui se préoccupent de la santé de leurs os me posent cette question. La réponse dépend de votre âge, de vos facteurs de risque et du fait que vous suiviez ou non un traitement pour contrer la perte de masse osseuse. Il n'existe pas encore de directives universelles, bien que les différents organismes médicaux s'entendent sur plusieurs points. Les recommandations qui suivent sont basées sur leur consensus, mais je crois néanmoins que les tests de densitométrie osseuse pourraient aussi bénéficier à d'autres femmes.

Si vous vous apprêtez à commencer un traitement pour contrer une perte de masse osseuse

Un test préliminaire d'évaluation de la densité osseuse est une pratique courante avant d'entreprendre un traitement. D'abord, le test peut aider à déterminer si vous avez besoin de médicaments. De plus, il fournit une base qui vous permet, à vous et à votre médecin, de suivre l'efficacité du traitement.

Si vous avez des symptômes qui évoquent l'ostéoporose

Quel que soit votre âge, demandez à votre médecin de passer un test si vous avez des signes indicateurs de perte de masse osseuse :

- Vous avez eu une fracture qui semble indiquer une faible densité osseuse parce qu'elle n'était pas liée à un traumatisme important.
- Votre taille a diminué de plus de 4 cm ou vous avez développé une déviation de la colonne vertébrale.
- Vous avez une douleur chronique ou aiguë dans le milieu ou le haut du dos.

L'ironie veut que les tests *ne soient pas* recommandés pour les personnes chez qui on a déjà diagnostiqué l'ostéoporose d'après leur âge et d'autres signes révélateurs, par exemple, une femme de 90 ans ou plus qui a des antécédents de fractures vertébrales et qui vient de se casser la hanche. La raison : son médecin sait déjà qu'elle a besoin d'un traitement pour l'ostéoporose, alors les résultats d'un test n'influenceraient pas les soins à lui prescrire.

Si vous avez des facteurs de risque importants

Selon certaines recommandations, les femmes dans la vingtaine, la trentaine ou au début de la quarantaine devraient passer un test si elles présentent des facteurs de risque particuliers :

- Elles se sont fait enlever les ovaires.
- Elles ont des antécédents d'irrégularités menstruelles chroniques ou prolongées.
- Elles ont un problème médical qui cause une perte de masse osseuse.
- Elles prennent des médicaments qui affectent les os ou elles s'apprêtent à commencer un tel traitement médicamenteux.

QUELLE DIFFÉRENCE UN DIAGNOSTIC PEUT-IL FAIRE ?

La plupart des spécialistes suggèrent de passer un test de densitométrie osseuse seulement si les résultats affectent les moyens adoptés, par exemple, si vous passez un test dont les résultats pourraient influencer le choix des médicaments à prendre ou encore entraîner des modifications de votre style de vie. Bien que je comprenne la logique de ce point de vue, je crois néanmoins qu'il ne tient pas compte de la motivation que peuvent susciter les résultats de ces tests.

Certaines femmes me disent « Quels que soient mes résultats, je n'arrêterai pas de fumer. » Ou : « Je refuse de prendre des médicaments. » Mais souvent, ces femmes reviennent sur leur décision une fois placées devant la réalité de l'ostéopénie ou de l'ostéoporose. D'autres encore me disent : « Je vais commencer à faire des exercices quand je serai moins occupée. » Mais quand elles reçoivent les résultats de leur test, elles trouvent soudainement le temps de s'entraîner.

Vous n'avez pas besoin d'un test de densitométrie osseuse pour savoir que vous devriez faire de l'exercice et bien vous alimenter pour protéger vos os. Malgré tout, je recommande le test même à celles qui disent que les résultats ne changeraient rien pour elles. Les recherches montrent que l'information est souvent un puissant agent de motivation.

Le fait de passer un test maintenant vous donne plus de temps pour entreprendre des mesures pour protéger vos os. Si vous avez une faible densité osseuse si tôt dans la vie, vous voudrez peut-être aborder la question du traitement médicamenteux avec votre médecin et discuter d'alimentation et d'exercices.

Si vous êtes en périménopause

Bien que la plupart des spécialistes ne recommandent pas de passer un test au moment où la ménopause approche, je pense, quant à moi, que vous y puiseriez des informations précieuses. À ce moment, la perte de masse osseuse s'accélère. Un test initial peut vous aider à prendre une décision au sujet de l'hormonothérapie de remplacement et des autres mesures préventives pendant ces années cruciales.

Si vous êtes ménopausée

Les recommandations prévoient habituellement un test de densitométrie osseuse pour les femmes de plus de 60 ou 65 ans et pour les femmes ménopausées plus jeunes qui présentent au moins un facteur de risque additionnel. Mais *toutes* les femmes sont beaucoup plus sujettes à l'ostéoporose après la ménopause. Ainsi, je vous recommande fortement de considérer un test si vous êtes en ménopause et que vous n'avez jamais fait mesurer votre densité osseuse.

QU'EST-CE QUE LA PÉRIMÉNOPAUSE ?

La périménopause est l'étape de transition qui mène à la ménopause. Elle concerne les changements que constatent la plupart des femmes dans la quarantaine lorsque leurs taux d'hormones commencent à fluctuer. Leurs règles, qui n'ont pas encore cessé, deviennent plus abondantes ou plus légères et leurs cycles, plus longs ou plus courts que normalement. Certaines femmes éprouvent aussi des bouffées de chaleur occasionnelles, une certaine sécheresse vaginale et d'autres symptômes de ménopause.

Les tests de densitométrie osseuse sont particulièrement utiles si vous vous demandez si vous devriez commencer à prendre des hormones. En outre, si vous avez déjà commencé une hormonothérapie de remplacement (HTR) et que vous pensez arrêter, vous devriez connaître l'état de vos os.

EST-IL TEMPS POUR VOTRE PREMIER TEST DE DENSITOMÉTRIE OSSEUSE ?

La réponse est oui si :

- Vous avez des symptômes tels que des fractures ou une réduction de taille qui évoquent l'ostéoporose.
- Vous avez besoin d'information pour décider si vous devriez entreprendre, ou cesser, une HTR ou tout autre traitement pour vos os.
- Vous avez des facteurs de risque importants autres que le fait d'être une femme.
- Vous êtes en ménopause.

Les choix en matière de tests de densitométrie osseuse

La densité osseuse est, à elle seule, le meilleur indice de prédiction du risque de fracture. La densité de vos os compte pour environ 80 p. 100 de leur force. Plusieurs tests différents peuvent être utilisés pour mesurer la densité des os que l'on appelle aussi densité minérale osseuse ou DMO. Tous ces tests sont sans danger, indolores, rapides (pas plus de 10 à 20 minutes) et précis.

Selon la sorte de test que vous passez, et selon vos antécédents médicaux, on mesurera la DMO de différents os. Bien que la densité osseuse des différentes parties du squelette soit habituellement en étroite corrélation, certains de vos os peuvent être plus solides que d'autres. Les différences pourraient refléter votre mode de vie, par exemple ; si vous êtes un joueur de tennis de longue date, les os du bras que vous utilisez pour tenir la raquette seront plus denses que la moyenne des autres os de votre corps. Ou encore les différences pourraient témoigner de tendances génétiques, tout comme la forme de votre corps.

L'absorptiométrie double énergie à rayons X (ADEX)

Aujourd'hui, le test par excellence est le test d'absorptiométrie double énergie à rayons X qu'on appelle aussi ADEX. Couramment utilisé et relativement peu coûteux, il permet de mesurer la densité des os de la hanche, des vertèbres et de l'avant-bras. Mais c'est la densité osseuse de la hanche et des vertèbres que l'on mesure le plus souvent, car il s'agit des endroits où les fractures ont les conséquences les plus graves. Plus votre risque d'ostéoporose est élevé, plus cette information est importante pour vous.

Une version plus petite de l'appareil d'ADEX permet de mesurer la densité osseuse de l'avant-bras et du talon. Bien que le fait de mesurer la densité osseuse de ces régions ne nous renseigne pas aussi précisément que lorsqu'on mesure directement la densité osseuse de la hanche ou des vertèbres, les résultats sont étroitement liés. Le test ne prend que deux minutes et l'appareil, plus petit, peut être utilisé dans les cliniques ou le cabinet même du médecin, ce qui le rend plus accessible pour beaucoup de femmes.

L'ultrasonométrie

Un autre test courant utilise la technique des ultrasons. L'appareil n'est pas plus grand qu'une valise et le test n'implique aucune radiation. Grâce aux ultrasons, un jour les femmes pourront sans doute vérifier leur densité osseuse à la pharmacie du coin. Beaucoup de médecins ont déjà un appareil d'ultrasonométrie dans leur cabinet.

Malheureusement, les ultrasons ne permettent pas de mesurer la densité osseuse de la colonne vertébrale ni de la hanche. Mais on peut cependant vérifier celle des os de la jambe et de la main. Les résultats renseignent non seulement sur la densité des os mais aussi sur la qualité de leur collagène. Et, bien que cette information soit utile parce que les résultats sont étroitement liés aux risques de fracture, elle ne peut remplacer la mesure de la densité osseuse de la hanche ou des vertèbres par l'ADEX.

COMMENT FONCTIONNENT LES TESTS ?

L'ADEX utilise une technique appelée **densitométrie** ou **absorptiométrie à rayons X.** L'appareil envoie un faisceau de rayons X à travers une région de l'os. Quant à l'ultrasonométrie, elle utilise des ondes sonores au lieu de rayons X. Les radiations (ou les ondes sonores) sont absorbées par les os : plus les os sont denses, plus ils en absorbent. Les détecteurs de ces appareils traduisent l'absorption en mesure de la densité osseuse.

L'ostéodensitométrie par ADEX fait appel à deux faisceaux de rayons X différents, ce qui permet à la machine de distinguer entre les os et les tissus mous comme les muscles ou la graisse qui les recouvrent. C'est pourquoi l'ADEX peut mesurer la densité osseuse de la hanche et des vertèbres même si ces os se trouvent bien à l'intérieur du corps. Les tests qui n'utilisent qu'un seul faisceau de rayons X ne peuvent mesurer que les os qui sont situés directement sous la peau, comme ceux de la main, du poignet ou du talon.

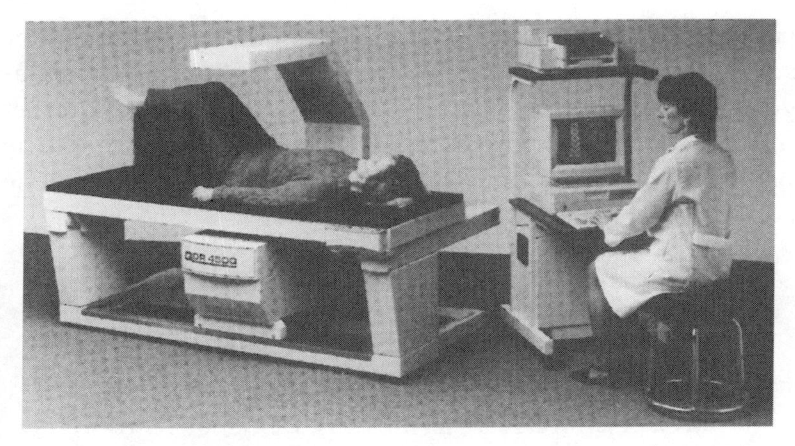

L'ABSORTIOMÉTRIE DOUBLE ÉNERGIE À RAYONS X (ADEX)

Vous vous allongez sur une table à scanographie. Quand on mesure la densité osseuse de vos vertèbres, tel qu'illustré ci-dessus, vos jambes, surélevées, sont installées sur un coussin ferme pour aider à aplatir votre colonne vertébrale. Pour mesurer la densité osseuse de votre hanche, vos jambes seraient allongées sur la table. Pendant le test, le scanographe se déplace le long de votre corps.

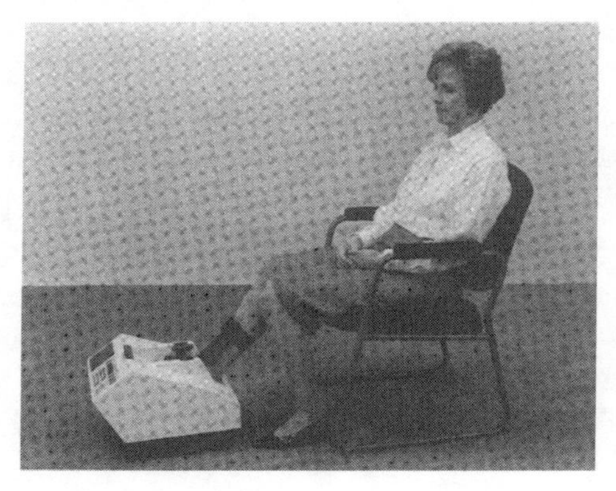

L'ULTRASONOMÉTRIE

Vous êtes assise, le pied dans l'appareil. Ce dernier envoie des ondes sonores à travers votre pied et mesure ce qui est absorbé par les os et les autres tissus de votre talon. Certains appareils disposent d'un bain d'eau dans lequel vous placez votre pied, l'eau étant conductrice d'ondes sonores.

D'autres tests de densitométrie osseuse

Il existe aussi d'autres tests qui sont cependant moins fréquemment utilisés que l'ADEX ou l'ultrasonométrie. Mais puisqu'il s'agit d'un domaine en pleine expansion, je m'attends à voir émerger sous peu de nouvelles techniques. Les tests de densitométrie osseuse sont appelés à devenir encore plus accessibles et informatifs tout en devenant moins coûteux. Voilà donc d'excellentes nouvelles pour les femmes.

L'absorptiométrie à simple rayon X (ASX)

Maintenant qu'on a l'ADEX, on abandonne graduellement l'ASX, qui ne peut vérifier les os de la colonne vertébrale ni ceux de la hanche. L'ASX peut cependant mesurer la densité osseuse des doigts, du poignet et du talon. Et puisque la densité de ces os est en étroite corrélation avec celle de la hanche et des vertèbres, les résultats de ce test demeurent encore aujourd'hui de bons indicateurs de la santé des os.

L'absorptiométrie radiographique (AR)

L'absorptiométrie radiographique utilise une sorte de rayon X spécial qui peut mesurer la densité des os de la main, laquelle est étroitement liée à celle de la hanche et de la colonne vertébrale. Le principal avantage de l'AR est son faible coût. De plus, presque tous les appareils à rayons X peuvent être adaptés pour l'AR. C'est ce qui en fait un outil de dépistage précieux pour les femmes qui n'ont pas facilement accès au test de l'ADEX, comme celles qui vivent en régions rurales ou éloignées.

La scanographie

La scanographie est surtout utilisée en recherche, mais elle peut aussi s'avérer utile lorsque d'autres tests ne sont pas disponibles ou encore dans des situations particulières. L'ADEX, l'ASX, les rayons X ordinaires et l'AR fournissent tous des images bidimensionnelles des os. Le scanographe utilise lui aussi un faisceau de rayons X, mais il peut produire une image tridimensionnelle des os, ce qui peut s'avérer utile quand une femme semble perdre des quantités beaucoup plus importantes de tissu osseux trabéculaire que cortical. Dans de tels cas, le scanographe permet d'examiner séparément le tissu osseux trabéculaire des vertèbres, par exemple.

Comment interpréter les résultats de vos tests

Les résultats d'un test de densitométrie osseuse peuvent paraître compliqués au premier coup d'œil. Mais une fois que vous saurez comment interpréter les chiffres et les graphiques, vous verrez qu'ils peuvent être très informatifs. Voici un guide de la terminologie utilisée :

Densité minérale osseuse (DMO)

Tous les tests mesurent le contenu minéral d'une région spécifique de l'os. Plus il y a de substance minérale, plus l'os est dense. Le contenu minéral osseux est évalué en grammes et la région de l'os, en centimètres carrés. La DMO est donc exprimée en grammes par centimètre carré ou g/cm^2.

Indice T

L'indice T sert à comparer votre densité osseuse à celle de la moyenne des jeunes femmes adultes en santé. Les indices T sont basés sur l'écart-type, une mesure statistique qui reflète les différences par rapport à la moyenne.

Indice T	Du point de vue statistique	Ce que cela signifie	Diagnostic
Supérieur à - 1	Votre masse osseuse se situe à moins de 1 unité d'écart-type par rapport à la moyenne des jeunes femmes adultes et en santé, ou elle est meilleure.	Votre masse osseuse est dans la moyenne ou supérieure à celle-ci. Votre risque de fracture est moyen. Quatre-vingt pour cent des jeunes femmes adultes en santé se situent dans cette zone.	Densité osseuse adéquate
Entre - 1 et - 2,5	Votre masse osseuse est inférieure à la moyenne. Elle se situe à plus de 1 unité mais à moins de 2,5 unités d'écart-type par rapport à la moyenne des jeunes femmes adultes en santé.	Votre masse osseuse est inférieure à la normale et votre risque de fracture est environ deux fois plus élevé que la moyenne. Vous êtes parmi les 14 p. 100 des jeunes femmes en santé qui présentent une aussi faible densité osseuse.	Ostéopénie
Inférieur à -2,5	Votre masse osseuse est inférieure à la moyenne des jeunes femmes adultes en santé. La différence est de plus de 2,5 unités d'écart-type.	Votre masse osseuse est très faible : elle est inférieure à celle de 99 p. 100 des jeunes femmes adultes en santé. Votre risque de fracture est environ trois fois plus élevé que la moyenne.	Ostéoporose

Indice Z

En vieillissant, nous perdons habituellement de notre capital osseux. Il est donc normal que notre indice Z diminue puisqu'il représente, lui aussi, notre DMO. Contrairement à l'indice T, l'indice Z compare notre DMO à celle de femmes de notre âge. Un indice Z faible est l'indication que nous perdons du capital osseux plus rapidement que nos pairs et que nous devons être suivies plus attentivement.

INDICE Z	DU POINT DE VUE STATISTIQUE	CE QUE CELA SIGNIFIE
Supérieur à - 1	Votre masse osseuse se situe à moins de 1 unité d'écart-type par rapport à la moyenne des femmes de votre âge ou encore elle est meilleure.	Votre masse osseuse est dans la moyenne ou supérieure à la moyenne de celle des femmes de votre âge.
Entre - 1 et - 2,5	Votre masse osseuse se situe à plus de 1 unité mais à moins de 2,5 unités d'écart-type par rapport à la moyenne des femmes de votre âge.	Votre masse osseuse est inférieure à la moyenne pour votre âge. Comparativement à vos pairs, vous êtes parmi les 14 p. 100 dont la masse osseuse est la plus faible.
Inférieur à -2,5	Votre masse osseuse se situe à plus de 2,5 unités d'écart-type par rapport à la moyenne des femmes de votre âge.	Votre masse osseuse est beaucoup plus faible que la moyenne : elle est inférieure à celle de 99 p. 100 des femmes de votre âge.

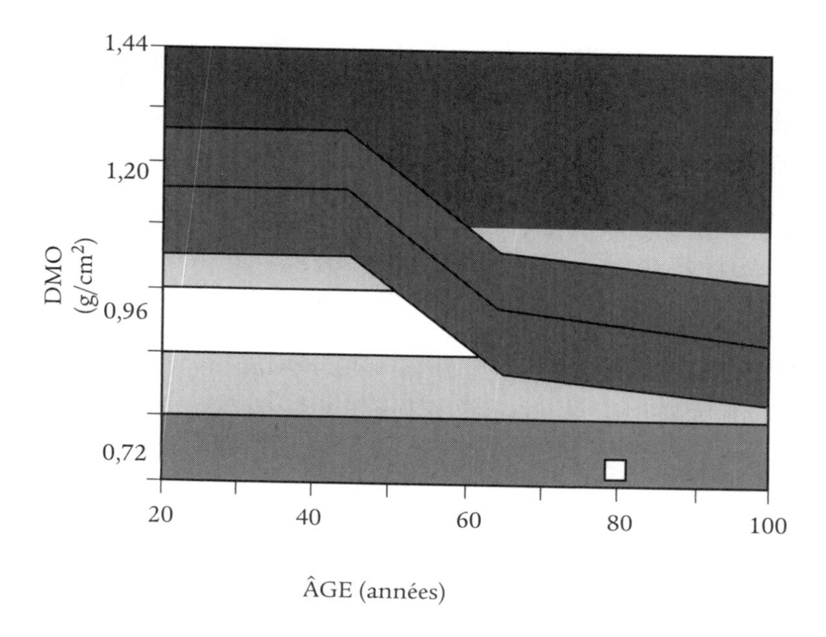

Région	DMO g/cm²	Jeune adulte %	Jeune adulte T	Âge apparié %	Âge apparié Z
L2-L4	0,637	53	– 4,7	70	–2,2

Comment lire les résultats d'un test de DMO

Nina est une femme de 80 ans. Son médecin lui a suggéré de passer un test d'ostéodensitométrie après qu'elle se soit fracturé le poignet. Voici les résultats pour sa colonne vertébrale et ce qu'ils signifient. L2-L4 représente les deuxième, troisième et quatrième vertèbres de la colonne lombaire (voir le diagramme de la colonne vertébrale à la page 55.) On utilise ces os parce qu'ils constituent la partie de la colonne lombaire la plus caractéristique et la plus facile à mesurer.

La DMO (g/cm²) représente la densité minérale osseuse exprimée en grammes par centimètre carré.

Les deux bandes parallèles en zigzag représentent l'écart habituel de densité osseuse pour des femmes de différents âges. La ligne centrale représente la moyenne et la largeur des bandes représente une unité d'écart-type au-dessus et en dessous de la moyenne. La densité osseuse est stable entre la vingtaine et le milieu de la quarantaine. Puis, elle diminue rapidement jusqu'au milieu de la soixantaine, après quoi elle décroît plus lentement.

Les bandes horizontales ombragées qui traversent le graphique représentent respectivement une ossature saine, l'ostéopénie, l'ostéoporose et l'ostéoporose avancée.

Le carré blanc illustre la DMO de Nina. Sa position indique qu'elle est atteinte d'ostéoporose avancée et que sa densité osseuse est très inférieure à la moyenne pour une femme de 80 ans.

Nina a un indice T de – 4,7, ce qui nous indique qu'elle souffre d'ostéoporose avancée de la colonne vertébrale. Ses vertèbres n'ont que 53 p. 100 de la densité osseuse d'une jeune femme en santé. Cela signifie que Nina a perdu près de la moitié du capital osseux qu'elle avait dans la vingtaine et la trentaine.

Son indice Z de – 2,2 fait ressortir la gravité de son ostéoporose : même comparée à d'autres femmes de 80 ans, Nina a une densité osseuse exceptionnellement faible : elle n'est en effet que de 70 p. 100 de celle de la moyenne des femmes de son âge.

Les résultats de l'ADEX pour sa hanche ont aussi révélé une ostéoporose avancée. D'après ces résultats et d'autres observations, le médecin de Nina lui a prescrit des suppléments de calcium et de vitamine D de même que du Fosamax. Elle repassera un autre test dans un an pour vérifier l'efficacité de ce traitement.

◆ ◆ ◆

J'ai passé un test d'ostéodensitométrie qui montrait une perte importante de masse osseuse. Mon indice T pour la hanche était de – 3,78. Le technicien a été très gentil. Il m'a montré le cliché et m'a dit : « Regardez, vous voyez ces taches noires ? Ce sont les trous dans l'os de votre hanche. »

LAURA

◆ ◆ ◆

D'autres tests importants

Les tests de densitométrie osseuse constituent la meilleure façon de déterminer si vous faites de l'ostéopénie ou de l'ostéoporose. Mais ces tests ne peuvent pas vous dire *pourquoi* vous perdez de la masse osseuse ni la vitesse à laquelle elle disparaît. Ils ne peuvent pas évaluer non plus des fractures vertébrales que l'on soupçonnerait ni des os cassés. Alors il se peut que votre médecin vous propose un ou plusieurs tests additionnels. Voici ce qu'il pourrait suggérer :

Radiographie

La radiographie constitue le moyen le plus précis pour détecter et évaluer des fractures. Si vous vous cassez la hanche ou le poignet, ou si vous présentez des signes de fractures des vertèbres, votre médecin vous prescrira probablement une radiographie diagnostique.

Tests de vérification du renouvellement osseux

La densité osseuse change tellement lentement qu'il faut au moins un an pour que les tests d'ostéodensitométrie montrent des résultats. Les médecins peuvent vérifier l'efficacité d'un traitement plus rapidement au moyen d'analyses de sang ou d'urine qui mesurent divers sous-produits du remodelage osseux. Ces tests peuvent parfois déterminer la rapidité avec laquelle les ostéoclastes dissolvent le tissu osseux et l'efficacité avec laquelle les ostéoblastes le rebâtissent.

Tests hormonaux

Les analyses de sang permettent de vérifier les niveaux des hormones qui jouent un rôle important dans la formation du tissu osseux. Parmi celles-ci :

L'estradiol

Il s'agit de la plus puissante des hormones œstrogènes. Si vous avez moins de 45 ans et que vous présentez des irrégularités menstruelles, votre médecin peut vouloir vérifier vos taux d'estradiol et d'autres hormones œstrogènes. Si les niveaux sont anormalement faibles, il peut vous prescrire des pilules anticonceptionnelles pour augmenter votre apport en œstrogènes et ainsi protéger vos os.

L'hormone folliculo-stimulante (FSH)

La FSH est une hormone hypophysaire qui stimule les ovaires, donc qui influence indirectement l'apport en œstrogènes. Quand une femme approche de la ménopause, ses taux de FSH augmentent habituellement. La vérification de vos taux de FSH aide votre médecin à déterminer si vous entrez en ménopause. Cela peut aussi aider à expliquer des problèmes d'aménorrhées et d'autres irrégularités menstruelles.

Les hormones thyroïdiennes et parathyroïdiennes

Les problèmes de glandes thyroïde et parathyroïde peuvent entraîner des pertes de masse osseuse. Les analyses des hormones thyroïdiennes et parathyroïdiennes constituent la première étape pour diagnostiquer un tel problème.

Les tests de métabolisme du calcium

Des anomalies dans les taux sanguins de calcium ne signifient pas nécessairement que vous faites de l'ostéoporose, mais l'analyse de ces taux peut aider à clarifier votre état de santé. Par exemple, certains problèmes des glandes parathyroïdes peuvent causer des augmentations du calcium sanguin.

Les aspects pratiques

J'espère que les tests de densitométrie osseuse feront désormais partie de vos bilans de santé, tout comme les mammographies et les tests de Papanicolaou (examen des frottis vaginaux). Vous savez déjà quand prévoir votre premier test de densitométrie osseuse et vous connaissez les différents tests offerts. Voici maintenant des réponses à d'autres questions courantes :

À quelle fréquence devrais-je passer un test de densitométrie osseuse ?

Les os changent si lentement qu'il n'est pas nécessaire de les faire vérifier très souvent. D'ailleurs, les résultats pourraient s'avérer trompeurs si vous repassiez un test trop tôt. En effet, la plupart de ces tests ont une précision de l'ordre de 1 p. 100, ce qui signifie qu'un changement de moins de 2 p. 100 de masse osseuse pourrait simplement refléter des erreurs de mesure. Malgré qu'il s'agisse là d'une excellente précision pour un test médical, les modifications du capital osseux qui surviennent en moins d'un an sont très faibles et c'est pourquoi on ne recommande pas de passer ces tests à moins d'un an d'intervalle.

Après votre premier test de densitométrie osseuse, je vous recommande d'en repasser d'autres tous les deux ou trois ans, sauf dans les cas suivants :

- Si vous commencez un traitement pour l'ostéopénie ou l'ostéoporose, passez un test chaque année pendant les trois premières années du traitement pour en vérifier l'efficacité. Par la suite, un test tous les deux ou trois ans devrait suffire. Il se peut que votre médecin veuille vous faire passer des tests plus souvent si, par exemple, vous changez de traitement ou si votre masse osseuse continue à diminuer rapidement. Et au contraire, il peut vous les prescrire moins souvent si vous êtes plus jeune et que votre capital osseux s'est avéré stable.
- Si vous avez passé votre premier test de densité osseuse avant l'âge de 45 ans simplement pour obtenir une valeur initiale de base et que votre densité osseuse était normale ou supérieure à la moyenne, vous n'avez pas besoin d'autres tests avant d'être ménopausée, à moins que vous ne développiez un nouveau facteur de risque important

pour l'ostéoporose. Après la ménopause, un test tous les deux ans suffit.

- Si votre densité osseuse est bien supérieure à la moyenne et que vous ne présentez aucun facteur de risque majeur autre que votre âge et le fait d'être une femme, les tests peuvent être faits moins souvent.

Où devrais-je aller pour passer un test ?

Les tests d'ADEX et d'ultrasonométrie ne sont pas offerts partout. Votre médecin peut sans doute vous indiquer où aller dans votre région. Vous pouvez aussi trouver un endroit par vous-même. Téléphonez au département de santé féminine d'un hôpital universitaire et demandez-leur où vous adresser.

Après avoir passé un test, retournez au même endroit pour vos tests ultérieurs. Bien que toutes les techniques soient précises, il peut y avoir de légères différences dans l'étalonnage des différents appareils. Et puisque vous cherchez à déceler de petites variations de masse osseuse, il vaut mieux repasser vos tests au même endroit.

Est-ce que mes assurances paieront pour ces tests ?

La meilleure façon de savoir si les tests vous seront remboursés, c'est de vérifier auprès de votre compagnie d'assurance. La réponse dépend non seulement des termes de votre couverture, mais aussi de vos antécédents médicaux. Les tests de densitométrie osseuse seront probablement couverts si :

- Vous êtes postménopausée et vous avez des facteurs de risque ou vous avez plus de 65 ans.
- Vous avez des anomalies à la colonne vertébrale ou vous avez subi une fracture qui risque fort d'avoir été causée par l'ostéoporose.
- Vous avez un risque élevé d'ostéoporose à cause d'un problème médical ou d'un traitement prolongé avec des stéroïdes ou tout autre médicament connu pour causer des pertes de masse osseuse.

- Vous vous apprêtez à commencer un traitement reconnu pour l'ostéoporose.

Si vos assurances ne couvrent pas les tests de densitométrie osseuse, mais que vous pensez qu'il serait important pour vous d'en passer un, je vous encourage vivement à le faire même si vous devez le payer vous-même. La prévention de fracture vaut son pesant d'or. Le fait de connaître votre densité osseuse peut vous aider, vous et votre médecin, à déterminer les mesures préventives à prendre ou le traitement à suivre.

Même si votre assurance ne couvre pas ce test en ce moment, il se pourrait qu'elle le couvre dans l'avenir. Tant en ce qui concerne l'assurance santé gouvernementale que celle des compagnies d'assurances privées, on réévalue constamment les politiques, non seulement à cause des pressions qui viennent de femmes inquiètes, mais aussi parce que les tests et le diagnostic précoce sont rentables. Les fractures coûtent cher !

Quand fixer le rendez-vous

Votre densité osseuse varie en fonction des saisons. Ces variations saisonnières peuvent aussi être plus appréciables que ce à quoi vous pourriez vous attendre d'un traitement. C'est pourquoi il importe de toujours passer les tests de densitométrie osseuse à la même période de l'année (c'est-à-dire dans un intervalle de quatre semaines). Sinon, la comparaison pourrait ne refléter que les différences saisonnières dans votre exposition au soleil.

Comment soumettre votre réclamation

Les compagnies d'assurances couvrent plus souvent les tests de densitométrie osseuse pour les femmes de moins de 65 ans si celles-ci ont des facteurs de risque de perte de masse osseuse ou encore si elles s'apprêtent à commencer un traitement. Parlez-en à votre médecin à l'avance pour qu'il puisse vous aider à renforcer les arguments de votre demande de réclamation.

Avant de discuter d'un test proprement dit, vérifiez les facteurs de risque que vous avez cochés au chapitre 4. Si, par exemple, vous avez 45 ans, vous ne penserez peut-être pas de mentionner que vous avez été hospitalisée pour des troubles de l'alimentation quand vous aviez 18 ans et que vous n'avez pas eu vos règles pendant deux ans. Mais il s'agit là de renseignements tout à fait pertinents. Plus vous avez de facteurs de risque, plus il y a de chances que votre compagnie d'assurances paie pour vos tests.

Si vous êtes en périménopause ou en postménopause, que vous avez moins de 65 ans et que vous n'avez pas d'autres facteurs de risque importants, vous êtes une candidate pour l'hormonothérapie de remplacement (HTR). Vous pourriez expliquer à votre médecin que vous vous inquiétez de la santé de vos os et qu'un test de densitométrie osseuse pourrait vous aider à décider si vous devriez commencer une HTR ou un autre genre de traitement.

Quand nos mères avaient notre âge, on ne pouvait pas mesurer la densité de leurs os. Nous disposons aujourd'hui de tests excellents et facilement accessibles. Très peu de tests diagnostiques d'importance comparable pour notre bien-être sont aussi faciles et fiables que les tests de densitométrie osseuse. Je vous recommande vivement d'en discuter avec votre médecin. L'information que vous obtiendrez pourrait faire toute la différence dans la prévention et le traitement de l'ostéoporose.

CHAPITRE 6

Les chutes, ce facteur oublié

L'ostéoporose rend les os fragiles. Mais cette fragilité ne cause habituellement pas de fracture à elle seule. C'est pourquoi il est si important de prévenir les chutes. En ce qui concerne les fractures ostéoporotiques, environ 90 p. 100 de celles de la hanche, plus de 90 p. 100 de celles du poignet et du bassin et près de la moitié de celles des vertèbres résultent de chutes.

La plupart des jeunes gens ne pensent pas beaucoup aux chutes, à moins qu'ils ne fassent des sports dangereux comme du ski ou du patin à roues alignées. Mais, en vieillissant, les chutes et la peur de tomber assombrissent la vie de beaucoup de femmes. En effet, les chutes constituent la principale cause de décès accidentels chez les personnes de plus de 65 ans. Mais, rassurez-vous, vous pouvez grandement contribuer à diminuer votre risque de chute.

Nous pensions auparavant que les problèmes d'équilibre ne survenaient qu'aux alentours de 70 ans. Mais nous savons maintenant qu'ils commencent beaucoup plus tôt. Ce chapitre comprend plusieurs tests qui vous aideront à vérifier votre sens de l'équilibre. Je pense que vous serez surprise et fascinée par les résultats.

Les méandres de la vie

Vous savez déjà que notre capital osseux a tendance à diminuer avec l'âge. Or, notre sens de l'équilibre aussi. Et ces changements augmentent considérablement nos risques de chute et de fracture.

Les enfants, les adolescents et les jeunes adultes ont généralement un excellent équilibre corporel. Ils tombent rarement et ne subissent presque jamais de fractures reliées à leurs activités quotidiennes. L'équilibre commence à se détériorer vers le milieu de la quarantaine. Des changements subtils surviennent lentement et peuvent même passer inaperçus. Mais les statistiques concernant la santé montrent une augmentation du nombre de fractures chez les femmes qui commence aux alentours de 45 ans. Cette augmentation témoigne de la diminution tant du capital osseux que du sens de l'équilibre.

Vers l'âge de 65 ans, la détérioration de l'équilibre est évidente. Les femmes sentent qu'elles ont le pied moins sûr et elles tombent plus souvent. Chaque année, environ un tiers des femmes de plus de 65 ans, et la moitié de celles de plus de 80 ans, font une chute.

La peur de tomber devient un problème important. Beaucoup de femmes, même celles qui ne sont jamais tombées, restreignent leurs activités dans le but d'éviter des chutes possibles. En plus de diminuer la qualité de vie, ce genre d'attitude mène à l'inactivité, ce qui affaiblit davantage les os tout en augmentant le risque de chute.

Je fais de l'ostéoporose. J'ai 44 ans, mais les médecins me donnent le genre de conseils qu'ils donnent probablement à des femmes de 80 ans : « Vous pouvez faire des promenades, mais faites attention de ne pas tomber. » Je peux encore faire de la randonnée pédestre, mais plus de jogging. J'ai trois enfants et j'aurais bien aimé essayer le ski alpin et le patinage quand ils auraient été assez vieux. Mais je ne peux pas. Si je tombe, je risque de me retrouver en fauteuil roulant.

LAURA

Votre équilibre est-il bon ?

Même la question peut vous inquiéter. Ou peut-être tenez-vous pour acquise votre capacité de vous déplacer sans tomber. Mais même si vous pensez que votre équilibre est excellent, il peut être avantageux de faire les tests qui suivent. Vous prendrez plus conscience de votre sens de l'équilibre et vous comprendrez mieux comment il fonctionne, ce qui pourra s'avérer utile en lisant ce chapitre.

Il serait bon d'avoir un chronomètre ou une horloge avec une trotteuse pour réaliser les épreuves proposées. Pour les plus difficiles qu'il faut faire les yeux fermés, vous aurez besoin d'une personne qui se tienne près de vous pour vous stabiliser au besoin. Les tests sont amusants, mais ils posent tout de même un défi. Faites attention ! Il est très important de prendre les précautions suivantes :

- Faites les tests dans l'ordre où ils sont présentés, puisqu'ils sont placés par degré de difficulté. ***Si vous ne réussissez pas un des tests, n'essayez pas de faire les autres, vous pourriez tomber et vous blesser.***
- Installez-vous près d'un comptoir pour pouvoir rétablir votre équilibre au besoin. N'oubliez pas que vous devez avoir une personne tout près si vous faites les tests les yeux fermés.
- Portez des chaussures solides, sans talons et qui soutiennent bien, comme des espadrilles. De bonnes chaussures contribuent à votre stabilité.
- Exercez-vous une fois ou deux avant de faire le test comme tel. Et si vous ne réussissez pas un test, n'essayez pas de passer au suivant.

Si vous doutez de votre équilibre, faites cet essai préliminaire : tenez-vous devant le comptoir, les pieds joints (qui se touchent). Pouvez-vous maintenir cette position pendant 10 secondes, sans utiliser vos mains pour vous stabiliser ? Si vous n'y arrivez pas, votre équilibre est extrêmement précaire. *N'essayez pas les autres tests.*

Test nº 1 : Pieds en tandem

Placez-vous à côté du comptoir et posez-y la main pour vous stabiliser. Placez un pied directement devant l'autre : le talon du pied le plus en avant devrait toucher les orteils du pied d'en arrière. Essayez de répartir le poids de votre corps également sur vos deux pieds. Quand vous vous sentirez d'aplomb, retirez votre main du comptoir. Gardez cette position pendant 10 secondes, sans avoir recours à vos mains pour vous stabiliser. Il se peut que vous tortilliez les orteils quelque peu pendant l'épreuve pour tenter de redistribuer subtilement votre poids afin de maintenir votre équilibre. Mais vos pieds devraient toujours rester bien au sol.

Si vous ne pouvez compléter cette épreuve, votre équilibre est précaire. *N'essayez pas les autres tests.*

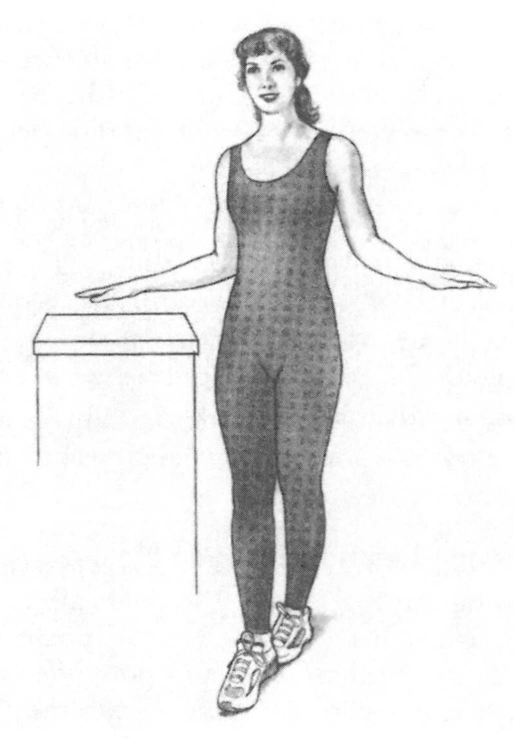

PIEDS EN TANDEM

Test nº 2 : Sur une seule jambe

Placez-vous à côté du comptoir, les pieds joints. Posez une main sur le comptoir pour vous stabiliser. Balancez votre poids sur un pied, pliez le genou de l'autre jambe en amenant le pied vers l'arrière. Quand vous vous sentirez d'aplomb sur une seule jambe, retirez votre main du comptoir, mais laissez vos mains suspendues au-dessus du comptoir afin de pouvoir vous rattraper au besoin. Gardez cette position pendant 10 secondes.

Test nº 3 : Pieds en tandem, les yeux fermés

Il s'agit du même test que le nº 1, sauf que vous aurez les yeux fermés. *N'essayez pas ce test si vous n'avez personne pour vous surveiller.*

Placez-vous à côté du comptoir et posez-y la main pour vous stabiliser. Placez un pied directement devant l'autre : le talon du pied le plus en avant devrait toucher les orteils du pied d'en arrière. Essayez de répartir le poids de votre corps également sur vos deux pieds. Fermez les yeux. Quand vous vous sentirez d'aplomb, retirez votre main du comptoir. Essayez de garder cette position pendant 10 secondes. Vous serez surprise de constater combien il est plus difficile de maintenir votre équilibre les yeux fermés !

Test nº 4 : Pieds en tandem, les yeux fermés en tournant la tête

Ce test ajoute un défi supplémentaire par rapport au précédent. *Encore une fois, il vous faut quelqu'un pour vous surveiller.* Placez-vous à côté du comptoir et posez-y la main pour vous stabiliser. Mettez un pied directement devant l'autre : le talon du pied le plus en avant devrait toucher les orteils du pied d'en arrière. Essayez de répartir le poids de votre corps également sur vos deux pieds. Fermez les yeux. Quand vous vous sentirez d'aplomb, retirez votre main du comptoir. Tournez lentement la tête vers la droite, puis tournez-la lentement et complètement vers la gauche, puis ramenez-la vers l'avant. Prenez environ 10 secondes pour faire le mouvement complet (vers la droite, vers la gauche, puis de nouveau vers le centre).

Test n° 5 : Sur une jambe, les yeux fermés

Il s'agit du même exercice que le test n° 2, sauf que vos yeux sont fermés. *Vous devez avoir quelqu'un pour vous surveiller.*

Placez-vous à côté du comptoir, les pieds joints. Posez la main sur le comptoir pour vous stabiliser. Balancez votre poids sur un pied, pliez le genou de l'autre jambe en amenant le pied vers l'arrière. Quand vous vous sentirez d'aplomb sur une seule jambe, fermez les yeux. Retirez votre main du comptoir, mais laissez vos mains suspendues au-dessus du comptoir afin de pouvoir vous rattraper au besoin. Essayez de garder cette position pendant 10 secondes. C'est beaucoup plus difficile que vous ne le croyez !

Si le dernier test que vous avez réussi a été le :	Votre équilibre est :
Test n° 5 : Sur une jambe, les yeux fermés	excellent
Test n° 4 : Pieds en tandem, les yeux fermés en faisant tourner la tête	très bon
Test n° 3 : Pieds en tandem, les yeux fermés	bon
Test n° 2 : Sur une seule jambe	moyen
Test n° 1 : Pieds en tandem	précaire
Vous n'avez réussi aucun des tests	très précaire

Il n'existe pas de cote standard pour l'équilibre. Mais d'après mon expérience avec des femmes de tous les âges, depuis les jeunes adultes en santé jusqu'aux femmes âgées et frêles, on pourrait s'attendre à ce qu'une femme en santé de moins de 35 ans obtienne un résultat « excellent » avec un peu d'exercice. Si vous avez entre 35 et 50 ans et que vous n'avez aucun handicap physique, vous devriez obtenir un résultat « bon ». Les femmes plus âgées peuvent s'attendre à avoir un équilibre « moyen », quoique beaucoup de femmes actives dans la cinquantaine, la soixantaine et même de 70 ou 80 ans et plus peuvent faire mieux. Enfin, pour une femme frêle de 80 ou 90 ans et plus, même le test n° 1 constitue un défi.

Mais ne vous découragez pas si vos résultats vous déçoivent. Vous pouvez améliorer votre équilibre de façon appréciable quel que soit votre âge. Le chapitre 8 vous indiquera comment.

Qu'est-ce qui fait qu'on peut rester en station debout ?

Comme vous l'avez vu avec les tests, un bon équilibre dépend de notre capacité de voir. Il faut aussi être agile et en bonne forme puisqu'il faut constamment redistribuer notre poids pour maintenir notre équilibre.

L'équilibre corporel et les sens

Trois systèmes sensoriels envoient des messages au cerveau pour l'informer sur notre position. Mais on peut maintenir sa position debout même si un ou deux de ces systèmes ne fonctionnent pas parfaitement. Pour un équilibre optimal, il faut cependant le concours des trois.

L'appareil somato-sensoriel

Les récepteurs situés sur la peau, dans les muscles et les articulations informent le cerveau de notre position dans l'environnement. Avez-vous déjà essayé de marcher lorsque vous aviez le pied engourdi ? Sans l'information provenant des nerfs du pied, il est très difficile de maintenir son aplomb.

AVEZ-VOUS UNE BONNE PROPRIOCEPTION ?

La proprioception est la fonction qui vous permet de vous orienter dans l'espace. Voici un test simple pour vérifier votre capacité proprioceptive.

Asseyez-vous dans un fauteuil confortable qui se trouve à plus de 1 mètre d'autres objets. Fermez les yeux et tendez le bras gauche sur le côté. Gardez vos yeux fermés et d'un doigt de la main gauche, touchez le bout de votre nez. Faites de même avec la main droite. Si, même après quelques essais, vous n'y arrivez pas, parlez-en à votre médecin lors de votre prochaine visite.

La vision

Si vous avez fait les tests les yeux fermés, vous comprenez l'importance considérable de la vision pour le sens de l'équilibre. Nos yeux aident notre cerveau à savoir où nous nous trouvons dans l'espace et ils lui indiquent aussi si nous sommes debout. Les cataractes, la dégénérescence musculaire ou tout autre trouble de la vision compromettent donc notre équilibre.

L'appareil vestibulaire de l'oreille interne

L'oreille interne est remplie d'un liquide qui joue un rôle clé dans l'équilibre. Quand vous bougez votre tête, ce liquide clapote contre des récepteurs qui envoient des signaux au cerveau. Les tests dans lesquels il fallait tourner la tête vous ont démontré l'importance de cet appareil.

POUVEZ-VOUS VOUS FIER À VOTRE VISION ?

Demandez-vous si vous ressentez ces problèmes mineurs plus souvent que les autres gens, ou encore, plus souvent que lorsque vous étiez plus jeune :

- Vous arrive-t-il de trébucher en marchant ?
- Heurtez-vous des obstacles comme les coins des tables basses ?
- Est-ce que vous trébuchez parce que vous avez de la difficulté à bien juger la hauteur des marches ou les courbes de trottoirs ?
- Vous arrive-t-il de renverser des objets accidentellement, comme un verre de vin ou une lampe ?
- Vous frappez-vous la tête en montant ou en sortant de voiture ?

Si vous avez répondu « oui » à l'une ou l'autre de ces questions, il se pourrait que vous ayez un problème de vision. Une bonne vue ne consiste pas uniquement à pouvoir lire des lettres sur une échelle d'acuité visuelle. Une bonne vision concerne aussi la perception de la profondeur et des contrastes. Faites vérifier vos yeux régulièrement et assurez-vous de corriger tout problème de vision, surtout si vous portez des verres à double foyer.

UNE OREILLE POUR L'ÉQUILIBRE

Voici un test pour votre appareil vestibulaire. Ne le faites que si vous avez obtenu au moins un résultat « bon » aux épreuves d'équilibre. La pièce dans laquelle vous êtes doit être tranquille. Vos yeux seront fermés, alors il est important d'avoir quelqu'un qui vous surveille. *Interrompez l'épreuve si vous sentez que vous perdez l'équilibre !*

Faites une marque sur le plancher et tenez-vous sur celle-ci. Fermez les yeux et marchez sur place pendant une minute. Essayez de rester sur la marque pendant que vous marchez sur place. Après une minute, ouvrez les yeux et vérifiez si vous avez maintenu votre position. Si vous vous êtes éloignée de plus de 30 cm vers la gauche ou la droite, il se peut que vous ayez un problème vestibulaire. Si c'est le cas, parlez de ce test à votre médecin lors de votre prochaine visite.

Équilibre et bonne forme physique

Avez-vous déjà perdu l'équilibre parce que vous aviez mal jugé la distance entre des marches d'escalier ? Votre appareil somato-sensoriel a senti que votre pied glissait. Vos yeux ont vu que tout ce qu'il y avait autour de vous bougeait trop rapidement. Et votre appareil vestibulaire a senti que vous n'étiez plus en position verticale. Urgence !

En un éclair, votre cerveau est entré en action pour vous éviter de tomber. L'information sensorielle a été rapidement intégrée et des ordres ont été envoyés à vos muscles. Sans y penser, vous avez titubé vers l'avant en battant des bras dans un ultime effort pour tenter de rétablir votre équilibre. Si vos muscles étaient forts et souples et si vous avez réagi assez vite, vous avez évité la chute. En tout cas, je l'espère !

Les gens actifs et en bonne forme physique jouissent d'un meilleur équilibre et tombent moins souvent. Voici trois aspects d'une bonne condition physique particulièrement importants.

La force de la partie inférieure du corps

Si vous êtes assise sur une chaise de cuisine ou de salle à dîner qui est solide, pouvez-vous vous lever sans utiliser vos mains pour vous aider ? Ce test tout simple permet de vérifier la force du bas de votre corps et constitue l'un des meilleurs moyens que les chercheurs ont trouvés pour prédire les chutes. Si vous ne réussissez pas, votre risque de chute est de deux à trois fois supérieur à la normale. Les exercices de développement de la force musculaire peuvent vous aider à améliorer votre situation de manière appréciable et ce, même si vous êtes frêle.

La force et la flexibilité du talon

Lorsque les articulations du talon sont faibles et inflexibles, le risque de chute augmente considérablement. Si vos talons ne plient pas aisément, vous risquez de perdre l'équilibre plus facilement et il vous sera plus difficile de réussir à vous rattraper. Vos talons sont-ils à la hauteur de la tâche ? Essayez les deux tests suivants pour voir. Il vous faudra une règle à mesurer et l'aide d'une autre personne. Si vous sentez que vous devez vous améliorer, les exercices décrits au chapitre 8 pourront vous aider.

Test nº 1 : Placez-vous face à un comptoir, les jambes écartées d'une distance équivalant à celle de vos épaules. Posez les mains sur le comptoir pour vous aider à maintenir votre équilibre. Votre ami doit se placer à vos pieds avec la règle. Tenez-vous sur la partie avant de la plante de vos pieds. Si vos talons sont flexibles, vous devriez pouvoir les élever à au moins 5 cm du sol.

Test nº 2 : Placez-vous dos au mur : les épaules et les fesses doivent toucher le mur, tandis que les pieds devraient être à environ 10 cm du mur. Essayez de lever vos orteils et l'extrémité antérieure de la plante de vos pieds afin de vous tenir sur les talons. Si ceux-ci sont forts et flexibles, vous pourrez lever vos avant-pieds d'au moins 4 cm du sol. Sachez cependant que la plupart des gens trouvent cette épreuve plus difficile que la précédente.

Le temps de réaction

Des réflexes rapides permettent de prévenir les chutes. Quand vous perdez l'équilibre, votre corps n'a pas beaucoup de temps pour réagir. Vous savez sans doute si vous réagissez vite ou pas d'après votre quotidien ; si, par exemple, vous réussissez habituellement à rattraper un objet qui tombe du comptoir.

Les chercheurs utilisent des programmes informatiques sophistiqués pour vérifier le temps de réaction. Mais voici deux tests simples que vous pouvez faire à la maison. Pour le premier, il vous faut un chronomètre ; si vous n'en avez pas, essayez plutôt le deuxième.

Test nº 1 (avec chronomètre) : Partez le chronomètre et arrêtez-le le plus près possible de 5 secondes. Exercez-vous quelques fois, puis faites l'épreuve. Si vous pouvez arrêter le chronomètre entre 4, 9 et 5,1 secondes plusieurs fois de suite, votre temps de réaction est rapide.

Test nº 2 (sans chronomètre) : Vous aurez besoin d'un ami et d'un billet de banque assez neuf. Placez-vous face à votre ami et demandez-lui de tenir le billet de banque par une des extrémités sur le sens de la largeur. Placez vos doigts de chaque côté du billet à environ 2,5 cm du milieu de celui-ci. Demandez à votre ami de compter : « Un, deux, trois, » puis de laisser tomber le billet. Si votre temps de réaction est rapide, vous devriez réussir à rattraper le billet après quelques essais. Si vous réussissez l'épreuve, refaites-la sans que votre ami compte pour vous avertir.

D'autres facteurs de risque de chute

D'autres facteurs que les sens et la forme physique affectent aussi le risque de chute. Beaucoup de ces facteurs de risque sont associés à l'âge et au vieillissement. Mais comme vous le verrez, on peut faire beaucoup pour les diminuer.

Les maladies

Les problèmes de santé peuvent avoir des effets négatifs sur l'équilibre. Mais parce que la détérioration du sens de l'équilibre n'est pas toujours le principal symptôme, il se peut que vous ne remarquiez pas qu'il est affecté. Voici quelques exemples courants.

L'ostéoporose

L'ostéoporose elle-même est un facteur de risque d'un équilibre précaire. Des fractures des vertèbres peuvent entraîner une posture voûtée. Si la tête, qui rappelons-le est très lourde, se trouve plus à l'avant du corps plutôt que perchée sur le dessus, le centre de gravité est déplacé vers l'avant et l'équilibre devient plus difficile à maintenir.

L'excès de poids et les variations de poids importantes

Les femmes qui ont un excès de poids risquent plus que les autres d'avoir des problèmes d'équilibre à cause de la demande supplémentaire qui est faite à leurs muscles : il faut plus de force pour maintenir un corps plus lourd en équilibre. Les fluctuations de poids, tant les gains que les pertes, peuvent aussi affecter le sens de l'équilibre. Les femmes enceintes se sentent parfois un peu moins sûres de leur équilibre quand elles prennent du poids. Par ailleurs, les femmes qui ont subi une mastectomie peuvent se sentir déséquilibrées si elles n'utilisent pas une prothèse pondérée.

L'arthrite

Tout problème qui restreint la mobilité nuit à l'équilibre. Les gens qui souffrent d'arthrite risquent plus de trébucher et de tomber. Leur problème est en outre aggravé par la diminution de leur force et de leur flexibilité.

Les troubles neurologiques

Les problèmes de santé qui affectent le cerveau, l'appareil somato-sensoriel ou encore les réflexes liés à l'équilibre peuvent aussi interférer avec notre sens de l'équilibre. La détérioration de l'équilibre est d'ailleurs une des conséquences de la maladie de Parkinson et d'autres désordres neurologiques.

L'hypotension (basse pression artérielle)

Une pression artérielle anormalement basse peut provoquer des étourdissements ou une perte d'équilibre. Normalement, l'organisme ajuste la tension artérielle en fonction des changements de position du corps. Mais certaines personnes subissent des baisses de pression brutales quand elles se lèvent ou qu'elles bougent après avoir été immobiles pendant quelques minutes. Ce problème, que l'on appelle **hypotension orthostatique,** peut causer des étourdissements.

Les traitements médicamenteux

Il peut arriver que les médecins ne tiennent pas compte du facteur de l'équilibre quand ils prescrivent des médicaments pour des problèmes qui ne sont pas liés à ce système sensoriel, mais il faut savoir que les médicaments peuvent avoir des effets secondaires qui contribuent aux chutes. Les médicaments suivants peuvent affecter votre sens de l'équilibre :

- un médicament qui cause de la somnolence, comme un analgésique sédatif ou narcotique ;
- un médicament qui agit sur votre humeur, comme un antidépresseur ou un tranquillisant ;

- un médicament contre l'hypertension, y compris les diurétiques (car ils peuvent provoquer des baisses de pression importantes).

La polypharmacie

Prenez-vous plusieurs sortes de médicaments d'ordonnance? C'est ce qu'on appelle la polypharmacie et cela constitue un signal d'alerte pour les spécialistes de l'équilibre. De nombreuses études ont montré une forte corrélation, qui ne peut être que partiellement expliquée par la maladie, entre les chutes et la prise de plus de quatre sortes de médicaments.

Les personnes plus âgées sont souvent traitées par plusieurs médecins différents qui leur remettent chacun une ou plusieurs ordonnances. Si les médecins ne coordonnent pas leurs interventions, le patient peut être victime d'effets secondaires fâcheux, dont des problèmes d'équilibre, à cause d'un excès de médicaments ou encore d'interactions médicamenteuses nocives. Si vous prenez plus de quatre médicaments d'ordonnance, n'arrêtez pas ! Mais dressez une liste de ce que vous prenez et demandez à votre médecin traitant de la vérifier de temps en temps, pour voir si la médication ne pourrait pas être réduite. Donnez-en aussi une copie à chacun des médecins qui vous suit.

Les sports risqués

Même les athlètes de calibre international, des hommes et des femmes en excellente forme physique, sont vulnérables aux chutes s'ils pratiquent des sports risqués comme le patinage, la gymnastique ou l'escalade. Les chutes sont fréquentes aussi dans des sports qui peuvent paraître moins périlleux. Au tennis, par exemple, il est facile de glisser si vous vous étirez rapidement pour retourner un service puissant.

Si vous êtes une athlète de fin de semaine, sachez qu'en vieillissant vous êtes plus susceptible de subir des blessures et des chutes. Ajoutez des exercices d'équilibre et de musculation à vos séances d'entraînement quotidiennes, même si vous faites beaucoup d'exercice pendant les week-ends. Si vous n'êtes pas déjà active, n'oubliez pas qu'il faut vous mettre en forme avant de vous adonner à un sport exigeant.

L'alcool

La perte d'équilibre est l'une des conséquences les plus évidentes d'un excès d'alcool. C'est la raison pour laquelle on demande aux conducteurs que l'on soupçonne d'avoir trop bu de marcher en ligne droite. On utilise le même test en laboratoire pour évaluer l'équilibre. Les abus prolongés d'alcool peuvent causer des lésions au cerveau et affecter l'équilibre même lorsqu'une personne est sobre. Les personnes âgées et celles qui ont déjà un équilibre réduit sont particulièrement vulnérables aux effets de l'alcool.

Les chaussures

L'une des façons les plus simples de protéger vos os consiste à changer vos chaussures. Pour favoriser l'équilibre, choisissez des chaussures solides, en toile ou en cuir, qui supportent bien le pied et qui s'ajustent avec des lacets ou des bandes *Velcro*. Les talons ne devraient pas être hauts et les semelles, souples, flexibles et pas trop épaisses : vous devez sentir le sol sur lequel vous marchez.

Environ 50 à 60 p. 100 des chutes surviennent parce que les gens trébuchent, souvent à cause de leurs chaussures. Des chercheurs de Birmingham, au Royaume-Uni, ont montré, dans une étude, que 45 p. 100 des chutes faites par des adultes plus âgés impliquaient des chaussures inadéquates. Ce nombre peut paraître élevé, mais il concorde avec ce que j'ai vu en travaillant avec des femmes assez âgées.

Beaucoup de gens (et notamment des femmes) portent des chaussures comme celles décrites ci-dessous qui augmentent leur risque de chute :

- Des chaussures à plate-forme ou des sabots : les semelles épaisses interfèrent avec la proprioception, c'est-à-dire votre capacité de sentir le sol sur lequel vous marchez.

- Des espadrilles à semelles épaisses : bien que les semelles épaisses soient conçues pour vous donner plus de traction à l'extérieur, il est risqué de les porter à l'intérieur, surtout quand vous marchez sur du tapis.
- Des chaussures à talons hauts : les talons hauts déstabilisent. De plus, ils réduisent la surface d'appui dont vous disposez pour balancer votre poids.
- Des mules et autres souliers ouverts à l'arrière : votre stabilité est réduite si vos talons sont libres de glisser d'un côté ou de l'autre.
- Des bottes amples : elles n'apportent que très peu, voire aucun support.
- De vieilles chaussures : après des années d'utilisation, les souliers deviennent moins solides et les semelles plus glissantes.

Les risques domestiques courants

Près de la moitié de toutes les chutes surviennent dans les maisons et environ 85 p. 100 d'entre elles sont provoquées par des éléments de l'environnement domestique. Quand vous avez ouvert ce livre sur l'ostéoporose, vous ne vous attendiez probablement pas à vous faire mettre en garde contre les éclairages inadéquats, les carpettes et les cires à parquet. Mais tout ce qui contribue aux chutes constitue une menace pour vos os. Vous pouvez réduire de beaucoup vos risques de fracture en examinant attentivement l'environnement immédiat dans lequel vous vivez et en corrigeant les problèmes que vous y décelez. Un tel exercice est utile pour tous les domiciles, mais il est particulièrement important pour les résidences dans lesquelles vivent des personnes âgées ou encore dans celles où elles se rendent en visite.

Les planchers

- Évitez les cires qui rendent les planchers glissants.
- Assurez-vous que les tapis restent bien en place et qu'ils ne glissent pas.

- Essuyez rapidement tout liquide échappé par terre.
- Ne laissez aucun jouet ni objet par terre.
- Assurez-vous qu'il n'y ait rien de dangereux par terre, des rallonges électriques, par exemple.

L'éclairage

- Éclairez les couloirs, les cages d'escaliers, les placards ainsi que les différentes pièces de la maison.
- Utilisez des veilleuses ou gardez des lampes de poche à portée de la main.
- Éliminez les lumières ou les reflets éblouissants qui nuisent à la vision.

Les escaliers, salles de bain, cuisines et meubles

- Installez des rampes des deux côtés des cages d'escaliers si possible.
- Installez des barres d'appui et des tapis antidérapants dans la douche et la baignoire.
- Organisez les armoires et les placards de façon à réduire au maximum la nécessité de vous pencher et de vous étirer.
- Réparez toutes les chaises et les tables branlantes.

On peut réduire les chutes !

Comme d'autres ennuis liés à l'âge et au vieillissement, on peut affronter et minimiser ses problèmes d'équilibre. Votre médecin peut vous aider à identifier la source de votre problème et vous suggérer des solutions. J'espère que vous lui demanderez de vous aider si vous éprouvez l'un des problèmes d'équilibre suivants :

- Vous tombez plus d'une fois par année et vos chutes ne sont pas associées à un sport risqué.
- La peur de tomber restreint vos activités.
- Vous avez obtenu un résultat inférieur à « bon » dans les tests sur l'équilibre ou vous vous inquiétez des résultats d'autres tests dont il a été question dans ce chapitre.

Les chercheurs occidentaux commencent à reconnaître ce que les experts des médecines orientales savent depuis des siècles: l'exercice peut améliorer l'équilibre. L'une de mes découvertes les plus intéressantes a été de constater que les femmes qui avaient participé à notre étude sur l'entraînement-musculation avaient vu leur équilibre s'améliorer de 14 p. 100 en moyenne en un an. Dans ce même laps de temps, le sens de l'équilibre de celles du groupe témoin (inactives) avait diminué de 8 p. 100.

J'ai trouvé particulièrement encourageants les travaux des pionniers de la recherche sur l'amélioration de l'équilibre, des gens comme Mary Tinetti, M.D. de l'Université Yale, James Judge, M.D. de l'Université du Connecticut à Farmington et John Campbell, M.D. de la faculté de médecine de l'Université Otago en Nouvelle-Zélande. Leurs recherches ont permis de démontrer que des interventions tous azimuts pouvaient faire une différence considérable.

Par exemple, Mary Tinetti et ses collègues de Yale ont étudié un groupe de 301 hommes et femmes, tous âgés de 70 ans ou plus, qui présentaient aussi d'autres facteurs de risque de chute. La moitié des sujets, ceux du groupe témoin, n'ont reçu aucun soin particulier. Quant aux autres, ils ont reçu une aide intensive pour réduire les chutes. Ils ont appris à faire des exercices pour augmenter leur force et améliorer leur équilibre et leur coordination. Leurs médications ont été examinées et ajustées au besoin. Les chercheurs ont visité leurs domiciles et ils leur ont suggéré des moyens pour éliminer les risques de chute dans leur environnement immédiat. À la fin de l'année, on comptait 164 chutes dans le groupe témoin et seulement 94 dans le groupe de sujets suivis: une différence très significative pour un groupe à risque aussi élevé.

D'autres études ont montré des résultats semblables. Même les interventions les moins ambitieuses, comme le simple fait de faire des exercices ou de corriger les risques de chute dans la maison, font une différence appréciable. Au fur et à mesure que nos connaissances en ce domaine s'approfondiront, nous verrons émerger de nouveaux programmes encore plus efficaces.

L'équilibre corporel est un sujet fascinant qui reçoit enfin l'attention qu'il mérite. Nous nous rendons compte que les problèmes d'équilibre n'affectent pas seulement les personnes âgées et frêles, mais aussi des femmes plus jeunes. En fait, nous sommes toutes vulnérables aux chutes. Mais il est rassurant de savoir que nous pouvons améliorer notre sens de l'équilibre et que des exercices simples et agréables peuvent vraiment faire toute la différence.

TROISIÈME PARTIE

DES STRATÉGIES ASTUCIEUSES POUR DES OS SOLIDES

CHAPITRE 7

Au-delà du calcium

Une bonne alimentation pour les os implique beaucoup plus qu'une moustache de lait et la prise de suppléments de calcium. Bien que le calcium soit essentiel, il ne constitue toutefois qu'un élément de l'ensemble. En lisant ce chapitre, vous découvrirez que d'autres éléments nutritifs sont importants pour obtenir une santé osseuse optimale. Quelles que soient vos préférences alimentaires, que vous soyez végétalienne ou encore que vous ayez une intolérance au lactose, vous pouvez planifier des menus qui favorisent la santé de vos os. Vous y gagnerez sur d'autres plans aussi, car les aliments qui fortifient les os sont aussi excellents pour l'ensemble de l'organisme.

La filière du calcium

Nous savons depuis plus de 20 ans qu'il existe un lien direct entre la consommation de calcium et la solidité des os. Il n'y a là rien de surprenant puisqu'une part appréciable de notre masse osseuse est constituée de calcium. Il est particulièrement important d'avoir un apport suffisant de calcium pendant l'enfance et la période jeune adulte alors que nous bâtissons encore notre capital osseux. Mais, en vieillissant, il nous faut veiller à préserver ce capital.

De quelle quantité de calcium ai-je besoin ?

Cette question qui paraît pourtant toute simple fait l'objet de débats scientifiques depuis plus de 30 ans. Pendant de nombreuses années, les recommandations provenaient de la National Academy of Sciences' Food and Nutrition Board des États-Unis, les fameuses RDA (*Recommended Dietary Allowances*). Puis, en 1994, un comité d'experts des National Institutes of Health (NIH) recommandait des quantités encore plus importantes de calcium. Dans mon premier livre, *Strong Women Stay Young*, je conseillais aux femmes de suivre les recommandations émises par les NIH qui visaient une santé osseuse optimale tandis que celles du RDA avaient plutôt pour objectif de prévenir les carences.

LA RECHERCHE

Des leçons de Podravia et d'Istra

Podravia et Istra sont deux régions rurales de l'ex-Yougoslavie. Vers la fin des années 1960 et au début des années 1970, une importante étude de leurs populations nous a fourni des informations précieuses sur le calcium et les os.
La plupart des habitants de Podravia sont, par tradition, des éleveurs de vaches laitières et leur apport en calcium est élevé. Les gens d'Istra, qui ont le même héritage génétique, sont quant à eux plutôt des cultivateurs de légumes et de céréales et, de façon générale, leur consommation de calcium est beaucoup plus faible. Velimir Matkovic, M.D. et ses collègues de la faculté de médecine de l'Université de Zagreb, en ex-Yougoslavie, se sont demandé si ces différences à vie d'habitudes alimentaires se reflétaient aussi dans les os des gens.

En examinant le régime alimentaire d'un échantillon de population, les chercheurs ont découvert que les femmes de Podravia consommaient en moyenne 900 milligrammes par jour (mg/jour) de calcium tandis que celles d'Istra n'en consommaient en moyenne que 400 mg/jour. Pendant six ans, ils ont étudié les archives médicales des hôpitaux concernant 159 446 personnes de Podravia et 174 250 personnes d'Istra et ont relevé le nombre de fractures.

Le résultat: parmi les femmes d'Istra, dont le régime alimentaire normal était pauvre en calcium, ils ont dénombré 225 fractures de la hanche pendant cette période. Et parmi celles de Podravia, ils en ont compté seulement 104. Leurs résultats ont été publiés dans l'*American Journal of Clinical Nutrition* en 1979. En regardant les résultats de cette étude à la lumière de ce que nous savons aujourd'hui sur l'importance de l'exercice et de l'apport en vitamine D et en calcium, je présume que les femmes des deux régions avaient un mode de vie qui leur fournissait beaucoup d'exercice physique de même que suffisamment d'exposition au soleil.

Entre-temps, grâce aux recherches en cours, nous en apprenions de plus en plus sur l'alimentation et la santé et nous approfondissions nos connaissances sur le lien entre le calcium et les os. En 1997, le *Food and Nutrition Board* a commencé à émettre une nouvelle sorte de recommandations appelée: Dietary Reference Intake (DRI) qui prennent graduellement la place des RDA.

Je suis d'accord avec les nouvelles normes d'apport nutritionnel recommandé (ANR) pour le calcium qui tiennent compte des plus récentes recherches: elles sont conçues pour optimiser la santé. Et elles sont pratiques. Comme vous le verrez d'après les menus présentés à la fin de ce chapitre, une femme qui mange bien peut facilement combler ses besoins en calcium par son alimentation.

APPORT NUTRITIONNEL RECOMMANDÉ EN CALCIUM POUR LES FEMMES ET LES HOMMES	
ÂGE	CALCIUM ANR *(mg/jour)*
de la naissance à l'âge de 6 mois	210
de 6 mois à 1 an	270
de 1 à 3 ans	500
de 4 à 8 ans	800
de 9 à 18 ans	1300
de 19 à 50 ans	000
de 51 à 70 ans	1200
de 71 ans et plus	1200
Source: National Academy of Science, *1997*	

Les meilleures sources alimentaires de calcium

Les produits laitiers viennent en tête de liste des sources d'aliments riches en calcium. Cependant, beaucoup d'aliments qui ne font pas partie de cette famille contiennent aussi des quantités appréciables de calcium. Par ailleurs, les fabricants ajoutent maintenant du calcium aux aliments préparés comme le jus d'orange et les céréales pour le petit déjeuner.

Voici un bref aperçu des principaux groupes d'aliments et de leur contenu en calcium:

- **Les produits laitiers:** La plupart sont riches en calcium. Si vous voulez limiter votre consommation de calories ou de matières grasses, choisissez les produits écrémés ou à faible teneur en matières grasses.
- **Les haricots:** Le soja et autres haricots constituent de bonnes sources de calcium. Ces aliments sont aussi par-

ticulièrement intéressants pour celles qui veulent limiter leur consommation de calories ou de produits laitiers.

- **Les noix :** Les amandes et les avelines sont de bonnes sources de calcium, mais elles sont aussi riches en calories et en matières grasses.
- **Les légumes :** Les légumes verts et feuillus, comme les épinards, le chou, le brocoli, le chou vert et le pak-choï contiennent des quantités modérées de calcium. Ils sont aussi faibles en calories.
- **Les fruits :** Certains fruits, notamment les oranges et les raisins secs, fournissent aussi des quantités modérées de calcium.
- **La viande, la volaille et le poisson :** La plupart contiennent peu ou pas de calcium, mais il y a une exception : le poisson que l'on mange avec les arêtes, comme le saumon en boîte ou les sardines, constituent de très bonnes sources de calcium.
- **Les céréales :** À moins qu'elles ne soient enrichies, les céréales ne sont pas particulièrement riches en calcium.

Aliments riches en calcium	Portion	Calcium *(mg)*
Produits laitiers et boisson de soja		
Lait (entier, partiellement écrémé, écrémé)	250 ml (1 t)	300
Lait enrichi de protéines	250 ml (1 t)	350
Yogourt (fait de lait entier, partiellement écrémé, écrémé, aromatisé)	250 ml (1 t)	275 - 325
Yogourt enrichi de protéines	250 ml (1 t)	400 - 450
Fromages à pâte ferme à haute teneur en calcium : cheddar, suisse, édam, monterey jack, provolone, parmesan, romano, mozzarella partiellement écrémée	30 g (1 oz)	200 - 300

Aliments riches en calcium	Portion	Calcium *(mg)*
Produits laitiers et boisson de soja		
Fromages à pâte ferme et molle à teneur moyenne en calcium : américain, gouda, colby, mozzarella faite de lait entier, feta, fontina, bleu, camembert	30 g (1 oz)	100 - 200
Fromages à pâte molle à teneur moins élevée en calcium : brie, neufchâtel, fromage à la crème (ordinaire ou écrémé)	30 g (1 oz)	20 - 50
Fromage à la crème enrichi de protéines	30 g (1 oz)	100
Fromage cottage (fait de lait entier, partiellement écrémé ou écrémé)	125 ml (1/2 t)	60 - 80
Fromage ricotta (fait de lait entier, partiellement écrémé ou écrémé)	125 ml (1/2 t)	250 - 350
Crème glacée et yogourt glacé (faits de lait entier, partiellement écrémé ou écrémé)	125 ml (1/2 t)	70 - 120
Crèmes-desserts et crèmes anglaises à base de lait	125 ml (1/2 t)	150
Boisson de soja (enrichie de calcium)	250 ml (1 t)	200 - 300
Boisson de soja (non enrichie de calcium)	250 ml (1 t)	10
Haricots de soja et autres variétés		
Haricots de soja : verts bouillis ; edamame	125 ml (1/2 t)	125
Graines de soja : séchées, rôties (noix de soja)	125 ml (1/2 t)	225
Tofu fait avec du sulfate de calcium	125 ml (1/2 t)	250
Tofu fait sans sulfate de calcium	125 ml (1/2 t)	125
Tempeh	125 ml (1/2 t)	77
Protéine végétale texturée	125 ml (1/2 t)	85
Miso	125 ml (1/2 t)	91
Haricots secs, pois chiches, petits haricots blancs, haricots pinto et haricots verts	125 ml (1/2 t)	25 - 60

Aliments riches en calcium	Portion	Calcium *(mg)*
Noix		
Amandes	30 g (1 oz)	75
Noisettes (avelines)	30 g (1 oz)	50
Légumes		
Épinards cuits	125 ml (1/2 t)	125
Autres légumes verts feuillus, cuits (feuilles de moutarde, chou vert frisé, pak-choï, chou, choucroute)	125 ml (1/2 t)	50
Légumes verts feuillus, crus	250 ml (1 t)	50
Autres légumes cuits (brocoli, haricots verts, courge)	125 ml (1/2 t)	30
Pommes de terre	Une moyenne	20
Rhubarbe, cuite	125 ml (1/2 t)	175
Fruits		
Oranges, mandarines, pamplemousses, mangues, kiwis	Un de grosseur moyenne	20 - 50
Jus d'orange (frais, non enrichi de calcium)	250 ml (1 t)	30
Pruneaux	10	45
Raisins secs (ordinaires ou dorés)	85 ml (1/3 t)	25
Poissons		
Poissons frais et fruits de mer (perche, flétan, truite, palourdes, huîtres, homard)	90 g (3 oz)	40 - 70
Saumon (en boîte, avec les arêtes)	90 g (3 oz)	200
Sardines (en boîte, avec les arêtes)	2 sardines	100
Anchois (en boîte, avec les arêtes)	90 g (3 oz)	125
Aliments enrichis de calcium		
Jus d'orange enrichi de calcium	250 ml (1 t)	200 - 300
Céréales de petit-déjeuner et tablettes granola enrichies de calcium	250 ml (1 t)	150 - 600
Boisson de soja enrichie de calcium	250 ml (1 t)	200 - 300

Autres aliments

Pour connaître la teneur en calcium des aliments qui ne font pas partie de la liste ci-dessus, vérifier l'étiquette nutritionnelle du produit, s'il y en a une. J'utilise, pour ma part, un livre destiné aux professionnels de la nutrition, duquel j'ai tiré les données de ce tableau : *Bowes & Church's Food Values of Portions Commonly Used,* 17e éd., Jean A.T. Pennington, Ph. D., R. D. (Lippincott-Raven Publishers, 1998). On peut trouver cet ouvrage de référence dans la plupart des bibliothèques. Vous pouvez aussi consulter la banque de données informatisées sur la nutrition du département de l'agriculture des États-Unis à l'adresse suivante : http://www.nal.usda.gov/fnic/cgi-bin/nut_search.pl

Ce que signifie l'étiquette

Les étiquettes nutritionnelles sur les emballages des aliments sont conçues d'après une série de normes simplifiées que l'on appelle les valeurs quotidiennes recommandées et qui sont basées sur les ANR pour les adultes d'âge moyen. Voici donc les quantités quotidiennes que l'on recommande pour les éléments nutritifs dont il sera question dans ce chapitre :

ÉLÉMENT NUTRITIF	100 % DE LA VALEUR QUOTIDIENNE RECOMMANDÉE
Calcium	1000 milligrammes
Vitamine D	400 unités internationales
Vitamine K	80 microgrammes
Vitamine C	60 milligrammes
Potassium	3500 milligrammes
Magnésium	400 milligrammes

Si l'étiquette nutritionnelle sur votre contenant de jus d'orange enrichi de calcium indique qu'une portion contient 30 % de la valeur quotidienne recommandée pour le calcium, cela signifie qu'une portion contient 30 p. 100 de 1 000 mg, soit 300 mg de calcium.

Quelle quantité de calcium mon alimentation me fournit-elle ?

Utilisez le tableau précédent et la grille de calcul qui suit pour évaluer votre consommation quotidienne de calcium. Il n'est pas nécessaire de trouver les nombres exacts, une simple approximation suffit. Vos os reflètent vos habitudes alimentaires sur des périodes de plusieurs mois, voire des années, et non votre consommation de calcium un jour en particulier.

LES PRODUITS LAITIERS ET LE CALCIUM CAUSENT-ILS L'OSTÉOPOROSE ?

Ce reproche pour le moins surprenant, formulé par quelques individus et organismes, est fondé principalement sur des études portant sur des femmes vivant en Afrique et en Asie. Malgré leur faible consommation de lait et de produits laitiers, ces femmes sont beaucoup moins sujettes à l'ostéoporose que leurs consœurs américaines.

Comme nous l'avons vu précédemment, les spécialistes s'entendent sur le fait que d'autres facteurs sont aussi importants pour la santé des os. Les femmes d'Afrique et d'Asie n'ont peut-être pas un régime alimentaire à haute teneur en calcium, mais d'autres facteurs expliquent pourquoi très peu d'entre elles sont victimes d'ostéoporose : leur alimentation comprend beaucoup de fruits et de légumes (en plus du soja pour les Asiatiques) ; elles font beaucoup plus d'exercice que la majorité des Américaines et beaucoup moins d'entre elles fument ou consomment de l'alcool. Nous ferions toutes bien de suivre leur exemple sur ces points. Mais des recherches faites depuis des décennies montrent que le calcium et les produits laitiers aident vraiment à fortifier les os. Et il n'existe aucune preuve crédible à l'effet que ces produits soient nocifs.

- Pensez à tout ce que vous avez mangé hier ou notez ce que vous mangez aujourd'hui.
- À l'aide du tableau, comptez vos portions d'aliments riches en calcium (plus de 200 mg). Puis comptez les

portions d'aliments contenant entre 100 et 199 mg de calcium et enfin, les portions d'aliments qui en contenaient moins de 100 mg. Indiquez les nombres sur la grille de calcul.
- Multipliez par le nombre indiqué dans la colonne A pour obtenir le nombre de la colonne C et faites la somme.

Une façon encore plus simple serait de visiter le site Web du *Dairy Council* de la Californie (http://www.dairycouncilofca.org) et de vous rendre à la section concernant les familles et les enfants dans laquelle vous trouverez un questionnaire interactif en anglais.

Aliments	A mg/portion	B Nombre de portions quotidiennes	A X B = C Calcium total
Excellente source de calcium (200 mg ou plus par portion)	300		
Bonne source de calcium (100 - 199 mg/portion)	150		
Source mineure de calcium (25 - 99 mg/portion)	50		
Votre apport approximatif de calcium quotidien total Votre ANR (**d'après la page 134**)			
Consommez-vous suffisamment de calcium ? Si oui, félicitations ! Les sondages portant sur l'alimentation révèlent que seulement 10 p. 100 des femmes américaines ont un apport suffisant en calcium. L'apport moyen n'est que de 500 à 600 mg/jour.			

Les obstacles au calcium et comment les contourner

Quand je parle d'alimentation et d'ostéoporose dans mes conférences, les femmes me disent : « Je sais que je devrais consommer plus de calcium, mais... » Et puis elles décrivent un obstacle. Il s'agit presque toujours de l'un des trois cités ci-dessous. Heureusement, il y a des solutions.

« Je n'aime pas le lait. »

Je sympathise toujours quand une femme me dit cela, parce que c'est aussi mon cas. Bien qu'il soit rare que je boive un verre de lait, j'aime bien prendre des céréales avec du lait au petit-déjeuner. Je me sers aussi de lait comme base pour mes soupes ou dans les desserts et j'aime aussi les milk-shakes. Le lait n'est pas le seul produit laitier riche en calcium. Ainsi vous préféreriez peut-être le yogourt ou la crème glacée. Vous pouvez aussi garnir vos pâtes de fromage râpé ou en mettre sur vos bagels au lieu du beurre.

« J'ai une intolérance au lactose. »

Si vous n'avez pas l'enzyme nécessaire pour digérer le lactose (le sucre du lait), les produits laitiers peuvent vous causer des problèmes de digestion. Mais il suffit parfois de réduire vos portions de ces produits tout simplement. Une autre approche consiste à ajouter l'enzyme (la lactase) à vos aliments ou encore à acheter des produits laitiers qui contiennent déjà de la lactase. Certaines femmes qui ont une intolérance au lactose tolèrent le fromage ou le yogourt fait de cultures vivantes. (Voir l'étiquette des produits.)

« Je ne mange pas de produits de source animale. »

Si vous savez choisir vos aliments, vous pouvez combler vos besoins nutritionnels en calcium en ne consommant que des produits végétariens. Choisissez par exemple des aliments riches en calcium comme du tofu fait avec du sulfate de calcium (voir l'étiquette).

SEPT FAÇONS SIMPLES ET SURPRENANTES D'AUGMENTER VOTRE APPORT EN CALCIUM

- Utilisez de la mélasse noire pour sucrer vos boissons, céréales, pains et gâteaux maison. La mélasse noire contient 172 mg de calcium par portion de 15 ml (une cuiller à soupe). (Bien que la mélasse ordinaire en contienne beaucoup moins, 41 mg par 15 ml, elle constitue tout de même une assez bonne source de calcium.)
- Avant de servir du fromage cottage, remuez-le pour y incorporer le petit-lait, ce liquide blanchâtre que l'on trouve à la surface et qui est riche en calcium. Une suggestion : vous pourriez le remplacer par de la ricotta qui contient deux fois plus de calcium par portion que le cottage.
- Pour les collations et pour garnir vos petits plats, choisissez des fromages à pâte ferme riches en calcium au lieu de ceux à pâte molle qui en contiennent moins. Par exemple, le fromage suisse contient plus de 250 mg de calcium par portion de 30 g tandis que la mozzarella n'en contient que 150 à 200 mg.
- Choisissez des produits laitiers enrichis de protéines. Ils sont alors faits avec plus de solides du lait et contiennent beaucoup plus de calcium que leurs versions non enrichies. Ainsi le fromage à la crème ordinaire contient de 20 à 40 mg de calcium par portion, tandis que le fromage à la crème enrichi en contient 100 mg par portion. Le yogourt enrichi de protéines contient de 400 à 450 mg de calcium par portion, bien davantage que les 275 à 325 mg pour le yogourt ordinaire. Enfin, les quantités exactes peuvent varier considérablement d'une marque à l'autre, alors lisez les étiquettes.
- Recherchez les produits laitiers enrichis de calcium, car ils en contiennent beaucoup plus que leurs versions non enrichies, jusqu'à 500 mg par portion de 250 ml.
- Quand vous faites une soupe ou un ragoût avec de la viande ou de la volaille, n'enlevez les os qu'*après* la cuisson plutôt qu'avant. Pendant que vos petits plats mijotent, une partie du calcium contenu dans les os se répand dans le liquide pour enrichir votre plat. Et le calcium se diffuse encore mieux si votre préparation contient des ingrédients acides

comme des tomates, du citron ou du vinaigre. De la même façon, si vous prévoyez griller ou rôtir vos viandes ou volailles, choisissez des coupes avec les os. Faites-les mariner au préalable dans du vin, du jus de citron ou du vinaigre et gardez la marinade enrichie de calcium pour la sauce ou pour arroser votre viande pendant la cuisson.

- Achetez du tofu préparé avec du sulfate de calcium. Une portion de 125 ml de tofu fait avec du sulfate de calcium contient environ 250 mg de calcium, soit deux fois plus que le tofu préparé sans sulfate de calcium.

Et la biodisponibilité dans tout cela ?

Le calcium est tellement important pour la santé que l'on serait porté à croire que l'organisme utilise tout ce qu'on lui fournit. Mais non. La plupart d'entre nous n'absorbons qu'un tiers environ du calcium que nous consommons. Le reste est excrété tout simplement. Certains aliments, lorsqu'on les consomme en excès, peuvent affecter l'absorption du calcium ou sa biodisponibilité. Voici certains de ces aliments coupables et le moyen d'en éviter les excès, car c'est toujours une question de modération.

Les fibres

Les fibres aident à maintenir l'activité de l'appareil digestif. Elles préviennent la constipation et les problèmes tels que la diverticulose. Mais si vous consommez trop de fibres, vous pouvez nuire à la biodisponibilité du calcium. Si les aliments passent trop rapidement dans vos intestins, ces derniers n'ont pas le temps d'absorber tout le calcium qu'ils contiennent. Autre problème : les fibres qui proviennent de l'enveloppe du grain contiennent de l'acide phytique qui se lie au calcium dans les intestins pour former un composé qui ne peut être absorbé.

Mais ces problèmes risquent peu de survenir si votre apport en fibres provient des aliments que vous consommez.

Et, à moins que votre médecin ne vous recommande d'*ajouter* des fibres à vos repas (par exemple en saupoudrant du son sur vos céréales), il vaut mieux ne pas le faire parce que vous risqueriez de consommer trop de fibres de cette façon.

Les protéines

Bien qu'une consommation adéquate de protéines soit essentielle à la solidité des os, de très grandes quantités de protéines augmentent l'excrétion du calcium dans l'urine. Et, quoique le régime alimentaire des Américains soit riche en protéines, il est habituellement loin d'être excessif. Mais des problèmes peuvent survenir quand les gens suivent des régimes amaigrissants à haute teneur en protéines qui ne sont pas équilibrés ou quand ils ajoutent des suppléments protéiques comme des boissons en poudre enrichies de protéines à un régime alimentaire qui contient déjà beaucoup de protéines.

La caféine

La caféine est un diurétique : elle augmente la quantité d'urine que vous excrétez, ce qui accentue les pertes de calcium. Des quantités modérées de caféine n'ont pas d'effet significatif. Mais il ne faut pas dépasser 400 mg par jour, soit l'équivalent de quatre tasses de café. La caféine peut aussi provenir d'autres sources comme du thé, des colas et de certaines autres boissons gazeuses, et même de certains médicaments.

Le sodium

L'excès de sodium augmente aussi l'excrétion urinaire de calcium. Quand les reins se débarrassent du sodium, ils excrètent aussi du calcium. Beaucoup d'Américains consomment trop de sodium. Le *Food and Nutrition Board's Committee on Diet and Health* des États-Unis recommande que la consommation de sodium des adultes ne dépasse pas les 2 400 mg par jour. Or, dans ce pays, la consommation quotidienne moyenne frise les 6 000 mg par jour. Pour éviter ce problème, utilisez votre salière avec modération et limitez votre consommation d'aliments transformés de même que celle de collations salées.

Oxalates et acide oxalique

Si vous avez lu sur l'alimentation, vous avez peut-être vu les mises en garde concernant les oxalates et l'acide oxalique, des composés que l'on retrouve dans les légumes verts feuillus et qui, en se liant au calcium pendant la digestion, le transforment en des sels insolubles. Vous vous demandez peut-être s'il est sage de manger des légumes qui contiennent des oxalates. Ma réponse est oui. Bien qu'une grande partie du calcium que l'on retrouve dans les légumes feuillus ne soit pas disponible à cause des oxalates, nous bénéficions tout de même de ce qui reste ainsi que des nombreux autres éléments nutritifs de ces légumes.

D'autres stratégies

Presque tous les spécialistes s'entendent pour dire qu'il vaut mieux combler nos besoins nutritionnels par les aliments que nous mangeons que par des pilules. L'une des raisons pour cela tient au fait que nous ne connaissons pas encore tous les éléments nutritifs et bienfaisants que contiennent les aliments. Alors les femmes qui se fient à des suppléments pourraient rater quelque chose. De plus, il est beaucoup plus facile de faire des excès avec les suppléments qu'avec les aliments. Par exemple, un excès de calcium peut interférer avec l'absorption du fer et du zinc. Il est peu probable que votre alimentation vous fournisse trop de calcium au point de vous causer de tels problèmes. Mais avec des suppléments, le risque d'excès est beaucoup plus élevé.

LES BOISSONS GAZEUSES PEUVENT-ELLES NUIRE À MES OS ?

Vous avez peut-être entendu dire que le phosphore contenu dans les boissons gazeuses interfère avec l'absorption du calcium. Je ne sais pas d'où vient cette croyance, mais il s'agit d'un mythe.

Un excès de phosphore risque effectivement d'être nuisible parce que tant le calcium que le phosphore ont besoin de vitamine D pour leurs métabolismes. Un excès de phosphore signifie donc qu'il y aura moins de vitamine D disponible pour la transformation du calcium ; son absorption sera donc réduite.

Mais dans le régime alimentaire type des Américains, les boissons gazeuses constituent une source négligeable de phosphore. Beaucoup de ces boissons ne contiennent même pas de phosphore et celles qui en contiennent n'en ont que des quantités modestes comparativement à d'autres aliments courants.

Ainsi, il n'y a pas de phosphore du tout dans le soda club ou l'eau de Seltz. Les colas en contiennent environ 20 à 40 mg par portion de 250 ml, ce qui est caractéristique des boissons gazeuses qui contiennent du phosphore. Pour mettre les choses en perspective, dites-vous qu'un verre de lait écrémé contient plus de 200 mg de phosphore et que 125 ml de céréales de son *All bran* de *Kellog* en contiennent près de 300 mg. Autrement dit, il vous faudrait boire plus de 12 canettes de *Coke Diète* pour ingérer autant de phosphore que dans une modeste portion de céréales au son dans du lait écrémé.

La *véritable* inquiétude concernant les boissons gazeuses vient plutôt du fait que certaines personnes, et surtout les enfants et les adolescents, remplacent leur lait par des boissons gazeuses et, en conséquence, ne consomment pas suffisamment de calcium.

Un autre avantage des aliments est que le calcium qu'ils contiennent est plus facile à absorber que celui des suppléments diététiques. Généralement, vous consommez de petites quantités de calcium tout au long de la journée, dans vos céréales avec du lait au petit-déjeuner, dans votre boisson au yogourt à midi, dans une collation au fromage un peu plus tard. Qui plus est, le calcium des aliments est dissous et accompagné de sucres naturels qui contribuent à son absorption. Voici une anecdote amusante qu'une amie m'a racontée :

J'ai parlé à mon médecin d'ostéoporose lors de ma dernière visite. Elle m'a posé des questions sur mon alimentation et m'a dit que je devrais augmenter mon apport de calcium. J'avais lu sur les suppléments calciques et je connaissais le problème de la biodisponibilité. Alors je lui ai demandé s'il y avait une marque de suppléments de calcium offerts sous forme liquide avec des sucres naturels. Et elle m'a répondu : « Oui. Cela s'appelle du lait. »

Étant donné tous ces avantages, je vous conseille vivement de faire un effort pour augmenter votre consommation d'aliments riches en calcium. Ce chapitre vous propose plusieurs moyens pour ce faire. Mais s'il ne vous est pas possible de combler vos besoins en calcium par votre alimentation, le mieux serait de prendre un supplément.

Voici ma stratégie pour tirer le maximum des suppléments :

1re étape : Calculez la quantité de calcium supplémentaire dont vous avez besoin

Utilisez la grille de calcul ou le site Web dont je vous ai parlé précédemment (voir p. 140) pour déterminer la quantité de calcium que vous fournit votre alimentation et calculer ce qui vous manque. C'est cette quantité qu'il vous faut prendre sous forme de supplément. Vérifiez l'étiquette du contenant de suppléments calciques pour voir la quantité de calcium élémentaire (c'est-à-dire de calcium pur) que contient chaque comprimé. La plupart contiennent entre 200 et 500 mg de calcium élémentaire. Il n'y a aucune raison de dépasser votre ANR. Car si vous prenez trop de calcium, vous risquez d'avoir des problèmes de digestion.

2e étape : Déterminez la sorte de suppléments à prendre

Les deux sortes de suppléments les plus populaires sont :

- **Le carbonate de calcium :** C'est la forme la plus couramment utilisée de supplément calcique. Elle est offerte sous forme de capsules, de comprimés à croquer, de bonbons au caramel et on en trouve aussi dans des antiacides comme les *Tums*. La plupart des suppléments de carbonate de calcium fournissent de 200 à 500 mg de calcium élémentaire par comprimé. Le carbonate de calcium a besoin d'acide pour se dissoudre et être absorbé efficacement. Certaines femmes, et notamment les femmes plus âgées, ne produisent pas beaucoup d'acidité gastrique entre les repas. Alors il est important de prendre le supplément au moment du repas, lorsque l'estomac sécrète une bonne quantité d'acide.

QUELS SONT LES AUTRES TYPES DE SUPPLÉMENTS CALCIQUES ?

Si vous jetez un coup d'œil sur le rayon des suppléments diététiques d'une pharmacie ou d'un magasin d'aliments naturels, vous y trouverez un étalage impressionnant de produits. Voici donc quelques suggestions :

- Évitez les suppléments faits de phosphate de calcium. Si vous êtes comme la plupart des femmes, votre alimentation vous fournit amplement de phosphore et un excès pourrait interférer avec le métabolisme du calcium.

- Ne choisissez pas les suppléments de gluconate de calcium ni de lactate de calcium. Ils contiennent beaucoup moins de calcium par comprimé que les suppléments traditionnels et ils coûtent habituellement plus cher que le carbonate de calcium ou le citrate de calcium.
- Faites attention aux suppléments calciques faits à partir de coquilles d'huîtres ou de poudre d'os, car bien que la situation se soit améliorée, on a vu par le passé que certains de ces suppléments dits « naturels » pouvaient aussi contenir des contaminants toxiques comme du plomb.
- Ne payez pas plus cher pour du calcium « chélaté ». Il n'existe pas de preuve scientifique valable à l'effet que cette forme de calcium soit supérieure ou plus facilement absorbée.

- **Le citrate de calcium :** De nouvelles recherches portent à croire que le citrate de calcium pourrait être absorbé plus facilement que le carbonate de calcium. Et il y a un autre avantage pratique : étant donné que le citrate de calcium contient de l'acide, son absorption ne dépend pas de l'acidité de votre estomac. Alors vous pouvez prendre ce supplément à tout moment de la journée, que vous ayez mangé ou non. Cependant, ce type de supplément coûte habituellement plus cher que le carbonate de calcium. Et puisque chaque comprimé ne contient que 200 ou 300 mg de calcium élémentaire, il se peut que vous deviez prendre plus de comprimés.

En fin de compte, puisque l'une ou l'autre forme de supplément peut faire l'affaire, optez pour celle que votre organisme tolère le mieux. Choisissez une marque qui contient aussi 400 UI de vitamine D, à moins que vous n'en preniez déjà d'une autre source, comme de suppléments vitaminiques par exemple. Comme vous le savez, la vitamine D facilite l'absorption du calcium.

3e étape : Tâchez de tirer le maximum de vos suppléments

Les suppléments calciques peuvent causer des problèmes d'indigestion mineurs chez certaines personnes, comme des ballonnements, de la constipation ou de la diarrhée. Voici quelques suggestions pour éviter ces problèmes et tirer le maximum de bienfaits d'un supplément de calcium :

- Puisque l'organisme ne peut absorber de grandes quantités de calcium à la fois (pas plus de 500 mg), répartissez votre consommation de calcium sur toute la journée, tant en ce qui concerne les aliments que vous mangez que les suppléments que vous prenez. Par exemple, si la majeure partie de votre apport calcique provient de deux suppléments et de vos céréales du petit-déjeuner avec du lait, prenez un supplément dans l'après-midi et l'autre en soirée.
- Si vous ne prenez qu'un comprimé par jour, prenez-le en soirée, après votre repas s'il s'agit de carbonate de calcium ou avant de vous coucher si c'est du citrate de calcium. Votre appareil digestif travaille plus lentement pendant la nuit, ce qui lui laisse plus de temps pour absorber le calcium et la vitamine D.
- Si vous éprouvez des problèmes d'indigestion, essayez de prendre votre supplément à un autre moment de la journée. Ou encore séparez le comprimé en deux et n'en prenez qu'une moitié à la fois. Ou bien changez de sorte de supplément, essayez le carbonate si vous utilisez le citrate et vice versa.
- Si vous achetez une marque qui ne satisfait pas les normes USP (*United States Pharmacopoeia*), faites le test au vinaigre pour vous assurer que le comprimé se dissout bien : placez un comprimé dans un verre rempli de vinaigre et remuez toutes les cinq minutes. Si le comprimé ne se dissout pas complètement en 30 minutes, il ne se dissoudra probablement pas dans votre estomac non plus, alors changez pour une autre marque. (Jetez le vinaigre après le test.)

La vitamine D : vitale

Beaucoup de femmes ne se rendent pas compte que la vitamine D est tout aussi importante sinon *plus* importante que le calcium pour avoir des os forts et solides. Sans cette vitamine essentielle, l'organisme ne peut utiliser le calcium convenablement. Non seulement la vitamine D contribue à l'absorption du calcium, mais elle participe aussi au processus biochimique par lequel le calcium se transforme en tissu osseux. En fait, si vous lisez attentivement les études scientifiques portant sur le lien entre les fractures et les suppléments calciques, les seules qui montrent une réduction du nombre de fractures sont celles dans lesquelles le calcium était administré avec de la vitamine D !

DE NOUVELLES FAÇONS D'ALLER CHERCHER PLUS DE CALCIUM

Je n'aime pas boire de lait, mais j'adore le jus d'orange. J'ai donc été enchantée de voir des jus d'orange enrichis de calcium sur les tablettes de mon supermarché. Et je préfère boire du jus que de prendre une pilule : je sais que le calcium est déjà dissous et qu'il est accompagné de sucres provenant du jus qui facilitent son absorption. Le jus me fournit aussi d'autres éléments nutritifs : de la vitamine C et du potassium. Les fabricants ajoutent maintenant du calcium à d'autres aliments préparés comme les céréales de petit-déjeuner, les tablettes granola et les boissons de soja. Et ils ont aussi trouvé d'autres moyens ingénieux pour nous aider à obtenir le calcium dont nous avons besoin : ils ont mis sur le marché des bonbons au calcium à l'arôme de caramel, de la gomme à mâcher, et même une poudre que l'on peut ajouter à de l'eau ou à du jus d'orange et qui transforme notre boisson ordinaire en boisson pétillante. Et il y a aura sans doute encore plus de choix dans l'avenir.

Quelques mises en garde importantes au sujet des aliments enrichis de calcium :

- Lisez l'étiquette nutritionnelle pour vous assurer que vous obtenez bien la quantité de calcium et de vitamine D dont vous avez besoin.
- N'oubliez pas qu'il s'agit de médicaments. Gardez-les hors de la portée des enfants, qui pourraient être tentés par des produits qui ressemblent à des bonbons.
- Ne comptez pas uniquement sur le jus d'orange et les bonbons pour combler tous vos besoins en calcium. Les aliments riches en calcium contiennent aussi d'autres éléments nutritifs essentiels comme des protéines, par exemple. Ceci est particulièrement important pour les enfants, qui doivent prendre de bonnes habitudes alimentaires, et pour les personnes âgées dont l'alimentation ne fournit peut-être pas assez de protéines.

Nous pouvons obtenir de la vitamine D de deux sources : l'alimentation (qui comprend aussi les suppléments) et notre exposition au soleil. Le mode de vie caractéristique des Nord-Américaines fournit suffisamment de vitamine D aux jeunes femmes. Mais après l'âge de 50 ans, notre organisme a plus de difficulté à l'absorber des aliments et à la synthétiser à partir des rayons du soleil. Alors, même si nos habitudes de vie ne changent pas, il se peut que nous ayons des carences.

LA RECHERCHE

La vitamine D permet de réduire les fractures

À la fin des années 1980 et au début des années 1990, les résultats des recherches sur les suppléments calciques semblaient décevants : le fait de prendre ces suppléments ne réduisait pas l'incidence de fractures. Entre-temps, les chercheurs en apprenaient davantage sur l'importance de la vitamine D pour les os. Ma collègue Bess Dawson-Hughes, M.D. et ses associés de l'Université Tufts se sont demandé si le fait d'ajouter de la vitamine D aux suppléments de calcium pouvait faire une différence.

Pendant trois ans, leur équipe a examiné la santé osseuse de 389 hommes et femmes âgés de 65 ans et plus. Environ la moitié des participants prenaient un supplément quotidien contenant 500 mg de calcium et 700 UI de vitamine D ; les autres recevaient un placebo. Pendant ces trois ans, le risque de chute était à peu près le même pour les sujets des deux groupes. Treize pour cent de ceux qui ne prenaient pas de supplément ont subi une fracture. Mais dans le groupe de ceux qui prenaient de la vitamine D, seulement 6 p. 100 se sont cassé un os. Cet effet bienfaisant est tout à fait comparable à celui du traitement hormonal de substitution et à celui d'autres médicaments utilisés pour traiter l'ostéoporose.

Une autre étude, menée par Murray Tilyard, de l'Université d'Otago en Nouvelle-Zélande, a porté sur 622 femmes postménopausées qui avaient au moins une fracture vertébrale. La moitié des participantes prenaient de la vitamine D sans supplément de calcium et les autres, du calcium seulement. Pendant les trois années de suivi, il y a eu 24 fractures additionnelles dans le groupe de celles qui prenaient du calcium et 11 seulement chez celles qui prenaient de la vitamine D, une différence de 60 p. 100 !

Vitamine D et nourriture

L'ANR pour la vitamine D augmente au fur et à mesure que nous vieillissons. Notre régime alimentaire nous fournit généralement entre 100 et 200 UI de vitamine D par jour. Cette quantité peut suffire aux jeunes femmes (qui obtiennent aussi de la vitamine D par leur exposition au soleil), mais elle est nettement insuffisante pour les femmes de 50 ans et plus dont l'ANR est beaucoup plus élevé.

APPORT NUTRITIONNEL EN VITAMINE D RECOMMANDÉ POUR LES FEMMES ET LES HOMMES	
ÂGE	ANR en unités internationales et en microgrammes (mg) 40 UI = 1 mg
De la naissance à 50 ans	200 UI ou 5 mg
51 à 70 ans	400 UI ou 10 mg
71 ans et plus	600 UI ou 15 mg
Source : *National Academy of Science,* 1997	

Le problème tient au fait que peu d'aliments contiennent naturellement des quantités appréciables de vitamine D. Les meilleures sources sont les poissons d'eaux froides et salées ainsi que les fruits de mer : le saumon, le flétan, le hareng, le thon, le maquereau de l'Atlantique, les huîtres et les crevettes. Le foie et l'huile du foie de ces poissons sont aussi extrêmement riches en vitamine D. Certains champignons s'avèrent aussi de bonnes sources et parmi eux, les shiitakes et les morilles.

Parce que cette vitamine est si importante, un comité de l'Association médicale américaine a recommandé en 1957 que le lait soit enrichi de 400 UI de vitamine D par litre. Depuis ce temps, la recommandation a toujours été entérinée par le gouvernement fédéral. La vitamine D est aussi ajoutée à certaines céréales enrichies et à de nombreux suppléments calciques.

Vitamine D et soleil

L'autre source de vitamine D nous vient du soleil. Des cellules spécialisées de la peau synthétisent de la vitamine D quand elles sont activées par la lumière ultraviolette. Une jeune femme qui passe une partie de sa journée dehors en été peut combler tous ses besoins en vitamine D par son exposition au soleil. Mais cela est beaucoup plus difficile pour les femmes plus âgées. Si une femme de 65 ans et sa fille de

35 ans font une promenade de 10 minutes lors d'une journée ensoleillée, mère et fille synthétiseront de la vitamine D, mais la mère n'en produira que le tiers de la quantité produite par la fille. Pour compliquer les choses davantage, l'angle des rayons solaires change en hiver en plusieurs points du globe, et alors, même une journée ensoleillée peut ne pas fournir une stimulation suffisante aux cellules de notre peau. Si vous habitez une région qui est assez au nord pour recevoir de la neige, vous ne synthétisez probablement pas assez de vitamine D en hiver. Mais il ne s'agit pas d'un problème très grave pour des jeunes femmes en santé puisque leur organisme peut stocker la vitamine D. Cependant, plusieurs études ont démontré que la densité osseuse diminue lentement au cours de l'hiver pour atteindre son niveau le plus bas vers la fin du printemps. Et les pertes peuvent être de l'ordre de 3 ou 4 p. 100.

Comment s'assurer d'en avoir assez

À moins que vous ne mangiez beaucoup de poisson ou que vous ne consommiez régulièrement des aliments enrichis en vitamine D, il y a fort à parier que vous n'obtenez pas l'ANR de votre alimentation. Si vous avez 50 ans ou moins et que vous passez du temps dehors, l'exposition au soleil peut compenser. Mais si vous êtes plus âgée, il se peut que votre organisme en ait davantage besoin.

Voici ce que je vous conseille :

Si vous avez 50 ans ou moins et que vous ne faites pas d'ostéopénie ni d'ostéoporose :

Si votre régime alimentaire est sain et que vous passez du temps dehors, votre mode de vie vous fournit probablement assez de vitamine D, alors vous n'avez pas besoin de supplément. Toutefois, si vous prenez des suppléments de calcium, je vous recommande de choisir une marque qui contient aussi de la vitamine D pour aider à son absorption.

UN GUIDE POUR PRENDRE DU SOLEIL DE FAÇON SÉCURITAIRE

L'exposition au soleil aide notre corps à produire de la vitamine D, mais un excès de soleil peut assécher la peau, causer des rides, des taches de vieillissement ainsi que le cancer de la peau. Quand vous portez un écran solaire, vous bloquez les rayons bienfaisants du soleil aussi bien que les rayons nocifs. Heureusement, il est possible d'éviter les dangers du soleil sans renoncer à ses bienfaits. Voici comment :

- Utilisez toujours un écran solaire avec un coefficient de protection d'au moins 15 pour protéger la peau délicate de votre visage.
- Exposez vos bras et vos jambes au soleil pour des périodes de 10 à 15 minutes par jour, de préférence en mi-journée alors que le soleil est haut dans le ciel.
- Après 15 minutes, appliquez un écran solaire pour protéger toutes les régions exposées si vous prévoyez rester au soleil plus longtemps.

Si vous avez entre 51 et 70 ans et que vous ne faites pas d'ostéopénie ni d'ostéoporose :

Exposez-vous au soleil tous les jours pendant l'été. À l'automne, en hiver et au printemps, prenez un supplément de vitamine D.

Si vous avez plus de 70 ans ou si vous faites de l'ostéopénie ou de l'ostéoporose :

Prenez un supplément de vitamine D à longueur d'année.

Les tout nouveaux nutriments pour les os

Le calcium et la vitamine D sont des éléments essentiels pour nos os et ce sont aussi ceux que nous connaissons le mieux. Cependant, nous commençons à nous apercevoir que d'autres vitamines et minéraux jouent aussi des rôles beaucoup plus importants que nous ne l'avions d'abord cru.

Le magnésium

Les os sont aussi constitués de magnésium et celui-ci participe à plusieurs réactions chimiques dans l'organisme dont la transmission des influx nerveux vers le cœur et d'autres parties du corps.

Les études révèlent que les gens qui ont un régime alimentaire riche en magnésium ont des os plus denses. Cependant, les bienfaits du magnésium pour les os ne justifient pas encore la nécessité de suppléments. Quelques études réalisées auprès de femmes plus âgées laissaient supposer que des suppléments pourraient aider, mais les recherches en question présentaient des failles méthodologiques, alors les résultats ne peuvent être considérés comme concluants. J'espère qu'il y aura d'autres études pour résoudre clairement ce point.

Certains suppléments de calcium contiennent aussi du magnésium et de la vitamine D. Bien qu'il n'y ait rien de mal à ajouter du magnésium, je ne pense pas que nous ayons suffisamment de données à l'heure actuelle pour savoir si c'est vraiment utile. Je vous conseille plutôt de penser au magnésium en termes d'un autre des avantages d'une alimentation riche en fruits, en légumes et en céréales à grains entiers. La plupart des femmes n'obtiennent pas tout à fait assez de magnésium de leur régime alimentaire. L'ANR pour le magnésium est de 320 mg par jour pour les femmes et leur apport moyen se situe entre 250 et 300 mg par jour. Bien qu'il ne s'agisse que d'un léger déficit, il semble que ce dernier pourrait contribuer à l'ostéoporose.

Il est facile d'augmenter sa consommation de magnésium parce que cet élément se trouve dans beaucoup d'aliments santé. Les pommes de terre, par exemple, comptent parmi les meilleures sources de magnésium tout comme les graines, les noix, les légumes et les céréales à grains entiers (le magnésium se trouvant principalement dans l'enveloppe et le germe du grain). On trouve aussi du magnésium dans la chlorophylle, alors tous les légumes vert foncé comme la laitue romaine, les épinards et le chou frisé en contiennent de bonnes quantités. Plus le légume est foncé et mieux c'est. Les bananes, les oranges et les tomates sont aussi d'autres bonnes sources de magnésium.

Le potassium

Le potassium est le plus récent nutriment à avoir fait ses preuves pour les os. Katherine Tucker, dont les recherches nutritionnelles ont porté sur les sujets de l'étude bien connue de Framingham, a montré que les femmes dont le régime alimentaire était riche en potassium avaient une meilleure densité osseuse de la colonne vertébrale et de la hanche et ces résultats ont aussi été corroborés par une autre étude. La raison probable : le potassium contribue à équilibrer le taux d'acidité du sang, alors l'organisme n'a pas besoin d'aller chercher le calcium des os pour ce faire. Le potassium joue aussi d'autres rôles : il est essentiel à l'équilibre hydrique de l'organisme, à la transmission des influx nerveux et à la contraction des muscles.

Il n'y a pas d'ANR pour le potassium, mais la valeur quotidienne utilisée pour l'étiquetage nutritionnel des produits est de 3 500 mg. Dans l'étude du Dr Tucker, on considérait que le régime alimentaire d'une femme était riche en potassium s'il lui fournissait entre 3500 et 6 000 mg par jour de potassium. Il n'est pas difficile d'obtenir cet apport si vous mangez beaucoup de légumes et de fruits, surtout des oranges et des bananes. Les produits laitiers contiennent des quantités moyennes de potassium. Et jusqu'à ce jour, aucune étude ne vient appuyer l'utilisation de suppléments de potassium pour les os.

La vitamine K

La vitamine K est nécessaire à la coagulation du sang et elle contribue aussi à la production du collagène, une composante du cartilage, des tissus conjonctifs et des os. Généralement, les femmes consomment environ 70 microgrammes (µg) de vitamine K par jour, à peu près la quantité recommandée pour l'instant. Mais je m'attends à ce que les nouvelles normes d'ANR soient légèrement plus élevées. Les recherches récentes avancent en effet que les femmes de 40 ans et plus qui consomment au moins 110 µg de vitamine K par jour subissent 30 p. 100 moins de fractures de la hanche que celles dont l'apport est tout juste dans la moyenne. La raison n'est pas encore claire. Nous savons que la vitamine K contribue à la production d'ostéocalcine, une protéine essentielle à la formation des os. Mais il se pourrait que les bienfaits pour les os que l'on attribue à la vitamine K proviennent, du moins en partie, d'autres éléments nutritifs essentiels qui sont présents dans les aliments riches en vitamine K.

Si vous mangez beaucoup de fruits et de légumes, il vous sera facile d'augmenter votre apport en vitamine K pour atteindre les 110 µg : une seule portion de brocoli, de chou-fleur, de choux de Bruxelles, d'épinards ou de chou vert en contient déjà plus que cela. D'autres bonnes sources de vitamine K comprennent le soja, les fraises, certaines huiles végétales (soja, canola et olive) et le foie. Étant donné que cette vitamine est liposoluble, il est bon d'accompagner les aliments riches en vitamine K d'un peu de gras ou d'huile.

Je ne vous conseille pas de prendre des suppléments de vitamine K. Les aliments constituent, encore une fois, un meilleur choix puisqu'ils contiennent une grande variété d'éléments nutritifs importants pour la santé.

La vitamine C

La vitamine C est un antioxydant, ce qui signifie qu'elle combat le processus d'oxydation, un facteur majeur du vieillissement de l'organisme. Cette vitamine importante contribue à la santé de la peau, des yeux et des gencives et elle aide aussi à prévenir les infections. De plus, la vitamine C semble aussi jouer un rôle important dans la production de collagène, la première étape de formation du tissu osseux.

L'apport en vitamine C se situe aux alentours de 70 mg par jour pour la plupart des femmes, soit légèrement au-dessus des 60 mg recommandés. Il y a cependant des indices qui laissent croire que celles dont le régime alimentaire fournit plus de vitamine C ont de meilleurs os. Les agrumes sont les meilleures sources de vitamine C. Mais d'autres fruits (particulièrement les bananes, le cantaloup et les fraises) et certains légumes (dont les poivrons, le brocoli, les asperges, le chou-fleur, les tomates et les pommes de terre) en contiennent aussi des quantités appréciables. Avec un aussi grand choix, on peut facilement combler ses besoins en vitamine C par l'alimentation.

D'autres éléments nutritifs

Je vois souvent des suppléments de calcium qui contiennent non seulement de la vitamine D, mais aussi toute une gamme de minéraux traces, comme de la silicone, du manganèse, du cuivre, du zinc et du bore. Bien que tous ces minéraux soient importants pour le développement des os et pour la santé en général, il n'y a aucune preuve à l'effet que des suppléments de cette nature apportent quelque bienfait que ce soit à des femmes en bonne santé. Je vous recommande donc vivement d'être prudente dans vos choix de suppléments de vitamines et de minéraux jusqu'à ce que l'innocuité et l'efficacité des différents éléments aient été démontrées par des études scientifiques sérieuses. Les aliments constituent, encore une fois, la meilleure source d'éléments nutritifs et chaque jour nous en apprenons davantage sur les nombreuses richesses qu'ils renferment.

Le grand schème du soja

Certaines des recherches les plus passionnantes de l'heure sur la nutrition et les os portent sur le soja. Celui-ci constitue la base de l'alimentation dans les pays asiatiques. Mais jusqu'à tout récemment aux États-Unis, seuls les végétariens consommaient du soja et ses dérivés. Quel dommage pour le reste d'entre nous ! Le soja est une excellente source de protéines et, contrairement aux produits de source animale, il ne contient pas de cholestérol et relativement peu de matières grasses. Il suffit de goûter aux produits du soja pour découvrir combien ils sont délicieux.

Nous commençons aussi à apprécier une autre caractéristique du soja : il s'agit d'un aliment riche en daidzéine et en génistéine, deux phytoœstrogènes de la famille des isoflavones. Autrement dit, le soja contient des composés qui agissent sur l'organisme comme des œstrogènes à faible activité. Des études faites sur des animaux ont déjà démontré qu'une alimentation riche en soja pouvait améliorer les os, du moins chez les rongeurs. L'une des raisons de ce bienfait pourrait tenir au fait que les ostéoblastes (les cellules qui bâtissent les os) ont des récepteurs pour la génistéine et d'autres isoflavones. De plus, les isoflavones pourraient inhiber la résorption osseuse. Les produits du soja contiennent aussi d'autres éléments nutritifs essentiels comme la vitamine K qui pourrait, elle aussi, contribuer à cette inhibition.

Dans le chapitre 9, qui porte sur les traitements médicamenteux, je parle de l'ipriflavone, une isoflavone synthétique qui a été largement testée chez les humains. Mais jusqu'à ce jour, il n'y a eu qu'une seule étude scientifique bien conçue sur les effets de suppléments diététiques à base de soja sur la santé des gens. Dans une étude faite en 1998, des chercheurs de l'Université d'Illinois ont suivi 66 femmes postménopausées pendant six mois pour voir si le fait de prendre des protéines de soja contenant des quantités variables d'isoflavone pouvait augmenter la densité de leurs os. Un tiers des femmes recevaient une dose élevée d'isoflavone, un tiers, une dose moyenne et le groupe témoin, un placebo. Les résultats, bien que prometteurs, n'ont pas été spectaculaires. Dans le groupe témoin, on a noté une diminution de 0,5 p. 100 de la densité osseuse, comme on peut s'y attendre chez des femmes postménopausées qui ne suivent pas de traitement. Celles qui avaient reçu la dose moyenne d'isoflavone ne présentaient ni augmentation, ni diminution de leur masse osseuse. Finalement, chez les femmes qui avaient reçu des doses élevées, on ne notait aucune amélioration de la densité osseuse de la hanche, mais une augmentation de 2,25 p. 100 de celle des vertèbres.

Puisque le soja est doté d'une foule d'effets bénéfiques pour la santé, je vous encourage fortement à l'ajouter à votre régime alimentaire. Quant aux suppléments de soja, jusqu'à ce que nous ayons des preuves scientifiques bien établies confirmant leur innocuité et leur efficacité, je ne vous conseille pas d'en prendre.

Le soja au menu

Si vous êtes convaincue que le soja est bon pour vous, mais incertaine de ce qu'il faut acheter et de la manière de l'apprêter, vous trouverez ci-dessous un bref aperçu des produits de soja offerts sur le marché. Les supermarchés offrent de plus en plus de produits dérivés du soja. On en trouve aussi dans les magasins d'aliments naturels et dans les épiceries asiatiques spécialisées. Sachez cependant que si certains produits à base de soja constituent une excellente source de calcium, d'autres en contiennent peu, alors lisez bien les étiquettes nutritionnelles. Pour de plus amples informations sur les produits du soja et pour obtenir une foule de recettes, visitez le site Web de l'*Indiana Soybean Board* à l'adresse suivante: http://www.soyfoods.com

- **La boisson de soja** est le liquide qui provient des haricots de soja. Vous pouvez l'acheter nature ou sucrée et aromatisée. Si vous ne buvez pas de lait, vous pouvez le remplacer par de la boisson de soja nature enrichie de calcium.
- **Le tofu** est, pour le soja, l'équivalent du fromage cottage pour le lait. Il a le goût plutôt fade d'un produit laitier, comme un fromage à pâte molle très doux. Et, parce qu'il a si peu de goût par lui-même, on peut l'utiliser de nombreuses façons. Quand vous faites des légumes sautés avec de la viande, un plat en sauce ou encore une salade, remplacez la moitié ou la totalité de vos viandes et volailles par de petits cubes de tofu.
- **Les noix de soja** sont en fait des graines de soja rôties. On peut les manger en collation ou encore les ajouter aux salades.

- **La protéine végétale texturée** (PVT) est faite de protéines de soja. On la trouve sous forme séchée que l'on peut ajouter aux plats en cocotte de la même façon que si on ajoutait de la viande hachée cuite émiettée. La PVT est habituellement l'ingrédient principal des burgers végétariens surgelés et de plusieurs aliments végétariens cuisinés, comme les saucisses végétariennes ou les mélanges chili.
- **L'edamame** est un de mes mets préférés. Il s'agit de haricots de soja bouillis ou cuits à la vapeur dans leur gousse. On les ajoute aux salades pour leur petit goût sucré et on peut aussi les manger comme amuse-gueules, un peu comme des noix. À mon supermarché, qui offre une bonne variété d'aliments japonais, on les trouve en sacs dans la section des légumes surgelés. Je les cuis à la vapeur pendant quelques minutes, puis je les laisse refroidir avant de les écosser et de les manger !

Cinq façons de nourrir vos os

Je sais que certaines femmes ont de la difficulté à consommer suffisamment de calcium et d'autres éléments nutritifs importants pour les os. Mais avec un peu d'organisation, c'est faisable. Voici cinq menus quotidiens qui illustrent combien il peut être facile de combler vos besoins en calcium par l'alimentation, malgré les goûts et les préférences variés et malgré les préoccupations nutritionnelles qui peuvent différer des unes aux autres. Chaque menu procure au moins 1 200 mg de calcium, en plus d'une abondance de fruits et de légumes, de céréales à grains entiers et de soja, ce qui signifie que vous y trouverez tous les éléments nécessaires à la santé de vos os. Certains des menus sont plus faibles en calories, d'autres plus riches. Utilisez-les comme base pour créer vos propres menus d'après vos préférences alimentaires et vos besoins caloriques personnels.

«J'aime le lait et je n'ai aucune restriction alimentaire.»

Si vous aimez le lait, vous pouvez facilement combler votre ANR en calcium avec un régime alimentaire équilibré comprenant deux ou trois verres de lait par jour.

	MENU	CALCIUM *(mg)*	CALORIES
Petit-déjeuner	175 ml (¾ t) céréales à grains entiers, enrichies	250	110
	250 ml (1 t) lait 1 %	300	102
	125 ml (½ t) framboises	13	30
	1 tranche de pain aux raisins, grillée	12	86
	15 ml (1 c. à soupe) confiture	4	48
Repas de midi	250 ml (1 t) soupe minestrone	60	107
	Sandwich au poulet grillé		
	1 petit pain de blé entier	30	75
	90 g (3 oz) poulet grillé	13	148
	laitue, 2 tranches de tomate	10	11
	10 ml (2 c. à thé) mayonnaise	0	66
	250 ml (1 t) lait 1 %, au chocolat	287	158
	1 banane moyenne	7	105
Repas du soir	180 g (6 oz) truite grillée	146	256
	1 pomme de terre moyenne, cuite au four	20	220
	15 ml (1 c. à soupe) crème sure	14	26
	Salade		
	125 ml (½ t) laitue romaine	10	4
	125 ml (½ t) épinards	28	6
	½ tomate moyenne	3	13
	125 ml (½ t) concombre	7	7
	30 g (1 oz) fromage cheddar	204	114
	50 ml (¼ t) tofu émietté	129	91
	15 ml (1 c. à soupe) vinaigrette italienne crémeuse	0	55
Collation	125 ml (½ t) crème glacée	72	143

Total
Calcium : 1619 mg
Calories : 1981
Portions de fruits et de légumes : 6
Portion de soja : 1

« Je surveille mon poids. »

Certains produits laitiers ont une teneur élevée en matières grasses, mais pas tous. Si vous surveillez votre poids, choisissez des produits faits de lait écrémé ou partiellement écrémé. Par ailleurs, les légumes verts feuillus ont une forte teneur en calcium et ne contiennent que peu de calories.

	Menu	Calcium *(mg)*	Calories
Petit-déjeuner	Omelette aux blancs d'œufs		
	125 ml (½ t) blancs d'œufs	8	74
	30 g (1 oz) fromage cheddar à faible teneur en matières grasses	118	49
	125 ml (½ t) brocoli haché	21	12
	5 ml (1 c. à thé) huile de carthame	0	41
	1 tranche de pain de blé entier	20	69
	250 ml (1 t) lait écrémé	302	86
Repas de midi	Salade		
	125 ml (½ t) laitue romaine	10	4
	125 ml (½ t) épinards	28	6
	125 ml (½ t) poivrons	5	14
	½ carotte moyenne	10	15
	125 ml (½ t) pois chiches	38	143
	½ pomme	5	40
	30 ml (2 c. à soupe) vinaigrette à faible teneur en matières grasses	0	70
	60 g (2 oz) pain pita au son d'avoine	100	130
Repas du soir	Pâtes alimentaires à la dinde et aux légumes		
	250 ml (1 t) pâtes alimentaires	10	197
	60 g (2 oz) cubes de dinde	11	90
	125 ml (½ t) fromage ricotta à faible teneur en matières grasses	337	171
	125 ml (½ t) épinards	122	21
	½ tomate moyenne	3	13
	1 champignon shiitake	1	10
	8 ml (½ c. à soupe) fromage parmesan râpé	34	12
Collation	125 ml (½ t) crème-dessert à la vanille à base de boisson de soja	150	153

Total
Calcium : 1333 mg
Calories : 1420
Portions de fruits et de légumes : 5
Portion de soja : 1

« Je n'aime pas le lait ! »

Beaucoup de femmes n'aiment pas boire de lait, mais apprécient plusieurs des autres produits laitiers.

	MENU	CALCIUM *(mg)*	CALORIES
Petit-déjeuner	Gaufres		
	2 gaufres multicéréales	40	181
	125 ml (½ t) yogourt	200	70
	125 ml (½ t) bleuets	4	40
	15 ml (1 c. à soupe) sirop d'érable	13	52
	250 ml (1 t) jus d'orange fraîchement pressé	27	112
Repas de midi	Sandwich à la dinde et au tofu		
	30 g (1 oz) poitrine de dinde	5	25
	50 ml (¼ t) tofu tranché	129	91
	laitue, 2 tranches de tomate	10	11
	2 tranches de pain de blé entier	40	138
	2 cornichons à l'aneth casher	36	8
	15 ml (1 c. à soupe) mayonnaise	0	100
	1 orange	52	60
Repas du soir	Salade du chef		
	250 ml (1 t) laitue Boston	20	8
	250 ml (1 t) épinards	56	12
	½ concombre	7	7
	½ carotte	10	15
	½ tomate	3	13
	30 g (1 oz) fromage Monterey Jack	212	106
	60 g (2 oz) jambon cuit au four	5	83
	15 ml (1 c. à soupe) vinaigrette	0	55
	250 ml (1 t) chaudrée de palourdes	40	200
	1 tranche (moyenne) de pain de maïs 5 ml (1 c. à thé) beurre	161	176

	MENU	CALCIUM *(mg)*	CALORIES
Collation	Délice onctueux ananas-banane		
	125 ml (½ t) yogourt	200	70
	½ banane	4	52
	125 ml (½ t) jus d'ananas	21	70

Total
Calcium : 1296 mg
Calories : 1791
Portions de fruits et de légumes : 9
Portion de soja : 1

DIX FAÇONS D'INCORPORER DES PRODUITS LAITIERS RICHES EN CALCIUM À SON RÉGIME ALIMENTAIRE QUAND ON N'AIME PAS LE LAIT

- Pour le petit-déjeuner, faites fondre du fromage à pâte ferme sur un bagel ou sur vos toasts. Ou encore choisissez un fromage à la crème enrichi de protéines et fait de lait écrémé.
- Utilisez du yogourt pour faire vos vinaigrettes.
- Garnissez vos légumes de fromage râpé au lieu de beurre.
- Ajoutez une tranche de fromage à vos sandwichs.
- Ajoutez du fromage à vos pâtes, salades, soupes et plats en sauce.
- Pour dessert, servez de la crème glacée, du yogourt glacé ou des crèmes-desserts à base de lait.
- Préparez-vous des milk-shakes ou des délices au yogourt comme collations.
- Ajoutez du lait en poudre à vos soupes et à vos plats en sauce.
- Choisissez des pâtes comme les raviolis au ricotta ou la lasagne avec beaucoup de fromage ou encore le macaroni au fromage.
- Buvez votre café ou espresso avec du lait vapeur.

«J'ai une intolérance au lactose ; les produits laitiers ne me conviennent pas.»

Il n'y a pas de doute, une intolérance au lactose ajoute au défi de réussir à combler ses besoins en calcium par l'alimentation. Mais en choisissant judicieusement des légumes et des poissons riches en calcium, vous pouvez y arriver.

	Menu	Calcium *(mg)*	Calories
Petit-déjeuner	½ pamplemousse	15	39
	250 ml (1 t) gruau	19	145
	75 ml (⅓ t) raisins secs	25	150
	250 ml (1 t) boisson de soja	300	110
Repas de midi	Burrito aux haricots et au poulet		
	125 ml (½ t) haricots noirs	23	113
	60 g (2 oz) poulet	9	99
	125 ml (½ t) riz brun	10	109
	30 ml (2 c. à soupe) salsa aux tomates	10	10
	1 tortilla de grosseur moyenne	44	56
	Salade de fruits		
	50 ml (¼ t) cantaloup	5	14
	50 ml (¼ t) melon miel Honeydew	3	15
	50 ml (¼ t) fraises	11	5
	30 g (1 oz) noix de Grenoble	16	176
	125 ml (½ t) muësli à l'avoine et au miel	61	219
Repas du soir	180 g (6 oz) saumon (en boîte avec les arêtes)	424	240
	125 ml (½ t) courge Butternut	42	41
	125 ml (½ t) choux de Bruxelles	28	30
	125 ml (½ t) pâtes alimentaires aux épinards	42	182
	125 ml (½ t) haricots verts	29	22
Collation	1 orange	52	60
	125 ml (½ t) crème anglaise faite avec de la boisson de soja	150	140

Total
Calcium : 1318 mg
Calories : 1971
Portions de fruits et de légumes : 7
Portions de soja : 2

« Je suis végétalienne. »

Les végétaliens ne consomment aucun produit de source animale, donc pas de produits laitiers. Si c'est votre cas, sachez que vous pouvez tout de même combler vos besoins nutritionnels en calcium par l'alimentation. Voici quelques suggestions :

- Mangez des légumes verts feuillus tous les jours.
- Ajoutez du tofu à vos légumes en sauce, à vos lasagnes, salades, etc.
- Choisissez des aliments enrichis de calcium : boissons de soja, jus d'orange et céréales.

	MENU	CALCIUM *(mg)*	CALORIES
Petit-déjeuner	1 bagel aux graines de sésame (8 cm)	53	195
	15 ml (1 c. à soupe) beurre d'arachide	6	95
	250 ml (1 t) jus de pamplemousse fraîchement pressé	22	96
Repas de midi	Sandwich à l'humus		
	125 ml (½ t) humus	61	210
	2 tranches de pain de blé entier	40	138
	125 ml (½ t) germes	5	5
	1 pomme moyenne	10	81
	30 g (1 oz) graines de tournesol	34	160
	250 ml (1 t) boisson de soja à la vanille	300	110
Repas du soir	Riz frit aux légumes		
	250 ml (1 t) riz brun à grains longs, enrichi	20	216
	125 ml (½ t) brocoli	21	12
	125 ml (½ t) pak-choï	11	13
	125 ml (½ t) chou vert frisé	47	21

	Menu	Calcium (*mg*)	Calories
	125 ml (½ t) tofu	258	182
	30 g (1 oz) amandes	80	166
	75 ml (⅓ t) raisins secs dorés	26	151
	15 ml (1 c. à soupe) sauce tamari	4	12
	10 ml (2 c. à thé) huile d'olive	0	83
Collation	50 ml (¼ t) edamame	65	63
	½ mangue	10	67
	250 ml (1 t) boisson de soja au chocolat	300	110

Total
Calcium : 1374 mg
Calories : 2187
Portions de fruits et de légumes : 8
Portions de soja : 3

Un régime alimentaire qui contient suffisamment de calcium et de vitamine D de même qu'une abondance de fruits et de légumes peut contribuer à réduire votre risque de fracture de 30 ou même 40 p. 100. De plus, un tel régime diminue aussi votre risque de maladie cardiovasculaire, de diabète et d'autres maladies chroniques. Naturellement, mieux vaut commencer tôt à bien s'alimenter. Mais, même s'il est trop tard pour cela, vous pouvez améliorer votre alimentation de manière significative si vous commencez dès maintenant. Une bonne alimentation ne signifie pas qu'il faille cuisiner plus. Avec un peu d'organisation, vous pouvez augmenter le potentiel nutritif de votre régime alimentaire sans que cela ne prenne beaucoup de temps. Et quel bon goût !

CHAPITRE 8

Des exercices pour fortifier les os

Ce sont les forces qui agissent sur nos os qui les façonnent. Plus on est active, plus nos os seront forts. Mais les changements ne se font pas du jour au lendemain et il ne suffit pas d'une seule promenade ou d'un seul match de tennis pour les renforcer. Mais si nous marchons tous les jours, si nous jouons régulièrement au tennis, l'impact des pieds qui foulent le sol ou du bras qui frappe la balle stimule nos os. Les femmes qui font de l'exercice tout au long de leur vie ont des os plus forts et plus solides que leurs consœurs inactives. Mais il n'est jamais trop tard pour s'y mettre !

Ce chapitre vous propose un programme d'exercices complet, basé sur les données scientifiques les plus récentes. Il est spécialement conçu pour contrer l'ostéoporose et prévenir les chutes. Le programme a été mis sur pied avec l'aide de ma collègue Jennifer Layne, M. Sc., C.S.C.S., une monitrice d'éducation physique talentueuse qui connaît bien son travail et a une solide expérience auprès d'hommes et de femmes atteints d'ostéoporose. Vous apprécierez ses remarques et ses commentaires judicieux accompagnant chaque exercice. Considérez-la comme votre entraîneur personnel.

Le programme d'exercice de ce livre ne requiert qu'une demi-heure par jour. Et même en y consacrant si peu de temps, vous constaterez des effets vraiment remarquables. Vous fortifierez vos os et renforcerez vos muscles. Votre équilibre s'améliorera, ce qui vous protégera davantage des fractures. Et ce n'est pas tout. L'intérêt de l'activité physique réside aussi dans ses nombreux effets secondaires bénéfiques ! Les gens qui font régulièrement de l'exercice réduisent leur risque de maladies chroniques associées au vieillissement. Ils bénéficient aussi de nombreux autres effets positifs immédiats. Une meilleure condition physique profite aussi à votre appareil cardiovasculaire, vous aurez donc plus d'énergie. Vous serez plus svelte et vous pourrez mieux contrôler votre poids. Les muscles brûlent plus de calories que les graisses. Beaucoup de femmes trouvent que l'exercice améliore également leur humeur et leur estime d'elles-mêmes. Ces effets deviennent vite évidents et vous les remarquerez bien avant que vos os ne commencent à se modifier. Alors vous vous sentirez en meilleure forme, plus en santé et plus satisfaite dès le départ.

Les éléments du programme d'exercice proposé dans ce livre

Le programme par excellence pour combattre l'ostéoporose doit comprendre cinq types d'exercices différents. Des exercices aérobiques avec mise en charge, des exercices avec sauts de même que des exercices de musculation vont aider à bâtir les os. Tout aussi importants sont ceux destinés à améliorer l'équilibre et la flexibilité. Le programme que je vous propose ici comprend ces cinq types d'exercices.

Les exercices aérobiques avec mise en charge

Les exercices avec mise en charge sont ceux qui créent un impact sur vos os chaque fois que vos pieds foulent le sol. Les os des hanches et de la colonne vertébrale bénéficient tout particulièrement de ce genre d'exercices.

Dans le programme que je vous propose ici, les activités sont conçues de façon que l'intensité augmente graduellement tout comme leur durée. Quand vous êtes debout ou que vous marchez, la force d'impact sur vos os est à peu près équivalente à votre poids. Mais si vous marchez d'un bon pas ou que vous faites du jogging, les forces qui agissent sur vos os augmentent du double, voire du triple de votre poids corporel. Et il y a plus : tout effort aérobique supplémentaire a un effet positif sur votre appareil cardiovasculaire.

Les exercices avec sauts

Les femmes qui marchent régulièrement ont les os plus solides que leurs consœurs inactives. Mais la stimulation que procure la marche est si faible qu'il faut plusieurs dizaines d'années pour qu'elle produise des effets. Les chercheurs ont découvert que les activités avec sauts, comme le tennis, le volley-ball, le basket-ball, le saut à la corde et les sauts à la verticale peuvent améliorer la force et la solidité des os beaucoup plus rapidement que la marche. Pendant ces activités, vos os sont soumis à des forces de trois à six fois plus grandes que le poids de votre corps. Naturellement, le désavantage de ce genre d'exercices est qu'ils peuvent être pénibles pour vos articulations. Les activités avec sauts ne conviennent pas à tout le monde. Je vous expliquerai les précautions à prendre ainsi que la manière d'en obtenir les bienfaits tout en vous protégeant des problèmes qui peuvent être associés à ce genre d'exercices.

L'entraînement-musculation

Mes recherches, dont les résultats ont été publiés dans le *Journal of the American Medical Association* en 1994, montrent que faire des exercices d'entraînement-musculation seulement deux fois par semaine réduit considérablement le risque de fracture chez les femmes postménopausées. En effet, après un an, on avait remarqué une augmentation de la densité osseuse de la hanche et de la colonne vertébrale chez les femmes ayant pris part à l'étude. Les participantes étaient aussi plus fortes et avaient un meilleur équilibre corporel.

De nombreuses autres études sont venues confirmer que le développement de la force musculaire aide à bâtir le tissu osseux. Comment ? Les muscles sont attachés aux os par des tendons. Quand les muscles se contractent, ils tirent sur les os. Et la force de traction stimule la croissance des os. Plus les muscles sont forts, plus la stimulation qu'ils procurent est puissante. En renforçant vos muscles, l'entraînement-musculation profite à vos os même entre les séances d'exercices.

Les exercices de développement de la force musculaire proposés dans ce livre visent à promouvoir la santé et la bonne forme physique en général, mais ils ont été choisis en tenant compte de l'ostéoporose. Plusieurs des mouvements font travailler les muscles de la hanche, de la colonne vertébrale et des bras, des endroits particulièrement vulnérables aux fractures. D'autres exercices ont été choisis pour leurs bienfaits sur l'équilibre.

Les exercices pour améliorer l'équilibre

Les exercices visant à améliorer l'équilibre n'augmentent pas la densité osseuse comme telle. Mais ils protègent notre capital osseux en nous aidant à prévenir les chutes. Si vous avez moins de 50 ans, vous avez probablement un bon équilibre corporel. Mais ces exercices vous seront tout de même bénéfiques. D'abord, il s'agit d'une manière agréable de récupérer après une séance d'entraînement. J'aime bien faire des exercices d'équilibre avec mes enfants parce qu'eux aussi les trouvent amusants. En outre, je suis persuadée que plus nous entretenons notre équilibre quand nous sommes jeunes, mieux nous pouvons éviter (ou du moins minimiser) le déclin habituel de ce système sensoriel qui se produit en vieillissant.

Les étirements

Les étirements sont une composante importante de tout programme d'exercice complet. Si vos articulations sont fortes et flexibles, vous aurez plus de facilité et de plaisir à faire vos activités physiques et vous risquerez moins de vous blesser.

Si l'ostéoporose vous préoccupe, sachez que les étirements améliorent aussi votre souplesse générale, ce qui aide à prévenir les chutes.

Un programme progressif échelonné sur 12 semaines

Si vous êtes physiquement active, il se peut que vous fassiez déjà certains des exercices que je propose. Super ! Il suffira de développer cette excellente base. Si, au contraire, vous n'êtes pas active, ce programme vous aidera à adopter un mode de vie plus actif tout en douceur. Pendant les premières semaines, vous consacrerez moins d'une demi-heure par jour à vos séances d'entraînement. Puis, au fur et à mesure que votre condition physique s'améliorera, vous ajouterez des mouvements. À la fin de la période de 12 semaines, vous ferez une quarantaine de minutes d'exercices par jour et vous profiterez de tous les avantages du programme pour vos os.

Vous commencerez avec trois séances de 15 minutes d'exercices aérobiques avec mise en charge et quatre exercices d'entraînement-musculation à faire trois fois par semaine. Chaque séance comprend aussi quelques exercices d'équilibre de même que des étirements pour vous permettre de récupérer. Si vous êtes préménopausée et en bonne santé, vous ferez aussi des sauts à la verticale, un exercice d'une durée de deux minutes dont les bienfaits pour les os sont considérables. Et, dépendant de vos préférences en matière d'horaire pour cette période d'initiation, vos séances d'exercices ne vous prendront que 20 minutes 6 fois par semaine ou 40 minutes, 3 fois par semaine.

À la fin de la période de 12 semaines, vous ferez 30 minutes d'exercices aérobiques avec mise en charge et un total de 10 exercices de musculation. Chaque séance comprendra aussi des exercices d'équilibre et des étirements et peut-être aussi des sauts à la verticale. Vous pouvez faire ces exercices en 6 séances de 40 minutes par semaine ou, si vous préférez, vous pouvez prévoir 3 séances plus longues.

Avant de commencer

Beaucoup de femmes ne font pas faire leur bilan de santé régulièrement. Elles sont occupées, elles se sentent très bien et n'en voient pas l'utilité, elles s'inquiètent des coûts ou craignent de mauvaises nouvelles. Mais les examens de routine sont essentiels si vous voulez rester en bonne santé. Ils peuvent permettre de déceler des problèmes médicaux graves bien avant l'apparition des symptômes et au moment où les traitements sont les plus efficaces. Si vous n'avez pas eu de bilan de santé depuis plus d'un an, veuillez prendre un rendez-vous. C'est d'autant plus important si vous êtes susceptible de faire de l'ostéoporose.

Le programme d'exercices proposé ici est sécuritaire pour presque tout le monde. Toutefois, certaines femmes, dont celles ayant des antécédents de fractures, doivent en parler à leur médecin avant d'augmenter l'intensité de leurs activités physiques. Répondez aux questions ci-après sur l'aptitude à l'activité physique (Q-AAP) pour voir si cette précaution s'applique à votre cas. N'oubliez pas, si vous n'êtes pas certaine, il vaut mieux être plus prudente et consulter votre médecin.

Questionnaire sur l'aptitude à l'activité physique (Q-AAP)

Pour la plupart des gens, le fait de devenir plus actif ne présente **pas de risques de santé majeurs**. Cependant, en cas de doute, veuillez remplir le questionnaire ci-dessous.

Certaines personnes devraient consulter leur médecin avant d'entreprendre un programme soutenu d'activités physiques. Pour savoir si c'est votre cas, répondez aux sept questions ci-dessous. Le Q-APP vise à aider les personnes de 15 à 69 ans à déterminer si elles doivent consulter un médecin avant d'entreprendre un programme d'activités physiques. Quant aux personnes de plus de 69 ans qui ne sont pas habituées à faire de l'exercice de façon régulière, elles devraient consulter leur médecin avant de commencer.

OUI	NON	
☐	☐	1. Votre médecin vous a-t-il déjà dit que vous souffriez d'un problème cardiaque et que vous ne deviez participer qu'aux activités physiques prescrites et approuvées par un médecin ?
☐	☐	2. Ressentez-vous une douleur à la poitrine lorsque vous faites de l'activité physique ?
☐	☐	3. Au cours du dernier mois, avez-vous ressenti des douleurs à la poitrine lors des périodes autres que celles où vous participiez à une activité physique ?
☐	☐	4. Éprouvez-vous des problèmes d'équilibre reliés à un étourdissement ou vous arrive-t-il de perdre connaissance ?
☐	☐	5. Avez-vous des problèmes osseux ou articulatoires qui pourraient être aggravés par une modification de votre niveau de participation à une activité physique ?

☐ ☐ 6. Des médicaments vous sont-ils actuellement prescrits pour contrôler votre tension artérielle ou un problème cardiaque (par exemple des diurétiques) ?

☐ ☐ 7. Connaissez-vous une autre raison pour laquelle vous ne devriez pas faire de l'activité physique ?

Si vous avez répondu OUI à une de ces questions, consultez votre médecin avant de faire davantage d'activités physiques.

Si vous avez répondu NON à toutes ces questions, vous pouvez dès maintenant commencer à faire davantage d'activités physiques sans danger pour votre santé. Mais n'oubliez pas de commencer lentement et d'augmenter peu à peu votre rythme ; c'est la façon la plus agréable et la plus sécuritaire de procéder.

Attendez avant de faire beaucoup plus d'exercices :

- si vous ne vous sentez pas bien en raison d'une maladie passagère comme une grippe ou un rhume (attendez de vous sentir mieux) ;
- si vous êtes enceinte ou pensez l'être (consultez votre médecin avant de commencer à être beaucoup plus active).

Note : Si votre état de santé change et que vous devez répondre OUI à une des questions ci-dessus, demandez conseil à votre médecin ou à un professionnel de l'activité physique.

Utilisation du Q-AAP : La Société canadienne de physiologie de l'exercice, Santé Canada et leurs agents n'assument aucune responsabilité envers les personnes qui entreprennent une activité physique. Si, après avoir rempli ce questionnaire, vous n'êtes pas certain de ce que vous devez faire, consultez votre médecin avant d'entreprendre quelque activité physique que ce soit.

Considérations spéciales pour les femmes atteintes d'ostéoporose

Si vous faites de l'ostéoporose, demandez conseil à votre médecin avant de commencer ce programme.

L'activité physique est particulièrement bénéfique aux femmes qui ont une faible densité osseuse, mais il importe de prendre certaines précautions :

- Évitez les exercices dans lesquels vous devez pencher le dos vers l'avant. Il n'y a toutefois aucun danger à pencher le corps vers l'avant à partir des hanches si vous gardez le dos droit.
- Ne faites pas de sports qui comportent des sauts ou des risques de chute.
- Si vous avez peu de coordination ou que votre équilibre est précaire, n'utilisez les tapis roulants ou les escaliers d'exercice que si ces derniers sont munis de rampes solides.

Les exercices suggérés dans ce livre ont été choisis en fonction de leur sécurité et de leurs bienfaits pour les femmes plus âgées. Beaucoup des mouvements proposés ont fait l'objet d'études sur des femmes plus âgées, y compris des participantes atteintes d'ostéopénie ou d'ostéoporose. Néanmoins, si vous faites de l'ostéoporose, vos besoins particuliers peuvent être différents et votre médecin peut vous conseiller d'adapter le programme ou de consulter un physiothérapeute, selon votre condition physique et vos antécédents médicaux.

Le programme d'activités aérobiques avec mise en charge

Si vous ne faites pas déjà des exercices aérobiques avec mise en charge, cette partie du programme vous y initiera. Quand notre corps est fort et en bonne forme physique, il est agréable d'être physiquement active. Beaucoup de femmes plus âgées me disent qu'en associant des exercices aérobiques à d'autres de développement de la force musculaire, elles se sentent rajeunir de vingt ans.

Le choix des exercices

On me demande souvent : « Quel est le meilleur exercice aérobique pour les os ? » Ma réponse est la suivante : nous ne le savons pas encore. Mais nous croyons que tout exercice avec mise en charge est bienfaisant, s'il est fait avec une intensité suffisante. Un exercice avec mise en charge force vos jambes à supporter la plus grande partie de votre poids corporel. Autrement dit, ce ne sont pas des exercices que vous faites assise ou dans l'eau. Ainsi, vos os, et particulièrement ceux des hanches et de la colonne vertébrale, sont stimulés.

J'aimerais souligner que le fait de pratiquer une activité physique à l'occasion ne fait pas de différence significative pour les os. Les recherches montrent en effet que les bienfaits proviennent d'*exercices réguliers et répétés*, de *l'habitude* de faire des activités physiques. Il faut par ailleurs que le corps soit bien nourri pour qu'il puisse récolter les fruits d'un programme d'entraînement.

La façon la plus facile de développer une habitude de l'activité physique consiste à choisir une activité que vous pouvez facilement faire et que vous aimez (ou du moins que vous pouvez tolérer). Naturellement, si vous faites de l'ostéoporose ou que vous êtes aux prises avec d'autres problèmes de santé, l'activité en question doit être sécuritaire et appropriée à votre cas. Je pense qu'il est bon d'avoir une activité principale : quelque chose que vous pouvez faire trois fois par semaine et que vous pouvez facilement intégrer à votre mode de vie. Certaines personnes, moi la première, adorent faire leurs exercices à l'extérieur. Nous voulons respirer l'air frais, nous déplacer et voir du paysage. D'autres préfèrent s'entraîner à l'intérieur pour des raisons tout aussi valables. Elles n'ont pas à se soucier de la température, de la circulation ou des quartiers plus ou moins sécuritaires ou encore, elles aiment utiliser des appareils et faire leurs exercices devant la télé. Allez-y selon vos goûts.

Si vous faites déjà des exercices aérobiques avec mise en charge, vous pouvez continuer (quoique vous voudrez peut-être faire les choses un peu différemment après avoir lu ce chapitre). Si vous n'êtes pas active, je vous suggère de choisir un exercice pour les premières semaines. Puis, quand vous y serez plus habituée, vous pourrez élargir vos horizons. La diversité aide à prévenir l'ennui. De plus, des activités différentes stimulent des os différents. Voici donc quelques suggestions.

La marche

Les os de vos jambes et de vos hanches sont stimulés chaque fois que vos pieds foulent le sol. Mais parce qu'il s'agit d'une stimulation de faible intensité, les effets sur vos os ne seront visibles qu'après plusieurs années. La marche procure cependant d'autres avantages beaucoup plus rapidement.

Ainsi, c'est un exercice aérobique idéal pour de nombreuses femmes. Cette activité simple s'intègre facilement à une routine quotidienne. Sauf lors d'intempéries ou quand les surfaces sont glissantes, la marche est habituellement sans danger. Naturellement, les femmes atteintes d'ostéoporose doivent éviter les surfaces inégales pour ne pas risquer de tomber.

La meilleure façon d'augmenter l'intensité de votre séance de marche consiste à vous déplacer plus rapidement ou à monter des côtes. Certaines femmes utilisent des poids pour les chevilles, mais cela est dangereux, surtout si vous faites de l'ostéoporose. Le poids supplémentaire risque de vous déstabiliser et de provoquer une chute ou encore d'entraîner des problèmes d'articulations.

Si vous préférez marcher sur un tapis roulant, sachez que vous pouvez éprouver des problèmes d'équilibre, surtout si vous êtes débutante. Pour commencer, gardez toujours une main sur la barre d'appui. Dès que vous vous en sentez capable, marchez sans vous tenir. Votre entraînement sera plus profitable. Pour vous aider à maintenir votre équilibre, trouvez-vous un point de concentration, c'est-à-dire quelque chose à regarder qui se trouve droit devant vous à une distance de 3 à 6 mètres environ. Si vous devez tourner la tête, faites-le lentement et en tenant la rampe.

Le jogging et la course

Le jogging et la course ont plus d'impact sur les os que la marche. Ce sont aussi d'excellentes activités pour l'appareil cardiovasculaire bien qu'elles puissent s'avérer pénibles pour les articulations. C'est pourquoi elles sont considérées risquées pour les femmes atteintes d'ostéoporose ou d'autres problèmes orthopédiques.

Les escaliers

Plusieurs études ont montré que monter et descendre des escaliers augmentait la densité des os de la hanche. C'est un excellent exercice aérobique qui contribue aussi à améliorer la coordination et l'équilibre. Même si vous choisissez une autre activité comme exercice principal, je vous encourage vivement à monter ou à descendre les escaliers chaque fois que vous en avez l'occasion. C'est, pour moi, une façon simple d'intégrer encore plus d'exercices aérobiques à mon quotidien. Sachez toutefois que les escaliers peuvent être risqués pour les personnes atteintes d'ostéoporose ou encore pour celles qui éprouvent des problèmes d'équilibre ou de vision, alors prenez garde. De plus, le fait de monter des escaliers peut faire grimper votre rythme cardiaque très rapidement. Si vous êtes lourde ou si vous n'êtes vraiment pas en bonne forme physique, il vaut mieux commencer lentement et augmenter peu à peu votre rythme.

Et les escaliers d'exercice? Comme les vrais escaliers, ces appareils populaires permettent de faire un excellent exercice aérobique. Mais ils ne permettent que de simuler la montée alors que c'est la descente d'escaliers qui crée le plus d'impact sur les os. Les bienfaits de ces appareils ne sont donc pas les mêmes que ceux des vrais escaliers.

Le ski de fond, le patinage, les simulateurs de marche à mouvement elliptique

Le patinage et le ski de fond constituent d'excellents exercices aérobiques. Les mouvements glissants que requièrent ces activités ne sont pas exigeants pour les articulations, ce qui peut être un avantage important. Malheureusement, ces sports peuvent être risqués si vous faites de l'ostéoporose ou si vous éprouvez des problèmes d'équilibre. Mais la plupart des femmes aiment bien la version mécanique du ski de fond ainsi que les simulateurs de marche à mouvement elliptique. Toutes ces activités constituent des exercices avec mise en charge, mais elles ne stimulent pas votre ossature autant que les exercices dans lesquels vos pieds frappent le sol avec une certaine intensité. Alors, pour de meilleurs effets sur les os, il faut ajouter à son programme d'entraînement des exercices avec sauts.

Les classes d'exercices aérobiques

Les cours d'exercices aérobiques, qu'il s'agisse de la boxe ou de la danse à claquettes, en plus d'être agréables, constituent d'excellents exercices aérobiques avec mise en charge. Et la plupart aident aussi à améliorer la coordination et l'équilibre. Ces cours commencent habituellement par des exercices d'échauffement et se terminent par des exercices de récupération et des étirements. Avant de choisir un cours comme tel, lisez-en la description ou parlez-en avec la personne responsable pour savoir si vous avez le niveau de forme physique requis. Si vous avez des problèmes d'équilibre ou que vous faites de l'ostéoporose, choisissez un cours dans lequel vous ne risquez pas de tomber.

Les vidéos d'exercices vous permettent de retrouver chez vous une partie du plaisir d'une classe de danse aérobique. Cependant, si c'est possible, louez le film avant de l'acheter pour vous assurer que vous aimez les exercices proposés et qu'ils vous conviennent.

Les rameurs

Même si le fait de ramer n'est pas un exercice avec mise en charge, cette activité génère une force considérable au niveau des hanches et du dos. C'est pourquoi on ne recommande pas cet exercice aux femmes atteintes d'ostéoporose. Il peut toutefois s'agir d'un excellent choix pour les personnes aux prises avec des problèmes d'articulations et pour lesquelles les exercices avec mise en charge s'avèrent pénibles. Une étude portant sur un programme d'entraînement comprenant des exercices au rameur et de l'entraînement-musculation a montré une amélioration de la densité osseuse de la hanche et de la colonne vertébrale des participants.

Le tennis et les autres sports de raquette

Les recherches indiquent que les femmes qui jouent régulièrement au tennis ou à tout autre sport de raquette ont une densité osseuse supérieure à celle de femmes inactives, surtout en ce qui concerne les os du bras qui tient la raquette. Ce genre d'activités favorise une bonne condition physique. Et puisqu'elles requièrent agilité et coordination, elles aident à maintenir un bon équilibre corporel.

Si vous avez des partenaires et que vous pouvez vous adonner à ce genre de sports régulièrement, n'hésitez pas à en choisir un comme activité principale. Les sports de raquette ne sont toutefois pas recommandés pour les femmes qui éprouvent des problèmes d'équilibre ni pour celles qui sont atteintes d'ostéoporose à cause des risques de chute qu'ils comportent. Si vous êtes débutante, assurez-vous d'être en bonne forme avant de commencer, sinon les risques de blessures sont élevés.

Les sports d'équipe

Les sports d'équipe comme le basket-ball, le soccer, le volleyball, et le hockey sur gazon peuvent constituer d'excellents choix d'exercices avec mise en charge en plus d'être très bons pour l'équilibre. De plus, la force de motivation des coéquipiers et des exercices réguliers constituent des atouts de taille. Comme les sports de raquette, les sports d'équipe sont toutefois risqués pour les femmes aux prises avec des problèmes d'équilibre ou d'ostéoporose. Encore une fois, il importe de se mettre en forme avant de commencer pour éviter les blessures.

Considérations générales pour les exercices aérobiques avec mise en charge

Voici quelques suggestions pour rendre vos séances d'entraînement plus sécuritaires, plus efficaces et plus agréables.

Les vêtements

Certaines femmes aiment bien les vêtements d'exercice griffés, mais un t-shirt ample en coton et un short ou un collant sans pieds peuvent très bien faire l'affaire.

- Choisissez des chaussures dans lesquelles vous êtes à l'aise. De bonnes chaussures athlétiques peuvent coûter cher, mais elles valent leur prix parce qu'elles sont confortables et qu'elles peuvent aider à prévenir les blessures. Les exercices avec mise en charge sont exigeants pour les chaussures et si les vôtres sont trop usées, les exercices risquent d'être pénibles. Examinez vos chaussures au moins une fois par mois et remplacez-les ou réparez-les sans tarder lorsque c'est nécessaire.
- Portez plusieurs couches de vêtements que vous pouvez enlever au fur et à mesure que votre corps s'échauffe.
- Utilisez l'équipement de sécurité recommandé, tel que les bandes réfléchissantes sur les vêtements si vous marchez le soir.

Vérifiez votre équipement

Si vous utilisez un équipement quelconque, que ce soit une raquette de tennis ou un tapis roulant, vérifiez-le avant chaque séance pour vous assurer qu'il est en bon état et suivez les recommandations du fabricant pour l'entretien.

Buvez beaucoup d'eau

Quand vous êtes active, votre organisme a besoin de plus d'eau. Pour rester bien hydratée, buvez au moins un verre d'eau (250 ml) au cours de l'heure qui précède votre séance d'exercices aérobiques. Puis, buvez un autre verre ou deux au cours des 45 minutes qui suivent votre entraînement. Si votre activité se prolonge, par exemple, si vous faites une randonnée plus longue, buvez un demi-verre d'eau toutes les 15 minutes. Quand il fait chaud, il faut boire encore plus d'eau parce que l'organisme doit travailler encore plus fort pour maintenir sa température et faire en sorte qu'elle n'augmente pas trop.

Les exercices d'échauffement

Les muscles travaillent mieux quand ils sont échauffés : ils sont plus élastiques et leur irrigation sanguine est meilleure. Alors il est important de bien échauffer vos muscles avant d'en exiger de gros efforts. Ceci est particulièrement important pour les personnes plus âgées et celles qui ont une maladie cardiovasculaire.

Votre échauffement n'a pas besoin d'être élaboré et il n'est pas nécessaire d'y consacrer beaucoup de temps. Commencez simplement vos exercices lentement et augmentez votre rythme graduellement. Prenez cinq minutes pour atteindre l'intensité que vous souhaitez. Cette transition graduelle d'un état de repos à un état d'activité donne à votre corps le temps de s'adapter.

Les exercices de récupération et les étirements

Il en va des exercices de récupération comme des exercices d'échauffement, mais à l'inverse, tout simplement. Prenez cinq minutes pour diminuer graduellement votre rythme. Après avoir terminé vos exercices aérobiques avec mise en charge, vous pouvez faire vos exercices de musculation si vous combinez les deux dans une même séance.

Terminez chaque séance d'entraînement par des étirements. Ce genre d'exercice est particulièrement important après une activité aérobique parce que la plupart de ces activités font travailler vos muscles à grande intensité, bien que dans un éventail limité de mouvements. Si vous ne faites pas d'étirements par la suite, vous risquez en fait de voir diminuer votre souplesse. Les trois exercices d'étirement décrits aux pages 251 à 258 permettent de prévenir ce problème et de vous sentir en excellente forme !

Comment évaluer un effort aérobique

Pour obtenir des résultats d'une activité aérobique, il faut faire l'exercice avec la bonne intensité. Avec ce programme d'exercices, la plupart du temps, votre cœur travaillera à 60 ou 80 p. 100 de sa capacité maximale. Cette intensité d'effort est sécuritaire tout en étant suffisante pour bien faire travailler votre appareil cardiovasculaire. Mais comment savoir que vous avez atteint l'intensité voulue ? On utilise, en laboratoire, un équipement pour surveiller le rythme cardiaque et une échelle d'intensité de 20 points pour mesurer l'effort aérobique. Mais vous pouvez vous référer à l'échelle d'intensité simplifiée ci-dessous ou encore vérifier votre pouls.

Comment évaluer l'intensité de l'exercice ?

La façon la plus simple de mesurer l'intensité de votre effort consiste à utiliser une échelle subjective qui décrit comment vous vous sentez pendant l'exercice. Vous pouvez vous référer à cette échelle à tout moment pendant votre exercice et son utilisation ne requiert aucun équipement spécial. Bien que ce système fonctionne habituellement bien, je vous encourage aussi à prendre votre pouls quelquefois au début (je vous explique comment ci-après) pour vous assurer que vos impressions concordent bien avec votre rythme cardiaque.

Échelle d'intensité pour les exercices avec mise en charge	
Niveau d'intensité de l'exercice	**Description de l'effort**
1. Inactif	Aucun effort perçu ; position debout, assise ou couchée.
2. Actif Ce niveau contribue à la santé globale et permet de brûler plus de calories que le niveau précédent.	Mouvements faciles que vous pouvez maintenir et qui causent une légère augmentation des rythmes cardiaque et respiratoire sans provoquer de transpiration (à moins qu'il ne fasse chaud), comme lors d'une promenade ou quand on jardine, qu'on danse lentement ou que l'on joue au golf.
3. Entraînement aérobique Les exercices de ce niveau font travailler le cœur et les poumons.	Quelques mouvements intenses qui élèvent le rythme cardiaque à 60 ou 70 p. 100 de sa capacité maximale la plupart du temps, avec des pointes à 80 p. 100. La respiration est plus rapide, mais on peut parler sans que l'élocution soit trop affectée. On commence à transpirer entre 5 et 15 minutes après le début de l'activité, selon la température ambiante.
4. Entraînement athlétique Ce niveau, plus avancé, permet un entraînement aérobique qui peut convenir après le programme de 12 semaines.	Efforts intenses qui élèvent le rythme cardiaque à 70 ou 80 p. 100 de sa capacité maximale la plupart du temps, avec des pointes à 90 p. 100. La respiration se fait plus rapide, mais n'est pas pénible. On peut parler même si l'accélération de la respiration rend la conversation plus saccadée. On commence à transpirer entre 5 et 10 minutes selon la température ambiante, la fatigue s'installe au fur et mesure de l'entraînement et le besoin de repos se fait sentir à la fin de l'exercice.
5. Surmenage	Déconseillé ! Efforts excessifs : le cœur bat au point où l'on sent une gêne et on peut même avoir la nausée ; la respiration est trop rapide pour que l'on puisse parler.

Les exercices aérobiques avec mise en charge proposés dans ce livre requièrent un effort de niveau 3, au moins trois fois par semaine. Mais j'espère qu'au fur et à mesure que vous deviendrez plus forte et en meilleure forme physique, vous intégrerez à votre quotidien des activités de niveau 2. Plus vous serez active, plus vos os seront stimulés et plus vous brûlerez de calories.

Comment mesurer son rythme cardiaque ?

On peut se procurer un moniteur du rythme cardiaque dans les magasins d'équipement de sport, mais les bons appareils coûtent cher. Heureusement, on peut obtenir la même information simplement en prenant son pouls. Tout ce qu'il vous faut, c'est une horloge ou une montre avec trotteuse et, bien sûr, un peu d'entraînement. Voici comment procéder :

- Tendez la main droite. Placez l'index et le majeur de la main gauche ensemble à la base de votre pouce droit. Faites glisser vos doigts jusqu'à votre poignet en les gardant parallèles à votre épaule droite. Vous sentirez un creux entre l'os (vers l'extérieur) et les tendons (vers l'intérieur). Pesez fermement sur le creux. Vous devriez sentir votre pouls. Il peut être utile, à ce point, de plier le poignet légèrement vers l'arrière.
- En vous référant à la trotteuse, comptez le nombre de battements que vous percevez pendant 15 secondes. Multipliez ce nombre par quatre pour obtenir votre rythme cardiaque (nombre de battements par minute).

Vérifiez votre rythme cardiaque cinq minutes après avoir commencé votre activité aérobique ou à la fin, avant de commencer vos exercices de récupération. Et, bien sûr, vous pouvez le vérifier en tout temps pour connaître l'intensité de votre effort. Deux mises en garde :

- Ne prenez pas votre pouls dans le cou en pesant sur l'artère carotide, cela pourrait entraver l'irrigation sanguine du cerveau.
- Si vous avez un stimulateur cardiaque, ou que vous prenez des médicaments qui peuvent augmenter ou diminuer

votre rythme cardiaque (y compris des médicaments contre le rhume, des coupe-faim ou des inhibiteurs calciques pour la tension artérielle), discutez avec votre médecin de l'intensité à viser pour vos séances d'entraînement avant de commencer.

Rythme cardiaque à atteindre pendant votre activité aérobique

Pour être efficaces, les exercices aérobiques doivent élever votre rythme cardiaque. Vous devez **atteindre un rythme cardiaque** équivalant à 60 ou 80 p. 100 de votre **rythme cardiaque maximal.** Celui-ci décroît avec l'âge. Utilisez le tableau ci-dessous pour déterminer le rythme cardiaque que vous devez viser.

Rythme cardiaque cible

RYTHME CARDIAQUE MAXIMAL = 220 moins votre âge
RYTHME CARDIAQUE CIBLE = 60 à 80 p. 100 de votre rythme cardiaque maximal

Rythme cardiaque en battements par minute à différentes fractions du maximum				
ÂGE	**60 %**	**70 %**	**80 %**	**90 %**
20	120	140	160	180
25	117	137	156	176
30	114	133	152	171
35	111	130	148	167
40	108	126	144	162
45	105	123	140	158
50	102	119	136	153
55	99	116	132	149
60	96	112	128	144
65	93	109	124	140
70	90	105	120	135
75	87	102	116	131
80	84	98	112	126

Conception d'un programme individualisé d'exercices aérobiques avec mise en charge

Si vous faites déjà des exercices aérobiques avec mise en charge, n'arrêtez pas ! Mais il se peut que vous vouliez adapter vos séances d'entraînement pour être certaine que le niveau d'intensité est adéquat.

Si ce genre d'exercices est nouveau pour vous, commencez lentement et augmentez graduellement votre rythme tel qu'indiqué ci-dessous. Vous serez surprise de voir combien il est simple de transformer un mode de vie inactif en vie active pour atteindre une bonne forme physique.

Objectifs de progrès hebdomadaires

Minutes d'activité aérobique avec mise en charge avec une intensité d'effort de niveau 3

Semaine	Minutes par séance	Jours par semaine
1	15	3
2	15	3
3	15	3
4	20	3
5	20	3
6	20	3
7	20	3
8	25	3
9	25	3
10	25	3
11	25	3
12	30	3

On me demande souvent s'il est possible de répartir ses exercices aérobiques en deux séances par jour. Oui, bien sûr, deux séances de 15 minutes sont tout aussi efficaces qu'une seule de 30 minutes. Toutefois, n'oubliez pas que vous devez prévoir des exercices d'échauffement et de récupération pour chacune de vos séances.

Après 12 semaines, vous pouvez conserver trois séances de 30 minutes par semaine ou vous pouvez augmenter la durée de vos séances d'entraînement ou encore votre nombre de jours d'entraînement. Pour éviter les blessures et les douleurs musculaires, allez-y graduellement : n'ajoutez pas plus d'une journée d'exercices par semaine ou cinq minutes par séance. Par exemple, à la 13e semaine, vous pourriez faire trois séances de 35 minutes ou quatre séances de 30 minutes.

Assurez-vous de prendre au moins une journée de repos par semaine. Les études montrent en effet que ceux qui font trop d'exercices aérobiques, en s'entraînant sept jours par semaine, par exemple, ont plus de blessures que ceux qui se réservent une journée de repos.

Programme d'exercices avec sauts

Les sauts à la verticale sont des exercices amusants qui ont récemment fait leurs preuves sur le plan des bienfaits pour les os. Seulement deux minutes par jour de sauts à la verticale peuvent produire une amélioration significative de la solidité des os de la hanche, et ce, en quelques mois à peine. Il s'agit en fait de la forme d'exercice qui, à elle seule, est la plus efficace pour les os. Malheureusement, les sauts à la verticale ne conviennent pas à tout le monde. Seules les femmes préménopausées qui ne font pas d'ostéoporose peuvent en bénéficier sans danger.

Avant de commencer

Les sauts à la verticale aident à bâtir le tissu osseux à cause des impacts qu'ils produisent. Et pour cette même raison, ils peuvent être pénibles pour les articulations et risqués pour les personnes atteintes d'ostéoporose. Si vous êtes préménopausée et que vous êtes déjà en bonne forme physique, vous pouvez commencer dès maintenant à faire cet exercice. Sinon, attendez à la fin des 12 semaines avant de commencer à sauter.

IMPORTANT : Ne faites pas de sauts à la verticale si vous êtes postménopausée, si vous faites de l'ostéoporose, si vous éprouvez des problèmes d'équilibre ou si vous avez déjà eu des problèmes de genoux, de chevilles ou de dos.

Recommandations générales

Faites les sauts à la verticale après avoir terminé vos exercices aérobiques avec mise en charge ; ainsi, vos muscles seront déjà échauffés. Les jours où vous ne faites pas d'activité aérobique, faites cinq minutes de marche comme échauffement avant de commencer vos sauts.

LA RECHERCHE

Prendre une longueur d'avance sur l'ostéoporose

Dr Joan Bassey, du Queen's Medical Center de Nottingham, en Angleterre, a montré que les augmentations de densité osseuse de la hanche pouvaient atteindre de 2 à 5 p. 100 chez des femmes qui avaient fait seulement deux minutes d'exercices par jour pendant six mois. Ces résultats sont parmi les meilleurs à jamais avoir été rapportés dans une étude scientifique portant sur les exercices pour les os.

Son étude portait sur 27 femmes dans la vingtaine et la trentaine qui participaient à des séances hebdomadaires d'exercices sans sauts dans un centre communautaire. Pendant l'étude, 14 des femmes ont remplacé certains des exercices du cours par 50 sauts à la verticale ; elles faisaient aussi 50 sauts chaque jour à la maison. Les femmes du groupe témoin continuaient à suivre les cours et à faire des exercices pour les bras à la maison. Résultats après seulement six mois : des augmentations significatives de la densité osseuse de la hanche chez celles qui faisaient des sauts à la verticale.

Vous pouvez sauter sur presque toutes les surfaces planes, tant à l'intérieur qu'à l'extérieur. Faites attention de ne pas choisir un endroit glissant et évitez les surfaces extrêmement dures comme le ciment, la tuile de céramique ou le métal. Le bois et les sols extérieurs fermes conviennent très bien. Portez des chaussures pour protéger vos pieds.

Pour commencer vos séances, faites quelques sauts de moindre intensité pour vous échauffer, mais ne les comptez pas dans votre total.

Les exercices

Commencez par le sautillement sur place. Après quatre semaines, vous pouvez faire le saut de puissance, du moment que vous maîtrisiez bien le sautillement sur place et que vous n'éprouviez aucune douleur articulaire.

SAUTILLEMENT SUR PLACE

Il s'agit d'une version modifiée du sautillement sur place traditionnel. Cet exercice convient aux femmes préménopausées, en bonne forme physique et qui ont un bon sens de l'équilibre.

Position de départ : Debout, pieds joints, les bras le long du corps, les paumes orientées vers l'intérieur.

Ouverture latérale : Pliez *légèrement* les genoux, puis sautez. En même temps, tendez les bras et les jambes vers l'extérieur. Les pieds doivent s'écarter d'environ 1 mètre et les bras doivent être parallèles au sol. Retombez sur la partie avant des pieds, les genoux légèrement fléchis.

Faites une pause.

Retour à la position de départ : Sautez et reprenez votre position de départ en retombant sur la partie avant de vos pieds, les genoux légèrement fléchis.

Faites une pause pour respirer, puis répétez le mouvement.

Répétitions : Faites 10 sauts en tout, pour commencer. Chaque semaine, ajoutez 5 sauts jusqu'à ce que vous atteigniez un total de 50. Faites ces sauts trois à six fois par semaine.

NOTES DE VOTRE ENTRAÎNEUR PERSONNEL :

Vous sentirez l'effort dans vos pieds, vos jambes et vos cuisses. Si vous sentez aussi une fatigue au niveau des genoux, assurez-vous de ne pas bloquer les genoux en faisant ce mouvement. Quelle que soit la hauteur à laquelle vous sautiez, vous devriez toujours atterrir les genoux légèrement fléchis.

LE SAUT DE PUISSANCE

Cet exercice est une version modifiée d'un mouvement athlétique que l'on appelle le saut à la verticale. Ne faites cet exercice qu'après avoir fait du sautillement sur place pendant au moins quatre semaines et seulement si vous êtes certaine de pouvoir sauter et retomber sans danger.

Position de départ : Debout, les pieds écartés d'une distance équivalant à celle des épaules, les coudes légèrement fléchis, les paumes vers l'intérieur. Regardez un peu vers le haut de manière à anticiper le mouvement ascendant que vous vous apprêtez à faire.

Saut : Pliez les genoux de 10 à 15 cm et sautez. La hauteur de votre saut dépend de la force de vos jambes. En sautant, tendez les bras vers le haut, par-dessus votre tête, comme si vous vouliez toucher le plafond. Retombez sur la partie avant de vos pieds, les genoux légèrement fléchis.
Faites une pause pour respirer, puis répétez le mouvement.

Répétitions : Faites 10 sauts en tout pour commencer. Chaque semaine, ajoutez 5 sauts jusqu'à ce que vous atteigniez un total de 50. Faites ces sauts trois à six fois par semaine.

NOTES DE VOTRE ENTRAÎNEUR PERSONNEL :

Vous sentirez l'effort dans vos pieds, dans vos jambes et dans vos cuisses. Si vous sentez aussi une certaine fatigue au niveau des genoux, assurez-vous de ne pas les bloquer quand vous sautez. Quelle que soit la hauteur à laquelle vous sautiez, votre réception devrait toujours se faire les genoux légèrement fléchis.

Lorsque vous sentirez que vous maîtrisez bien ce saut, essayez d'en augmenter la hauteur.

Le saut à la corde

Nous ne disposons pas encore de données scientifiques qui quantifient les bénéfices pour les os du saut à la corde, mais nous savons qu'il s'agit d'un excellent exercice aérobique qui stimule le cœur, les muscles et les os. Puisque vous ne sautez pas aussi haut que lorsque vous faites des sauts à la verticale, il se peut que cet exercice ne soit pas aussi efficace que d'autres pour bâtir le tissu osseux, alors je ne le recommande pas comme seul exercice de sauts. Mais si vous aimez sauter à la corde, vous pouvez inclure cet exercice dans votre routine d'exercices aérobiques avec mise en charge.

Sauter à la corde est une activité fort agréable et qui offre un bon défi. Mais si vous avez des problèmes de genoux, de dos, de hanche ou d'articulations, cet exercice n'est pas pour vous. Voici quelques conseils :

L'équipement : Choisissez une corde assez épaisse et lourde pour qu'elle balance bien. Prenez-en une munie de poignées. Quelle longueur de corde faut-il ? Posez un pied sur la corde ; les poignées devraient atteindre vos aisselles. Portez des chaussures solides ; les espadrilles conviennent très bien.
Les préliminaires : Puisque vous ne pouvez pas commencer à sauter à la corde lentement, choisissez un autre exercice aérobique pour vous échauffer et faites-le pendant cinq minutes.
L'activité comme telle : Commencez par sauter pendant une minute. Faites une pause de 30 secondes, puis recommencez à sauter pendant une minute. La première fois, limitez-vous à cinq cycles, soit un total de cinq minutes de saut à la corde. Ensuite, faites quelques exercices de récupération ainsi que des étirements. Ceci est très important pour éviter les blessures.
La progression : Attendez un jour ou deux pour voir comment vous vous sentez. Il se peut que vous ressentiez un peu plus tard une certaine douleur musculaire dans vos mollets et vos chevilles. Établissez lentement votre routine, en ajoutant chaque semaine 30 secondes de sauts à chaque cycle. Par exemple, la deuxième semaine, au lieu de sauter pendant une minute à chaque cycle, sautez pendant une minute et demie. Augmentez graduellement jusqu'à ce que vous puissiez sau-

ter aussi longtemps que vous le voulez sans avoir besoin de vous reposer.
Mise en garde : Portez une attention spéciale à votre corps pendant que vous sautez. Si vous sautez au point de ne pas pouvoir parler, votre séance d'exercice est trop intense. (Voir l'échelle d'intensité de l'effort pour les exercices aérobiques à la page 190.)

Programme d'entraînement-musculation

J'ai travaillé avec des femmes de tous les âges, de tous les niveaux de condition physique et de tous les types morphologiques. Bien que de prime abord beaucoup d'entre elles se soient montrées sceptiques par rapport à l'entraînement-musculation, la plupart ont adoré ce genre d'exercices une fois qu'elles avaient commencé à en faire. Le corps semble rajeunir et on se sent plus forte et plus énergique, tant sur le plan physique qu'émotionnel. Le fait de savoir que ces exercices fortifient les os constitue aussi une motivation en soi.

L'équipement

Pour renforcer vos muscles, vous devez les faire travailler plus fort qu'à l'habitude. C'est pourquoi plusieurs des exercices se font avec des haltères et des poids pour les chevilles. La plupart de ces accessoires sont vendus dans les grands magasins, mais pour certains, il vous faudra peut-être vous rendre dans un magasin d'équipement sportif.

Les haltères

Pendant les premières semaines, vous aurez besoin de deux paires d'haltères : une de 1,5 kg et une autre de 2,5 kg. Un peu plus tard, quand vous serez plus forte, vous aurez besoin d'haltères de 3, 4 et 5 kg. Certaines femmes pourront même s'en procurer de 6 et de 7,5 kg. Plus le poids des haltères augmente, plus ils coûtent cher.

Les poids amovibles pour chevilles

À partir de la huitième semaine, vous aurez besoin de poids pour les chevilles : de petites pochettes que vous attachez aux chevilles à l'aide de sangles et qui sont munies de compartiments dans lesquels vous pouvez mettre des poids. On ajuste le poids de ces ceintures en ajoutant ou en enlevant des poids amovibles.

- Si vous avez moins de 50 ans, ou que vous avez entre 50 et 70 ans et que vous êtes en bonne forme physique, choisissez deux pochettes de 10 kg.
- Si vous avez plus de 70 ans, ou entre 50 et 70 ans et que vous n'êtes pas en grande forme, choisissez plutôt deux pochettes de 5 kg chacune.

Remarque : Vous pouvez aussi vous procurer une seule pochette, mais votre routine sera plus longue si vous devez la changer d'une jambe à l'autre.

La chaise

Certains des exercices se font en position assise. Choisissez une chaise solide sans bras. Une chaise de salle à dîner peut très bien faire l'affaire.

Les escaliers ou le tabouret

Un des exercices que je vous propose nécessite un escalier. Si vous n'avez pas accès à un véritable escalier avec rampe, vous pouvez vous procurer un escalier d'exercice. Ces appareils sont offerts dans les magasins d'équipement sportif, mais ils sont chers. Une solution moins coûteuse consiste à acheter un tabouret solide d'une hauteur de 20 à 30 cm. Vous en trouverez facilement dans les quincailleries. Assurez-vous que votre tabouret est muni de quatre pattes solides et d'une surface antidérapante. Il doit par ailleurs pouvoir supporter votre poids sans basculer.

Le tapis d'exercice (facultatif)

Un tapis d'exercice relativement ferme augmente votre confort pendant les exercices au sol. Mais vous pouvez aussi utiliser un grand drap de bain. Placez votre tapis ou serviette sur une carpette, si possible, pour plus de confort.

La serviette

Un des exercices de récupération se fait avec une serviette. Vous pouvez utiliser la même que celle que vous placez sous votre tête pour les exercices au sol.

Les vêtements

Vous n'avez pas besoin de vêtements spéciaux. Mais pour un meilleur confort, je vous conseille :

- des chaussettes épaisses ou des jambières de tricot pour empêcher que les poids pour chevilles n'irritent votre peau.
- des chaussures solides et qui soutiennent bien vos pieds, des espadrilles ou des chaussures athlétiques, avec une semelle suffisamment flexible pour vous permettre de vous tenir sur la pointe des pieds.

Recommandations générales pour l'entraînement-musculation

L'entraînement-musculation est sécuritaire pour presque tout le monde. Mais il faut prendre quelques précautions simples pour qu'il soit le plus efficace possible.

Aménagez un endroit sécuritaire pour faire vos exercices

Aménagez un espace pour vos exercices. Rangez vos poids dans une boîte solide ou à un endroit sûr quand vous ne vous en servez pas et gardez-les hors de la portée des enfants et des animaux domestiques.

Mises en garde pour le dos

Si vous avez déjà eu des problèmes de dos ou si vous faites de l'ostéoporose, discutez de ce programme avec votre médecin avant de commencer.
Les conseils suivants s'adressent à tout le monde, mais portez-leur une attention spéciale si vous devez faire attention à votre dos.

- Soyez aussi prudente lorsque vous déplacez vos poids pour les apporter d'un endroit à l'autre que lorsque vous faites vos exercices comme tels. Rangez-les, si possible, près de l'endroit où vous faites vos exercices pour ne pas avoir à les déplacer pour chaque séance.
- Quand vous soulevez des poids, faites-le correctement. Pliez les genoux et relevez-vous lentement. Ne vous penchez pas vers l'avant en les soulevant pour ne pas exercer de pression sur la colonne vertébrale ; cela risquerait de provoquer des fractures.

Maintenez une bonne posture

Une bonne posture aide à éviter la tension musculaire et les blessures. Plus vous deviendrez forte, plus il vous sera facile de maintenir une bonne posture. Si vous avez déjà une déviation de la colonne à cause de l'ostéoporose, le fait de renforcer les muscles de votre dos vous aidera à vous tenir aussi droite que possible tout en réduisant la douleur et la fatigue.

Comptez à voix haute pendant que vous faites vos exercices

Si vous comptez, vous respirerez mieux, c'est automatique. Inspirez avant de commencer votre mouvement et expirez en soulevant et en abaissant le poids. Le fait de compter à voix haute vous rappellera aussi de faire vos mouvements lentement, pour qu'ils soient plus sécuritaires et plus efficaces.

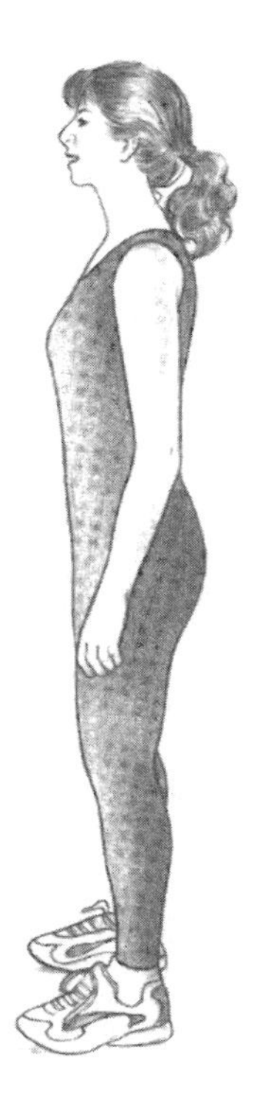

UNE BONNE POSTURE

Que vous soyez assise ou debout, votre corps devrait être détendu, mais droit, comme si quelqu'un vous tirait vers le haut avec une ficelle attachée sur le dessus de votre tête. Regardez-vous dans une glace :

- *Le menton est baissé, en ligne avec le cou.*
- *Le cou est en ligne avec la colonne vertébrale.*
- *Les épaules détendues tirent légèrement vers le bas et vers l'arrière.*
- *Le dos est droit.*
- *Le bassin est légèrement rentré.*
- *Les genoux ne sont ni bloqués ni fléchis.*

Progressez au rythme recommandé

Certaines femmes deviennent tellement enthousiastes par rapport aux exercices de développement de la force qu'elles en font trop et subissent des blessures. Il est important de permettre à vos muscles de se reposer au moins une journée entre vos séances de musculation. Ne faites pas travailler les mêmes muscles deux jours de suite.

DÉTENDEZ-VOUS !

Ne retenez pas votre souffle en soulevant les poids, une erreur courante. Bien respirer vous aide à vous relaxer.
En faisant vos exercices, assurez-vous que votre corps est détendu :

- **Visage :** Gardez le visage détendu, ne froncez pas les sourcils et ne plissez pas le front.
- **Mâchoire et cou :** Évitez de serrer les dents ou la mâchoire. Si votre mâchoire est détendue, votre cou le sera aussi.
- **Épaules :** Ne haussez pas les épaules vers les oreilles. Gardez-les droites et détendues.
- **Jambes et bras :** Seuls les muscles que vous faites travailler doivent être tendus. Tous les autres muscles de votre corps devraient être détendus. Ne bloquez pas les genoux.

Comment faire les exercices

Dans l'entraînement-musculation, un mouvement complet s'appelle une **répétition (**On voit parfois **rép.)**. Dans ce programme, une **série** comprend 8 répétitions et vous faites deux séries de chaque exercice.

Une répétition prend environ neuf secondes : quatre secondes pour soulever le poids, une pause d'une seconde, et quatre secondes pour revenir à la position de départ. Vous arrêtez quelques secondes pour respirer entre chaque répétition. Prenez environ une minute de repos entre chaque série. Bien que ce ne soit pas nécessaire, vous voudrez peut-être prendre une minute ou deux à la fin d'un exercice avant de passer au suivant.

La clé de l'entraînement-musculation est de commencer lentement et de progresser régulièrement. Commencez avec des poids légers ou la version la plus facile de l'exercice. Au début, vous progresserez rapidement et en quelques semaines, vous aurez atteint la bonne intensité d'effort : c'est-à-dire que vous pourrez faire chaque exercice 8 fois, mais que l'effort que vous fournirez sera près de votre limite. Quand, pour vous, le 8e soulèvement de poids ne représentera plus un défi, il sera temps d'augmenter la charge.

Semaines 1 à 3

Commencez avec ces quatre exercices. Vous utiliserez des haltères pour certains d'entre eux.

EXERCICE 1 : L'ACCROUPISSEMENT

Il ne faut qu'une chaise pour faire ce merveilleux exercice. En un seul mouvement, vous renforcerez les muscles avant, arrière et intérieurs de vos cuisses ainsi que ceux de vos fesses. Ce qui est très bon pour les os de la hanche. Cet exercice, qui aide à prévenir les chutes, fait aussi appel à votre sens de l'équilibre et à votre perception spatiale. De plus, il peut servir d'exercice d'échauffement pour rendre votre séance d'entraînement encore plus efficace.

Position de départ : Posez la chaise sur un tapis ou contre un mur pour ne pas qu'elle glisse. Placez-vous devant celle-ci à une distance d'environ 15 cm, les pieds un peu plus écartés que la largeur des épaules, les orteils pointant légèrement vers l'extérieur. Croisez les bras sur votre poitrine. Gardez les épaules détendues et regardez droit devant vous. Penchez-vous légèrement vers l'avant en pliant à partir des hanches. La poitrine est soulevée et le dos est droit. Le cou et la tête sont alignés.

1-2-3, on descend : Inspirez profondément, puis projetez vos fesses vers l'arrière et asseyez-vous lentement. Les genoux doivent demeurer au-dessus des chevilles sans se déplacer vers l'avant.

Faites une pause en position assise.

1-2-3, on remonte : Penchez-vous légèrement vers l'avant et relevez-vous lentement. Vos genoux doivent demeurer au-dessus de vos chevilles. Pour vous lever, vous devez pousser des talons, des jambes, des cuisses, des hanches et des fesses jusqu'à ce que vous soyez debout et droite.

Faites une pause pour respirer, puis répétez le mouvement.

Répétitions et séries : Répétez cet exercice jusqu'à ce que vous l'ayez fait 8 fois, ce qui constitue une série. Reposez-vous pendant une minute ou deux, puis faites-en une deuxième série.

NOTES DE VOTRE ENTRAÎNEUR PERSONNEL :

Assurez-vous que votre thorax demeure soulevé tout au long du mouvement pour éviter que votre corps ne courbe vers l'avant. Concentrez votre regard droit devant vous au lieu de regarder vers le bas : cela vous aidera. Vous sentirez l'effort dans vos cuisses (à l'avant et à l'arrière), dans vos fesses et dans le bas du dos. Si ce mouvement vous cause une douleur aux genoux, c'est probablement parce que vous portez les genoux vers l'avant quand vous vous accroupissez, une erreur courante. Assurez-vous de garder les genoux bien au-dessus des chevilles. Vos jambes doivent demeurer perpendiculaires au sol.

Si ce mouvement est trop difficile, essayez de vous accroupir de quelques centimètres seulement ou mettez un gros coussin sur la chaise pour faciliter les choses. Quand vous serez plus forte, vous pourrez le réessayer tel que décrit.

Quand vous serez prête pour un plus grand défi, essayez ces variantes :

- Accroupissez-vous jusqu'à la chaise mais sans vous y asseoir. Maintenez cette position et respirez. Puis, relevez-vous.
- Prenez un haltère dans chaque main, croisez les bras sur la poitrine et faites l'exercice avec ce poids supplémentaire.

EXERCICE 2 : LA MONTÉE

Vous fortifierez les muscles antérieurs et postérieurs des cuisses avec ce mouvement et vous renforcerez aussi les os de vos hanches. Cet exercice aide aussi à améliorer l'équilibre et la coordination.

Position de départ : Placez-vous au pied d'un escalier solide muni d'une rampe. Placez une main sur la rampe. Posez un pied d'aplomb sur la première marche, les orteils vers l'avant. Votre torse doit être droit, tout comme votre tête. Regardez droit devant vous. Assurez-vous que le genou de la jambe d'en avant est directement au-dessus de la cheville et qu'il ne dépasse pas vos orteils.

1-2-3, montez : Soulevez votre corps en faisant travailler les muscles de la jambe d'en avant, de sorte que le pied d'en arrière atteigne le niveau de la première marche. Tapotez doucement la marche avec les orteils en maintenant le poids de votre corps sur la jambe d'en avant.

Faites une pause pour respirer.

1-2-3, descendez : Reprenez lentement la position de départ. Vous devez concentrer le poids de votre corps sur la jambe d'en avant. Respirez, puis répétez le mouvement en portant la même jambe vers l'avant. Votre pied doit demeurer sur la première marche pendant toute la série de mouvements.

Répétitions et séries : Répétez cet exercice jusqu'à ce que vous l'ayez fait 8 fois avec la même jambe. Changez de jambe et faites-le encore 8 fois : ceci constitue une série. Reposez-vous pendant une minute ou deux, puis faites une deuxième série.

NOTES DE VOTRE ENTRAÎNEUR PERSONNEL :

Vous sentirez l'effort à l'avant et à l'arrière de la cuisse de la jambe d'en avant. Si vous ne sentez pas d'effort dans cette jambe, c'est probablement parce que vous poussez avec la jambe d'en arrière au lieu de forcer avec celle d'en avant.

Si vous sentez une douleur au genou de la jambe d'en avant, c'est peut-être parce qu'il est trop avancé. Tout au long du mouvement, le genou doit demeurer au-dessus de la cheville et ne doit pas s'avancer jusqu'aux orteils.

Quand vous serez prête à progresser, posez le pied sur la deuxième marche de l'escalier au lieu de la première. Par la suite, vous pouvez ajouter au défi en prenant un haltère dans chaque main et en croisant les bras sur la poitrine pour faire cet exercice. Commencez avec des haltères de 1,5 kg chacun et augmentez la charge graduellement au fur et à mesure que vous devenez plus forte.

EXERCICE 3 : DÉVELOPPÉ DES BRAS EN POSITION ASSISE

Cet exercice permet de renforcer les muscles et les os du haut de la colonne vertébrale de même que ceux des épaules. Il en résulte une amélioration de la posture, un avantage important pour les femmes atteintes d'ostéoporose vertébrale.

Position de départ : Asseyez-vous droite, vers l'avant de la chaise (sans appuyer votre dos au dossier), les pieds bien à plat au sol, écartés d'une distance équivalant à peu près à celle de la largeur des épaules. Prenez un haltère dans chaque main. En gardant les bras le long du corps, pliez les coudes et levez complètement les avant-bras. Les haltères atteignent la hauteur de vos épaules et sont parallèles au sol, les extrémités intérieures juste devant vos épaules. Les paumes font face à l'avant et les poignets sont droits.

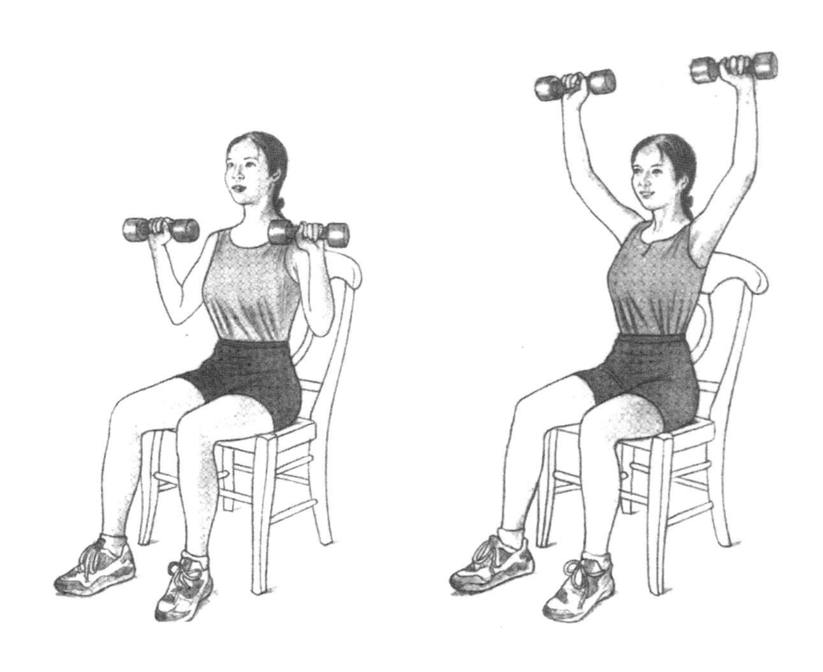

1-2-3, en haut : Poussez lentement les haltères vers le haut. Tendez les bras, sans bloquer les coudes. Les haltères seront juste devant votre tête et non directement au-dessus.

Faites une pause pour respirer.

1-2-3, en bas : Reprenez lentement la position de départ.

Faites une pause pour respirer, puis répétez le mouvement.

Répétitions et séries : Répétez cet exercice 8 fois pour obtenir une série. Reposez-vous et faites-en une deuxième série.

NOTES DE VOTRE ENTRAÎNEUR PERSONNEL :

Vous sentirez l'effort dans vos épaules, dans vos bras et dans le haut du dos. Ne penchez pas vers l'arrière. Maintenez une bonne posture pendant l'exercice. Ne crispez pas les épaules et n'arquez pas le dos. Gardez les poignets droits sans les plier vers l'arrière.

EXERCICE 4 : L'ENVOL

Quand vous renforcez les muscles de vos épaules et du haut de votre dos, vous fortifiez aussi les os de ces régions. Cet exercice aide aussi à améliorer votre posture. Si vous avez déjà une certaine déviation de la colonne, le fait de renforcer les muscles du haut du dos vous aidera à corriger votre posture le plus possible.

Mise en garde : si vous avez des fractures vertébrales ou une déviation de la colonne, demandez conseil à votre médecin avant de faire cet exercice. Étant donné que l'on plie le corps à partir des hanches, l'exercice est sécuritaire pour presque tout le monde.

Position de départ : Asseyez-vous sur la chaise, les pieds bien à plat au sol, écartés d'une distance équivalant à celle de la largeur des épaules. Vos cuisses sont perpendiculaires à vos jambes. Un haltère dans chaque main, penchez-vous vers l'avant, de 8 à 12 cm, en pliant le corps à partir des hanches. Le dos est plat et la colonne vertébrale droite : le mouvement vers l'avant part des hanches. Tenez les haltères droit devant

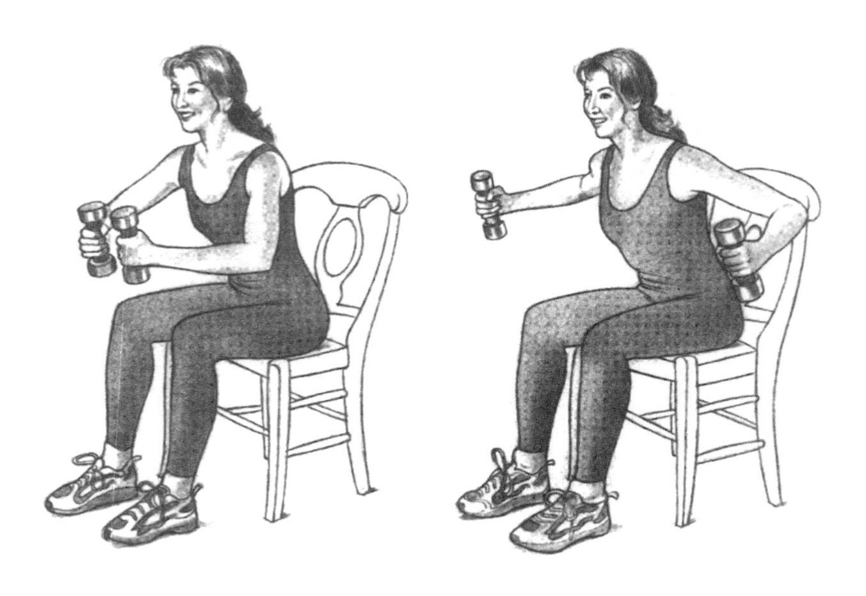

vous, les paumes tournées vers vous. Pliez légèrement les coudes comme si vous étreigniez un arbre.

1-2-3, en arrière : Tirez les omoplates l'une vers l'autre en rapprochant les coudes le plus possible derrière votre dos. Gardez les bras légèrement pliés tout au long de ce mouvement.

Faites une pause.

1-2-3, en avant : Ramenez lentement les bras à leur position initiale.

Répétitions et séries : Répétez ce mouvement 8 fois, pour une série. Reposez-vous pendant une minute ou deux, puis faites une deuxième série.

NOTES DE VOTRE ENTRAÎNEUR PERSONNEL :

Vous sentirez l'effort dans vos épaules, dans le haut du dos et dans les bras. Le mouvement doit s'amorcer dans les omoplates. Faites travailler les muscles des épaules plutôt que ceux des bras. Les coudes demeurent pliés et gardent leur angle tout au long du mouvement. Faites attention de ne pas arquer ni bouger le dos.

EXERCICE SUPPLÉMENTAIRE FACULTATIF : FLEXION DU POIGNET

Les études cliniques ont démontré que ce mouvement simple permet d'augmenter la densité des os du poignet. Si vos poignets ne sont pas forts ou si l'ostéoporose des poignets vous préoccupe, je vous recommande de faire cet exercice.

Mise en garde : si vous avez déjà eu une fracture du poignet, parlez-en avec votre médecin ou votre physiothérapeute au préalable pour vous assurer que l'exercice ne comporte pas de risques pour vous.

Position de départ : Asseyez-vous bien au fond sur une chaise, les cuisses légèrement écartées, les pieds bien à plat sur le sol. Prenez un haltère dans chaque main, les paumes orientées vers le bas. En gardant le dos droit, penchez-vous vers l'avant à partir des hanches et posez vos avant-bras sur vos cuisses. Vos poignets doivent dépasser vos genoux.

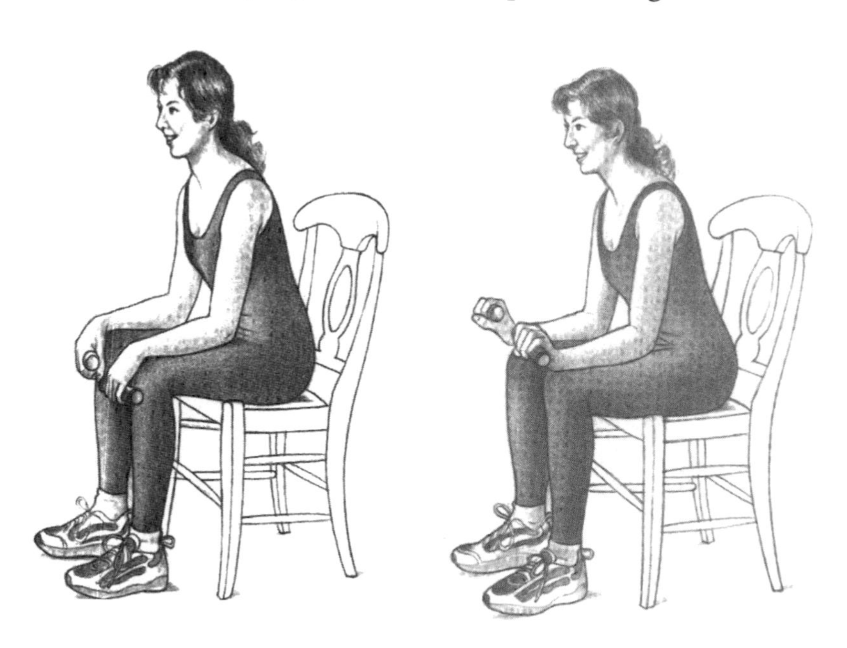

1-2-3, en haut : Levez les deux mains vers le haut et vers l'arrière. Les avant-bras restent posés sur les cuisses.

Faites une pause pour respirer.

1-2-3, en bas : Ramenez lentement vos mains à leur position de départ. Assurez-vous que votre dos demeure droit tout au long de ce mouvement.

Faites une pause pour respirer, puis répétez le mouvement.

Répétitions et séries : Répétez le mouvement 8 fois, ce qui constitue une série. Reposez-vous et faites une deuxième série.

NOTES DE VOTRE ENTRAÎNEUR PERSONNEL :

Vous sentirez l'effort dans les avant-bras et les poignets. Cet exercice constitue un défi de taille, alors commencez avec des poids de 500 g. Ou faites-le sans haltères pour commencer et ajoutez graduellement des poids. S'il vous est trop difficile de garder les avant-bras sur les cuisses, placez vos bras sur une table tout simplement.

Semaines 4 à 7

Ajoutez les deux exercices suivants aux quatre que vous faites déjà. Il s'agit des premiers d'une série d'exercices au sol. Si vous n'avez pas l'habitude de vous lever du sol, soyez prudente.

Si vous n'êtes pas certaine que les exercices au sol soient sécuritaires pour vous, parlez-en d'abord à votre médecin.
Si vous éprouvez des difficultés à vous lever du sol ou à vous y asseoir, ne faites ces exercices que lorsqu'il y a quelqu'un pour vous aider. Ou encore, attendez un mois de plus pour vous laisser le temps de devenir plus forte.

Voici une façon sécuritaire de vous mettre au sol et de vous relever :
Pour vous mettre au sol : Placez une chaise solide sur un tapis ou encore contre un mur pour ne pas qu'elle glisse. En vous appuyant d'une main sur le siège de la chaise, posez un genou au sol, puis l'autre. Enlevez la main de la chaise et posez-la au sol. Étendez-vous sur le côté. Et, selon la position de départ de l'exercice, tournez-vous sur le dos ou sur le ventre.
Pour vous relever : Roulez sur le côté. En vous appuyant sur vos mains, mettez-vous à genoux. Placez une main sur le siège de la chaise pour vous y appuyer. Levez un genou et placez le pied bien à plat sur le sol. Levez-vous.

EXERCICE 5 : EXTENSION DU DOS

Cet exercice fortifie les muscles des fesses ainsi que ceux du dos et de la colonne vertébrale. Renforcer ces muscles permet de stimuler les os des hanches et de la colonne.

Position de départ : Étendez-vous face au sol sur un tapis d'exercice ou sur une serviette, les jambes droites, les pieds pointés de telle sorte que les lacets de vos espadrilles soient face au sol. Placez le bras droit sur le côté, le long de votre corps et tendez le gauche vers l'avant. La paume de la main droite doit être orientée vers le haut et celle de la gauche, vers le bas.

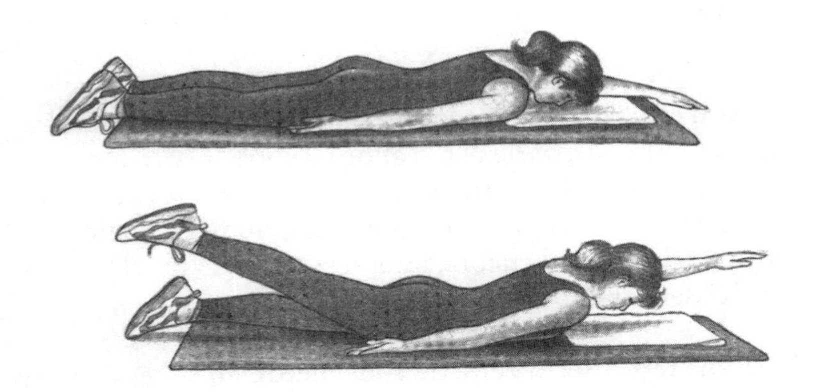

1-2-3, en haut: Levez la jambe droite et le bras gauche aussi haut que vous le pouvez. Levez la jambe à partir de la hanche et gardez-la droite. En levant le bras, le mouvement entraînera aussi votre tête et votre cou. Ceux-ci doivent rester en ligne avec votre bras. Essayez de lever la jambe et le bras en même temps dans un mouvement aussi régulier que possible.

Faites une pause pour respirer tandis que vous êtes en position levée.

1-2-3, en bas: Revenez lentement à votre position de départ.

Faites une pause pour respirer, puis répétez le mouvement. Faites une série, puis alternez avec le bras droit et la jambe gauche.

Répétitions et série: Répétez cet exercice jusqu'à ce que vous ayez fait 8 mouvements avec une jambe et le bras opposé, puis refaites-en 8 autres avec l'autre jambe et l'autre bras: ceci constitue une série. Reposez-vous pendant une minute ou deux et faites une deuxième série.

NOTES DE VOTRE ENTRAÎNEUR PERSONNEL :

Vous sentirez l'effort dans les fesses et dans le dos tout entier. Gardez le nez pointé vers le sol afin que votre tête demeure bien alignée avec votre dos. Au fur et à mesure que vos muscles dorsaux deviendront plus forts, vous pourrez lever le bras et la jambe plus haut. Quand vous serez prête pour un plus grand défi, levez non seulement le bras et la jambe, mais aussi l'épaule et le torse.

EXERCICE 6A : 1er EXERCICE ABDOMINAL – « Rentrer le ventre »

Renforcer vos abdominaux est une des meilleures choses que vous puissiez faire pour votre posture. En effet, quand les muscles abdominaux et dorsaux sont forts, le torse est plus stable et peut mieux protéger la colonne vertébrale. Et bien sûr, des abdominaux fermes paraissent mieux !

Utilisez la première version de cet exercice jusqu'à ce que celle-ci ne représente plus de défi pour vous. Puis, passez à la deuxième version, plus difficile.

Position de départ : Étendez-vous sur le dos, les genoux fléchis et les pieds bien à plat au sol. Les pieds, écartés d'une distance équivalant à celle des hanches, se trouvent à quelque 30 ou 45 cm des fesses. Posez une main sur votre ventre afin de sentir travailler vos muscles abdominaux en faisant le mouvement. Laissez l'autre bras au sol, le long de votre corps, paume vers le bas.

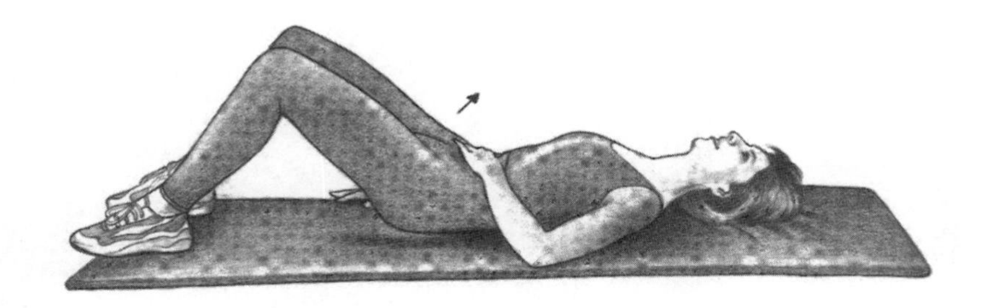

1-2-3, on monte : Pressez le creux de votre dos contre le sol et contractez vos muscles abdominaux en inclinant le bassin vers les épaules. Le bassin et le bas des fesses ne doivent s'élever que de quelques centimètres du sol.

Faites une pause pour respirer.

1-2-3, on descend : Reprenez lentement la position de départ.

Respirez, puis répétez le mouvement.

Répétitions et séries : Répétez jusqu'à ce que vous ayez fait 8 mouvements, ce qui constitue une série. Reposez-vous pendant une minute ou deux, puis faites une deuxième série.

NOTES DE VOTRE ENTRAÎNEUR PERSONNEL :

Maintenez le creux de votre dos au sol tout au long de l'exercice. Avec la main que vous avez posée sur le ventre, vous devriez pouvoir sentir vos muscles abdominaux se contracter. Si vous sentez l'effort dans les muscles antérieurs de vos cuisses, cela signifie que vous faites travailler les muscles des jambes au lieu de ceux de l'abdomen. Essayez de garder les cuisses détendues et concentrez-vous sur le fait d'incliner le bassin plutôt que de le soulever. Au début, il se peut que vos hanches ne lèvent pas beaucoup. Plus vous deviendrez forte, plus vous pourrez lever les hanches juste en contractant vos muscles abdominaux.

EXERCICE 6B : 2e EXERCICE ABDOMINAL – Flexion inversée

Quand l'exercice précédent ne représente plus un défi et que vous pouvez facilement lever complètement les fesses du sol dans un mouvement régulier, remplacez cet exercice par la flexion inversée. Il s'agit d'un mouvement plus difficile qui renforce aussi les muscles abdominaux.

Position de départ : Étendez-vous sur le dos, les genoux fléchis, les cuisses collées et le creux du dos contre le sol. Levez les pieds à environ 10 ou 20 cm du sol pour que vos cuisses soient perpendiculaires à votre corps. Posez une main sur votre ventre pour pouvoir sentir vos muscles abdominaux pendant l'exercice. Laissez l'autre bras le long de votre corps, la paume orientée vers le sol.

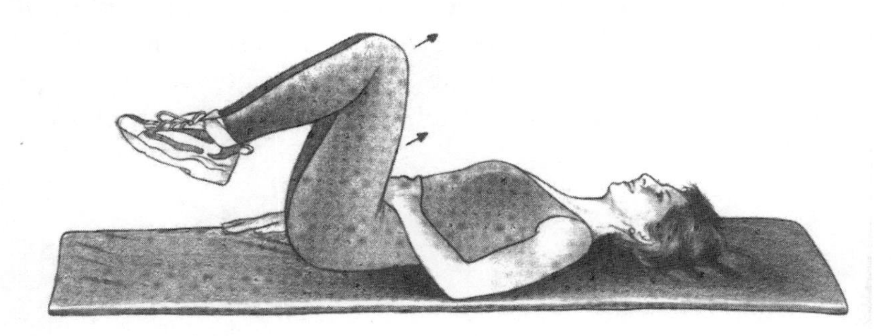

1-2-3, on monte : Contractez vos muscles abdominaux pour lever le bas de vos fesses dans un mouvement vers le haut et l'arrière. Vos genoux se déplaceront un peu vers votre poitrine, en s'élevant de 3 à 8 cm environ.

Faites une pause pour respirer.

1-2-3, on descend : Déplacez lentement vos fesses et vos cuisses afin de reprendre votre position de départ.

Faites une pause pour respirer, puis répétez le mouvement. Le creux du dos doit demeurer au tapis tout au long de la série d'exercices.

Répétitions et séries : Répétez ce mouvement jusqu'à ce que vous en ayez fait 8, pour une série. Reposez-vous pendant une minute ou deux, puis faites une deuxième série.

NOTES DE VOTRE ENTRAÎNEUR PERSONNEL :

N'oubliez pas d'expirer pendant que vous faites ces mouvements ! Retenir son souffle est une erreur courante avec cet exercice.

Avec la main posée sur le ventre, vous devriez pouvoir sentir vos muscles se contracter. Si vous sentez l'effort dans le bas de votre dos, c'est parce que vous ne le pressez pas suffisamment contre le sol pendant le mouvement. Si vous avez les genoux fléchis jusque sur la poitrine, vous balancez probablement le bas de votre corps et utilisez les muscles de vos hanches au lieu de ceux de l'abdomen, ce qui signifie que vous ne retirerez pas tous les bienfaits de cet exercice. Si ce mouvement s'avère trop difficile, faites la première version, plus facile, jusqu'à ce que vous soyez plus forte.

SEMAINES 8 à 11

Ajoutez les deux mouvements suivants pour porter à huit le nombre d'exercices de votre routine. Vous aurez besoin, ici, de poids pour les chevilles.

EXERCICE 7 : ÉLÉVATION LATÉRALE DE LA JAMBE

Il s'agit d'un des meilleurs exercices pour renforcer les muscles et les os des hanches et des cuisses. Développer les muscles extérieurs de la hanche contribue aussi à l'agilité et à l'équilibre.

Position de départ : Fixez des poids pour chevilles à chaque jambe. Étendez-vous par terre, sur le côté gauche, les jambes droites, l'une par-dessus l'autre. Pliez la jambe gauche vers l'arrière en gardant les hanches et les genoux alignés. Servez-vous de votre bras gauche pour soutenir votre tête et posez votre main droite sur le sol devant vous pour maintenir votre équilibre.

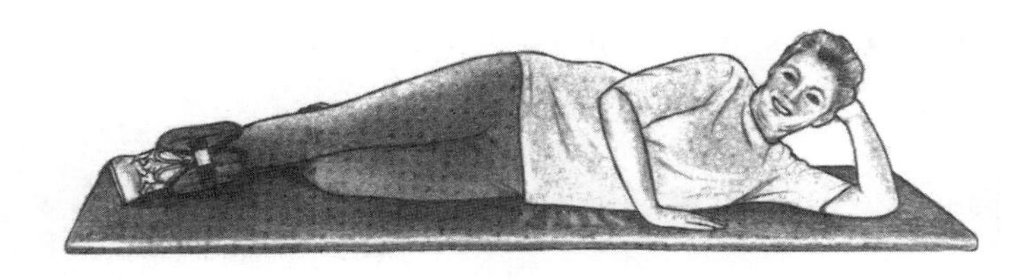

1-2-3, en haut : Dans un mouvement lent et bien contrôlé, levez la jambe du dessus en gardant le tronc bien droit. La jambe levée doit rester tendue, le pied fléchi et détendu, les orteils vers l'avant.

Faites une pause pour respirer.

1-2-3, en bas : Reprenez lentement votre position de départ.

Faites une pause pour respirer, puis répétez le mouvement avec la même jambe.

Répétitions et séries : Répétez le mouvement jusqu'à ce que vous en ayez fait 8. Puis tournez-vous sur l'autre côté et faites-en 8 avec l'autre jambe. Ceci constitue une série. Répétez jusqu'à ce que vous ayez fait deux séries de 8 mouvements avec chaque jambe.

NOTES DE VOTRE ENTRAÎNEUR PERSONNEL :

Vous sentirez l'effort dans les muscles extérieurs de la hanche et de la cuisse de la jambe tendue. Essayez de garder votre corps en ligne droite sans pencher vers l'avant ni vers l'arrière. Gardez vos orteils orientés vers l'avant et non vers le haut ! Au début, il se peut que vous ne puissiez pas lever la jambe à plus de 30 cm du sol. Mais l'ampleur de votre mouvement augmentera avec le temps et vous réussirez à lever la jambe pour qu'elle forme un angle de 45 degrés avec le sol : c'est le plus haut que vous devriez la lever.

EXERCICE 8A : 1er EXERCICE POUR LES CHEVILLES – Extension des mollets et des orteils

En vieillissant, nos chevilles ont tendance à s'affaiblir et à devenir moins flexibles, ce qui ajoute au risque de chute. Cet exercice permet de renforcer le bas de la jambe et de tonifier la cheville ; il aide donc à améliorer l'équilibre. Quand vous maîtriserez cet exercice, essayez la deuxième version pour un plus grand défi.

Position de départ : Placez-vous devant un comptoir ou un mur, à une distance de 15 à 30 cm environ, les pieds écartés d'une distance équivalant à celle des hanches. Appuyez le bout de vos doigts sur le comptoir ou le mur pour vous stabiliser. Tenez-vous droite, les genoux légèrement fléchis, la poitrine soulevée et la tête haute.

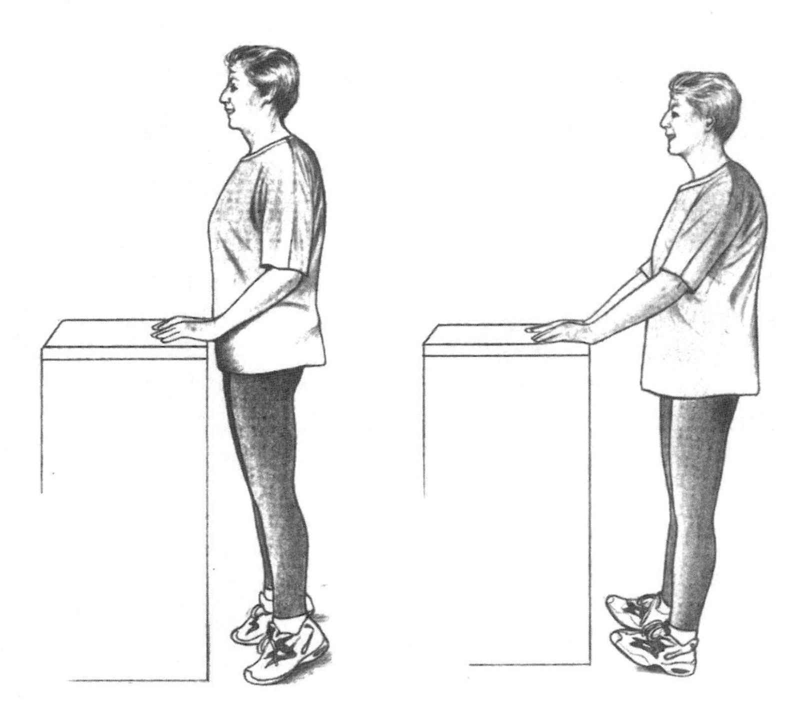

1-2-3, on monte : Levez-vous lentement aussi haut que vous le pouvez sur la pointe des pieds.
Maintenez cette position pendant trois secondes, puis respirez.

1-2-3, on descend : Revenez lentement à votre position de départ.

Répétitions et séries : Faites ce mouvement 8 fois, pour une série. Prenez une minute de repos et pendant ce temps, levez lentement la pointe de vos pieds aussi haut que vous le pouvez en déplaçant votre poids sur vos talons. Ne penchez pas vers l'arrière et ne bloquez pas les genoux. Ensuite, faites une deuxième série de 8 mouvements.

NOTES DE VOTRE ENTRAÎNEUR PERSONNEL :

Vous sentirez l'effort dans les mollets et les tibias. Essayez de garder votre torse aussi droit que possible, c'est-à-dire sans pencher vers l'avant lorsque vous vous tenez sur les talons. Gardez les genoux légèrement fléchis pour éviter de les bloquer.

Dès que vous pouvez facilement lever vos talons à au moins 8 cm du sol en vous tenant sur la pointe des pieds, et vos orteils à au moins 5 cm en vous tenant sur les talons, essayez la deuxième version de cet exercice qui comporte un plus grand défi et qui est aussi plus bénéfique.

EXERCICE 8B : 2e EXERCICE POUR LES CHEVILLES – Flexion des chevilles

Vous fortifierez davantage vos mollets et vos chevilles avec cette version plus avancée de l'exercice pour chevilles. Avec des jambes plus fortes, on peut plus facilement monter des escaliers, marcher et maintenir son équilibre.

Position de départ : Asseyez-vous sur une chaise, les pieds bien à plat au sol. Le siège de la chaise doit être suffisamment profond pour que vos cuisses soient supportées sur toute leur longueur. Fixez les poids pour chevilles autour de vos pieds de manière qu'ils soient sur les lacets de vos chaussures. Appuyez votre dos contre le dossier de la chaise. Placez vos mains sur vos cuisses et tendez les jambes légèrement pour que vos talons s'élèvent à 8 ou 10 cm du sol.

1-2-3, poussez : En gardant vos jambes élevées au-dessus du sol, pointez les orteils vers l'avant le plus possible. Les jambes ne doivent pas bouger.

Faites une pause pour respirer tandis que vos orteils sont pointés.

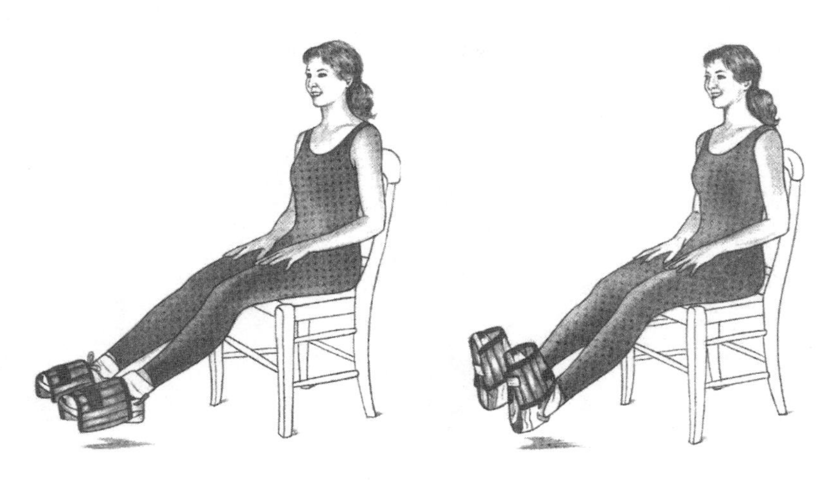

1-2-3, tirez : Tirez vos orteils vers vous le plus possible. Vos jambes ne doivent toujours pas bouger.

Faites une pause pour respirer, puis répétez ce mouvement.

Répétitions et séries : Alternez les poussées et les tractions jusqu'à ce que vous en ayez fait 8 de chaque. Reposez-vous pendant une minute ou deux, les pieds au sol. Levez de nouveau les jambes et faites une deuxième série de 8 répétitions.

NOTES DE VOTRE ENTRAÎNEUR PERSONNEL :

Vous sentirez ce mouvement dans vos tibias, dans vos mollets et dans vos chevilles, bref dans tout le bas de votre jambe. Et, parce que vos quadriceps travaillent pour maintenir vos jambes au-dessus du sol, vous sentirez aussi le mouvement dans vos cuisses. Mais vous ne devriez pas sentir que vos genoux travaillent. Si c'est le cas, assurez-vous qu'ils sont légèrement fléchis pour éviter tout blocage. Il faut que vos pieds demeurent à quelques centimètres seulement du sol.

N'essayez pas d'en faire trop. Si vos cuisses sont trop sensibles, abaissez les jambes pour que vos pieds ne soient qu'à 5 cm du sol pendant que vous faites cet exercice. Ou reposez-vous après 4 répétitions si vous en sentez le besoin. Si vos pieds tremblent ou ont tendance à tourner vers le côté quand vous les fléchissez, diminuez la charge de 500 g ou de 1 kilo.

Semaines 12 et suivantes

Ajoutez ces 2 derniers exercices à votre routine pour porter le nombre à 10. Pour augmenter davantage les bienfaits de votre entraînement, remplacez l'exercice d'accroupissement par la génuflexion pour commencer vos séances.

EXERCICE 9 : Développé des bras en position couchée

Les muscles du thorax contribuent à la force du dos ainsi qu'à une bonne posture. Cet exercice renforce les muscles thoraciques (sous les seins) de même que ceux à l'avant des épaules et à l'arrière des bras. Tous ces muscles aident à soutenir vos seins et ils sont importants lorsque vous poussez et soulevez des choses.

Position de départ : Placez vos haltères sur le sol de chaque côté de vous. Allongez-vous sur le dos, les genoux fléchis, les pieds écartés d'une distance équivalant à celle des hanches. Soulevez prudemment les haltères. Déplacez latéralement les bras de telle sorte qu'ils demeurent au sol et qu'ils soient perpendiculaires à votre corps. Levez les avant-bras, paumes orientées vers les pieds, poignets et coudes alignés. Placez les haltères en ligne avec le milieu de votre torse.

1-2-3, en haut : Poussez les haltères vers le haut de manière que vos bras soient complètement tendus et alignés avec vos épaules, vos coudes et vos poignets. Ne bloquez pas les épaules.

Faites une pause pour respirer.

1-2-3, en bas : Baissez lentement les haltères pour reprendre votre position de départ.

Faites une pause pour respirer, puis répétez le mouvement. Le creux de votre dos doit demeurer au sol pendant toute la série d'exercices.

Répétitions et séries : Répétez l'exercice jusqu'à ce que vous en ayez fait 8, pour une série. Reposez-vous pendant une minute ou deux, puis faites une deuxième série.

NOTES DE VOTRE ENTRAÎNEUR PERSONNEL :

Vous sentirez l'effort dans le thorax, dans les épaules, dans les avant-bras et à l'arrière des bras. Assurez-vous que votre cou et vos épaules restent détendus. Une erreur courante consiste à laisser aller les haltères vers l'intérieur et vers le cou. Assurez-vous qu'ils soient bien au niveau du thorax et orientés vers l'extérieur plutôt que vers l'intérieur. Gardez aussi les poignets bien droits.

EXERCICE 10 : FLEXION-ROTATION DES BICEPS

Les biceps sont les muscles qui se trouvent à l'intérieur du bras. Ils servent à plier le coude et à faire tourner les avant-bras. Le fait de renforcer ces muscles augmente la densité des os du poignet, un endroit particulièrement vulnérable aux fractures ostéoporotiques. Un avantage supplémentaire : cet exercice vous aidera à transporter plus facilement des charges lourdes.

Position de départ : Asseyez-vous plutôt sur l'avant de la chaise, les pieds bien à plat au sol, écartés d'une distance équivalant à peu près à celle des hanches. Prenez un haltère dans chaque main, les bras et les coudes serrés le long du corps. Les avant-bras pendent vers le bas, les paumes des mains sont orientées vers les cuisses.

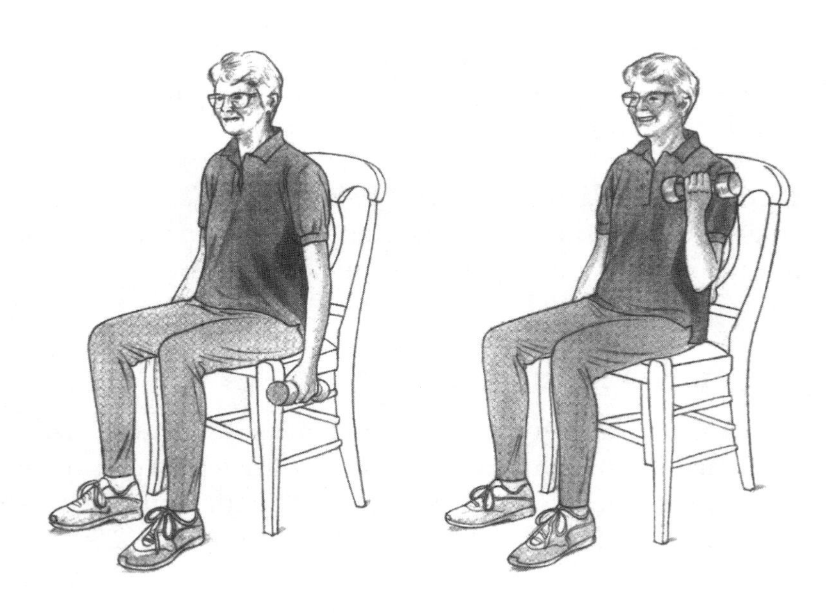

1-2-3, en haut : Soulevez un haltère à la fois, en pliant le coude. Faites doucement tourner l'avant-bras de sorte que votre pouce soit orienté vers l'extérieur et que la paume, orientée vers vous, se trouve directement devant votre épaule. Le coude garde la même position tout au long de ce mouvement sans s'avancer.

Faites une pause pour respirer.

1-2-3, en bas : Abaissez lentement l'haltère en tournant l'avant-bras pour reprendre la position de départ.

Faites une pause pour respirer, puis répétez le mouvement avec l'autre bras.

Répétitions et séries : Répétez le mouvement en alternant avec les deux bras jusqu'à ce que vous en ayez fait 8 avec chaque bras. Cela constitue une série. Reposez-vous, puis faites-en une deuxième série.

NOTES DE VOTRE ENTRAÎNEUR PERSONNEL :

Vous sentirez l'effort à l'intérieur du bras et de l'avant-bras. Gardez les coudes dans la bonne position en imaginant que vous tenez un journal sous chaque bras. Vérifiez vos poignets à chaque levée pour vous assurer qu'ils ne sont pas pliés : ils doivent demeurer alignés avec les avant-bras.

Pour plus d'efficacité, vous pouvez faire ce mouvement simultanément avec les deux bras. Certaines personnes ont toutefois tendance à arquer le dos lorsqu'elles font l'exercice avec les deux bras en même temps. Bien que cela prenne plus de temps, il est plus sécuritaire de faire travailler un seul bras à la fois. De plus, vous pourrez ainsi soulever plus de poids avec chaque bras, ce qui accroîtra l'efficacité de cet exercice.

NOUVEL EXERCICE 1 : GÉNUFLEXION

Après 12 semaines, vous pouvez remplacer l'exercice d'accroupissement par celui-ci. La génuflexion est un exercice dynamique qui vise à faire travailler les muscles des cuisses et des fesses afin de renforcer les os des hanches et de la colonne vertébrale. L'accroupissement fait travailler ces mêmes muscles, mais la génuflexion permet en plus d'améliorer l'équilibre et la coordination.

Position de départ : Placez-vous près d'une table ou d'un comptoir, les pieds écartés d'une distance équivalant à celle des hanches, les genoux légèrement fléchis. Posez une main sur la table pour vous stabiliser.

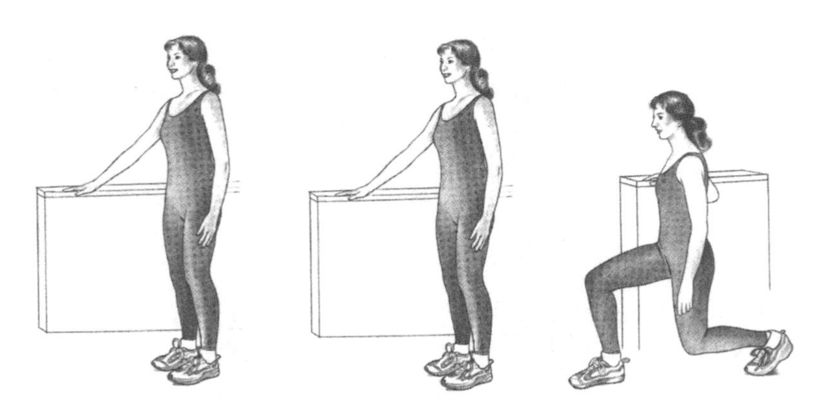

1-2-3, en avant : Avec votre pied droit, faites un grand pas vers l'avant et posez le talon au sol. Puis, abaissez l'avant du pied pour que celui-ci soit bien à plat au sol. En maintenant votre corps droit, pliez les deux genoux de manière que vos hanches s'abaissent perpendiculairement au sol et que votre cuisse droite soit presque parallèle au sol. Le genou gauche s'approche du sol tandis que le droit demeure au-dessus de la cheville droite sans dépasser les orteils. Le talon de la jambe d'en arrière ne touche pas le sol. Votre poids est également réparti entre le pied d'en avant et la pointe du pied d'en arrière. Faites une pause pour respirer.

Retour : Poussez énergiquement avec la jambe d'en avant pour reprendre votre position de départ.

Faites une pause pour respirer, puis répétez le mouvement.

Répétitions et séries : Faites cet exercice en alternance avec les deux jambes jusqu'à ce que vous l'ayez fait 8 fois avec chacune, pour une série. Reposez-vous pendant une minute ou deux, puis faites une deuxième série.

NOTES DE VOTRE ENTRAÎNEUR PERSONNEL :

Vous sentirez l'effort dans vos cuisses, dans vos fesses et dans votre dos. Gardez le corps bien droit. Dans le mouvement vers l'avant, assurez-vous que vos hanches descendent bien droit. Poussez vers l'arrière et non vers le haut pour reprendre votre position initiale. Si vous sentez l'effort dans le genou de la jambe d'en avant, c'est probablement parce que celui-ci dépasse vos orteils au lieu de rester au-dessus de la cheville.

Quand vous maîtriserez ce mouvement, vous pourrez en augmenter la difficulté en le faisant sans vous tenir sur une table ou un comptoir. Puis, lorsque même cette version deviendra facile, essayez le mouvement en tenant un haltère dans chaque main pour augmenter l'intensité de votre effort.

Élaboration d'un programme d'entraînement-musculation individualisé

Un des secrets du succès et de la sécurité d'un programme d'entraînement consiste à maintenir un bon niveau de défi. Si vous en faites trop, la routine vous paraîtra inutilement difficile. Si, au contraire, vos attentes par rapport à vous-même sont trop limitées, vous ne constaterez pas le genre de progrès qui font l'intérêt d'un programme de développement de la force.

Où commencer

Je vous conseille de faire preuve de prudence et de commencer avec des poids faciles à soulever. Ainsi, vous pourrez mieux vous concentrer sur la technique du mouvement. Plus tard, quand vos muscles seront plus forts, vous pourrez ajouter des poids ou passer à la version plus difficile des exercices. De cette façon, le programme vous conviendra toujours. Lisez ce qui suit pour vous aider à choisir un poids de départ :

- Si vous faites de l'ostéoporose ou que vous êtes aux prises avec d'autres problèmes de santé, demandez conseil à votre médecin avant de commencer. Une solution pourrait consister à faire les exercices sans poids au début, mais parlez-en d'abord avec votre médecin.
- Si vous n'avez jamais fait d'exercices de développement de la force (ou n'en avez pas fait récemment), mais que vous êtes en bonne santé, commencez avec des poids de 1,5 kg. Si ceux-ci vous paraissent trop lourds, choisissez-en de 500 g, ou faites les exercices sans poids pour commencer.
- Si vous faites déjà de l'entraînement-musculation, mais que vous aimeriez entreprendre le programme présenté dans ce livre, commencez avec des poids équivalents ou plus légers que ceux que vous utilisez actuellement. Si vous maîtrisez déjà un exercice, faites-le avec le poids que vous utilisez habituellement. S'il s'agit d'un nouvel exercice, utilisez le poids le plus léger que vous possédiez, puis augmentez la charge après une ou deux séances.

Comment évaluer votre effort

Cette échelle d'intensité de l'exercice, inspirée par l'Échelle Borg utilisée par de nombreux chercheurs, vous aidera à déterminer si vous travaillez à l'intensité adéquate.

Visez le niveau d'intensité 4. La première fois, le poids devrait vous sembler un peu difficile à soulever, bien que vous en soyez capable. La troisième ou la quatrième fois que vous le soulèverez, il vous paraîtra plus lourd. Idéalement, vous devriez réussir à le soulever huit fois, mais en ayant l'impression que si vous ne faisiez pas de pause pour reposer vos muscles, vous ne pourriez pas continuer.

Travailler au niveau 3 (sauf pendant les deux premières semaines du programme) ne suffit pas. Vous pourrez augmenter votre endurance, mais pas votre force. Le niveau 5, par contre, est risqué. Si l'effort est trop intense, vous n'arriverez pas à maintenir votre forme et vous risquez de vous blesser.

Dans les exercices avec mise en charge, il est plus difficile d'ajuster l'effort aussi précisément. Passez à la version plus difficile dès que vous pouvez faire l'exercice sans dépasser le niveau d'intensité 4. Si vous hésitez, attendez. Il vaut mieux progresser un peu plus lentement que d'exiger un effort trop intense de vos muscles.

Trouver le bon défi

Pendant les deux premières semaines, restez au niveau débutant pour apprendre les exercices, même si ceux-ci vous semblent trop faciles. Si, au contraire, votre première séance vous paraît trop difficile ou si vos muscles sont très endoloris, faites les exercices sans poids.

Au cours de la troisième semaine, pour les exercices à faire avec des haltères, prenez la charge suivante, jusqu'à ce que vous atteigniez le niveau d'intensité 4. Cependant, si vos muscles deviennent endoloris, reprenez la charge précédente ou, si la douleur est trop vive, prenez un haltère encore plus léger. Il se peut aussi que vous puissiez augmenter le poids de vos haltères pour certains exercices et pas pour d'autres. Cela est normal puisque la force des différents muscles peut varier. Essayez d'atteindre le niveau 4 pour tous les exercices à la fin de la quatrième ou de la cinquième semaine.

ÉCHELLE D'INTENSITÉ POUR LES EXERCICES DE DÉVELOPPEMENT DE LA FORCE	
Intensité de l'exercice	**Description de l'effort**
1	***Très facile:*** Trop facile pour être perçu, comme soulever un crayon.
2	***Facile:*** Peut être ressenti sans être fatigant, comme porter un livre.
3	***Modéré:*** Fatigant seulement lorsqu'on le prolonge, comme porter un sac à main: plus la journée avance, plus il semble lourd.
4	***Difficile:*** Plus que modéré au début, il devient difficile après 4 ou 5 répétitions. Vous pouvez faire l'effort 8 fois, mais sentez ensuite le besoin de vous reposer.
5	***Extrêmement difficile:*** Requiert toutes vos forces, comme soulever un meuble très lourd que vous ne pouvez soulever plus qu'une fois, si encore vous y arrivez.

Au cours du deuxième mois, essayez d'augmenter la charge que vous utilisez, toutes les deux semaines. Il se peut que cela ne soit pas toujours possible. Et vous constaterez que vous progresserez mieux dans certains exercices que dans d'autres. Ne vous découragez pas, si vous persistez, tous vos muscles finiront par devenir plus forts.

Les objectifs à atteindre

Le tableau suivant indique les objectifs à viser selon l'âge et les exercices. La plupart des femmes atteignent ces objectifs après environ un an d'entraînement. Mais il ne faut pas considérer ces objectifs comme des limites à ne pas dépasser. Les études dans lesquelles les sujets ont été suivis pendant deux ans montrent que les gens continuent de s'améliorer bien que les modifications se fassent de plus en plus lentement. N'oubliez pas, si vous faites de l'ostéoporose, de discuter avec votre médecin pour établir les objectifs qui vous conviennent personnellement.

Quand vous vous entraînerez à ces niveaux, vous profiterez de la plupart des bénéfices pour les os et la santé que vous pouvez espérer d'un programme de développement de la force, si vous persistez, bien sûr. Toute progression ultérieure dépend de vous. Mais ne dépassez pas 10 kg pour les poids des chevilles ni 12,5 kg pour les haltères parce que des poids plus lourds risquent d'entraîner des problèmes articulaires. Je préfère, pour ma part, maintenir un bon niveau d'intensité de l'effort et varier ma routine périodiquement plutôt que de m'efforcer de lever des poids de plus en plus lourds.

J'ai de très petits poignets et il y a, dans ma famille, des antécédents d'arthrite. Et puis, j'ai déjà eu une épaule bloquée. C'est donc avec beaucoup de prudence que j'ai commencé les exercices de développement de la force. Il m'a fallu deux ans avant d'utiliser des poids de 4,5 kg. L'entraînement-musculation m'a beaucoup aidée et m'a permis de renforcer mon côté gauche où j'avais eu de la chirurgie pour un cancer du sein, il y a 15 ans.

LÉONIE, 63 ans,
atteinte d'ostéoporose

OBJECTIFS D'ENTRAÎNEMENT-MUSCULATION			
Exercice	20 à 49 ans	50 à 69 ans	70 ans et plus
L'accroupissement	Ne pas toucher la chaise et ajouter des haltères de 2,5 à 5 kg	Ne pas toucher la chaise et ajouter des haltères de 2,5 à 4 kg	Ne pas toucher la chaise
La montée	Deux marches, avec des haltères de 2,5 à 4 kg	Deux marches, avec des haltères de 1,5 à 2,5 kg	Deux marches
Développé des bras en position assise	4 à 6 kg	2,5 à 5 kg	2,5 à 4 kg
L'envol	4 à 6 kg	2,5 à 4 kg	1,5 à 2,5 kg
Extension du dos	Soulever le torse et les cuisses	Soulever le torse et les cuisses	Soulever le torse et les cuisses
Abdominaux	Flexion inversée	Flexion inversée	Flexion inversée
Élévation latérale de la jambe	4 à 6 kg	2,5 à 5 kg	1,5 à 4 kg
Exercice pour les chevilles	Flexion des chevilles avec des poids de 2,5 à 10 kg	Flexion des chevilles avec des poids de 5 à 7,5 kg	Flexion des chevilles avec des poids de 2,5 à 5 kg
Dév. des bras en position couchée	6 à 10 kg	5 à 7,5 kg	2,5 à 4 kg
Flexion-rotation des biceps	5 à 7,5 kg	4 à 6 kg	2,5 à 5 kg
Génuflexion	Mouvement bien contrôlé, aplomb solide, avec des haltères de 2,5 à 5 kg	Mouvement bien contrôlé, aplomb solide, avec des haltères de 1,5 à 2,5 kg	Mouvement bien contrôlé, aplomb solide
Flexion du poignet	2,5 à 4 kg	1,5 à 2,5 kg	0,5 à 1,5 kg

L'entraînement-musculation dans un centre de conditionnement physique

Certaines femmes préfèrent s'entraîner dans un centre de conditionnement physique. Ceux-ci offrent en effet des avantages intéressants, particulièrement pour les personnes aux prises avec des problèmes médicaux qui ont besoin d'un suivi plus attentif. On y trouve des entraîneurs personnels qui peuvent vous aider à établir un programme d'entraînement individualisé qui réponde à vos besoins spécifiques et qui tienne compte de vos limites. Si vous faites de l'ostéopénie ou de l'ostéoporose, il peut être avantageux d'utiliser un appareil de conditionnement physique qui vous force à maintenir une bonne position et vous permet de lever sans danger des charges plus lourdes, afin de stimuler encore plus vos os.

Voici quelques suggestions si vous voulez vous entraîner dans un centre de conditionnement physique en utilisant ses installations :

- Suivez les recommandations de base concernant l'intensité de l'exercice, le nombre de répétitions et de séries, de même que la façon de progresser.
- Demandez à un entraîneur de vous montrer comment ajuster l'équipement et les appareils selon vos besoins et votre condition physique. Ceci est essentiel pour votre sécurité et pour profiter pleinement des bienfaits de vos exercices.
- Choisissez des exercices qui font travailler les principaux groupes de muscles de même que ceux des régions particulièrement vulnérables à l'ostéoporose : la colonne vertébrale, les hanches et les poignets. Un bon programme comprendra probablement les exercices suivants :

    Développé des jambes
    Abduction de hanche
    Adduction de hanche

Flexion des genoux
Extension latérale
Développé des bras en position couchée
Développé des bras en position assise
Le rameur

- Si vous faites de l'ostéoporose ou que vous avez des problèmes de dos, soyez très prudente si vous utilisez des appareils pour l'extension des muscles abdominaux et dorsaux. Demandez conseil à un entraîneur pour vous assurer de les utiliser correctement.
- Ajoutez les exercices suivants (tirés de ce livre) à votre routine. Ils permettent d'améliorer la coordination et la force du tronc.

Montée
Abdominaux
Extension du dos
Exercice pour les chevilles
Génuflexion

- N'hésitez pas à demander de l'aide ; c'est d'ailleurs l'un des principaux avantages qu'il y a à s'entraîner dans un centre de conditionnement physique.

CONCERNANT CE PROGRAMME D'EXERCICES

Les exercices proposés dans ce livre visent surtout à promouvoir la santé des os et c'est pourquoi le programme comprend aussi des exercices de développement de la force.

Si vous faites d'autres exercices et que vous préférez continuer ainsi, je vous recommande vivement d'ajouter à votre routine des exercices aérobiques, des exercices d'équilibre de même que des sauts à la verticale pour vous assurer une forme physique optimale. Et, bien sûr, je vous encourage à faire au moins quelques-uns des exercices de développement de la force décrits dans cet ouvrage. La diversité profite à votre corps et aide à prévenir l'ennui.

Suivez ces principes généraux pour vous guider dans l'établissement d'un nouveau programme d'entraînement-musculation :

- Commencez par des exercices d'échauffement. Les accroupissements conviennent parfaitement.
- Choisissez différents exercices pour faire travailler les principaux muscles des bras, des jambes et du tronc. Pour éviter de surmener un muscle, n'utilisez qu'une seule version d'un même exercice. (Par exemple, faites un seul exercice pour les biceps dans votre routine.) N'oubliez pas que les exercices proposés ici sont particulièrement indiqués pour ceux et celles qui souffrent d'ostéoporose ou de problèmes de dos.
- Terminez votre routine avec des exercices de récupération et des étirements.

Exercices d'équilibre

En fait, les exercices d'équilibre éprouvent plus votre cerveau que vos muscles. Leur contribution à la santé osseuse provient surtout de ce qu'ils aident à prévenir les chutes. Avec juste un peu d'effort physique, vous pouvez faire d'importants progrès et ce, très rapidement. Et plus votre équilibre est précaire en ce moment, plus vite vous pouvez l'améliorer. Les recherches montrent que les exercices d'équilibre peuvent réduire d'environ 50 p. 100 l'incidence de chutes chez les femmes et les hommes plus âgés. Vous ne remarquerez pas de changements aussi importants si votre équilibre est déjà bon, mais j'espère que vous ferez tout de même ces exercices. Il est toujours bon d'améliorer son équilibre, quel que soit son âge.

Recommandations générales

Quand nous marchons, nous gardons habituellement nos pieds écartés d'une distance équivalant à peu près à celle de la largeur des hanches : une base plus large facilite en effet l'équilibre. Or, les exercices d'équilibre nous font faire exactement le contraire : ils mettent au défi notre sens de l'équilibre en nous forçant à maintenir notre aplomb sur une base réduite. Bien que les exercices proposés soient sécuritaires quand ils sont faits correctement, il est important de prendre certaines précautions :

- Si, quand vous avez fait le test d'équilibre aux pages 114 à 117 du chapitre 6, vous avez obtenu un résultat indiquant que votre équilibre était « précaire » ou « très précaire », il faut absolument que vous ayez quelqu'un près de vous lorsque vous faites ces exercices. Parlez de vos problèmes d'équilibre avec votre médecin ; ce genre de trouble peut parfois être traité.
- Si votre équilibre est altéré à cause d'une maladie qui affecte vos oreilles, comme un mauvais rhume ou la prise de certains médicaments, ne faites pas ces exercices pour l'instant. Attendez de vous sentir mieux.
- Portez des chaussures solides qui soutiennent bien vos pieds lorsque vous faites les exercices.
- Placez-vous près d'un comptoir, la main prête à vous rattraper au besoin.
- Si vous voyez que vous chancelez, arrêtez l'exercice et rétablissez votre équilibre avant de poursuivre.

Les exercices

Essayez de faire des exercices d'équilibre trois fois par semaine, après vos séances d'entraînement-musculation. Ce sont d'excellents exercices de récupération. Mais si vous y prenez plaisir, vous pouvez les faire aussi souvent que vous le voulez. Il n'est pas nécessaire de faire d'exercices d'échauffement ni de récupération avant ou après.

POSE DE LA MONTAGNE ET BALANCEMENT

Adapté d'une pose de yoga, cet exercice vous permet de mieux prendre conscience de votre corps, ce qui aide à prévenir les chutes. Une meilleure conscience du corps signifie que le cerveau sait exactement où se trouve chaque partie du corps dans l'espace; cela améliore tant l'équilibre que la coordination. La pose de la montagne avec balancement est un excellent exercice de récupération qui permet de se relaxer vraiment grâce à son effet calmant.

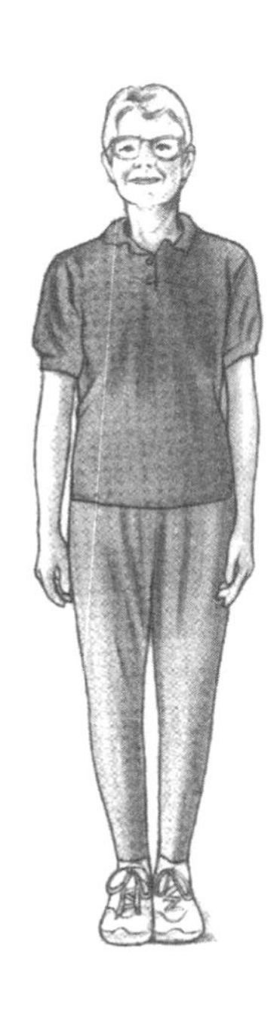

Position: Tenez-vous debout, les pieds joints, les genoux légèrement fléchis. Répartissez le poids de votre corps également entre l'avant de vos pieds et vos talons. Laissez vos bras droits, de chaque côté de votre corps, les mains détendues. Vos épaules sont abaissées et légèrement tirées vers l'arrière. Vous avez la tête haute. Rentrez les os du bassin vers l'intérieur dans un mouvement vers l'avant et légèrement ascendant.

En commençant par la plante de vos pieds, visualisez comment chaque partie de votre corps émerge de celle qui la précède. Sentez comment vos tibias s'élèvent de vos pieds pour atteindre vos genoux. Notez la légère courbure de vos genoux qui permet aux os de vos cuisses et de vos hanches de se prolonger dans un alignement neutre. Sentez votre cage thoracique s'étendre et se soulever, vos vertèbres prendre de l'expansion pour allonger votre colonne. Le poids de votre tête devrait vous paraître presque imperceptible et vous devriez vous sentir un peu plus grande qu'avant de prendre la pose. Maintenez cette position pendant au moins 30 secondes, deux minutes, si vous le pouvez en respirant régulièrement.

Pour augmenter le défi : Après avoir maintenu la position pendant au moins 30 secondes, ajoutez-y un balancement. Visualisez les plantes de vos deux pieds ancrées au sol. Très lentement, déplacez votre corps un tout petit peu vers l'avant, puis vers la gauche, vers l'arrière, et la droite, puis revenez vers l'avant. Un mouvement circulaire complet (vers l'avant, la gauche, l'arrière, la droite, retour vers l'avant) devrait prendre environ une minute. Pendant le balancement, tout votre corps doit demeurer détendu et droit. Ne penchez pas le dos à partir des hanches. Seules vos chevilles doivent fléchir.

Relâchez : Écartez vos pieds d'une distance équivalant à peu près à celle de vos hanches.

NOTES DE VOTRE ENTRAÎNEUR PERSONNEL :

Vous devriez sentir que tout votre corps est détendu. Si, au début, vous vous sentez instable, écartez un peu les pieds. Concentrez-vous sur la plante de vos pieds. Pendant le balancement, vous sentirez votre poids corporel se déplacer de la pointe de vos pieds vers l'extérieur de votre pied droit, puis de nouveau vers la pointe de vos pieds. Il s'agit d'un mouvement difficile à maîtriser. Au début, votre corps ne se déplacera que de quelques centimètres de son centre d'équilibre pendant le balancement. Mais avec le temps, vous vous améliorerez.

POSE DE LA CIGOGNE

Cet exercice est aussi une adaptation d'une pose de yoga classique. Il permet d'améliorer la posture, l'équilibre et la souplesse des hanches.

Position : Placez-vous près d'un comptoir ou d'un mur, les pieds écartés d'une distance équivalant à celle des hanches, les genoux légèrement fléchis. Posez une main sur le comptoir ou au mur pour maintenir votre équilibre ; tendez l'autre bras sur le côté à la hauteur des épaules. Élevez un genou d'environ 15 cm en gardant le dos bien droit. Pointez les orteils du pied élevé vers le sol et, d'un mouvement de la hanche, tournez le genou vers l'extérieur. Placez la plante du pied sur le tibia de la jambe opposée. Gardez la tête haute et regardez droit devant vous, en concentrant votre regard sur un point au loin.

Maintenez cette position pendant au moins 30 secondes, deux minutes si vous le pouvez.

Relâchez : Baissez le genou et reprenez votre position initiale.

Répétitions : Faites l'exercice une fois avec chaque jambe.

NOTES DE VOTRE ENTRAÎNEUR PERSONNEL :

Vous sentirez l'effort dans la jambe sur laquelle vous vous tenez et dans la hanche de la jambe levée. Ce mouvement comporte un défi de taille. Soyez patiente et progressez lentement. Essayez de lever le genou plus haut sans toujours vous tenir sur le comptoir ou au mur, et de n'y poser la main que pour vous stabiliser au besoin.

MARCHE EN TANDEM

Les policiers utilisent cet exercice pour vérifier l'état d'ébriété des conducteurs. Il est presque impossible de marcher en tandem si votre équilibre et votre coordination sont altérés par l'alcool. Bien que le test soit très utile à ceux dont l'équilibre est précaire, il n'offre pas de défi suffisant à ceux qui ont déjà un bon équilibre. Ne l'ajoutez à votre routine que si votre résultat au test d'équilibre (au chapitre 6) était de 3 ou moins.

Position de départ : Placez-vous dans un couloir qui offre un mur libre qui vous permette de faire au moins 10 à 20 pas, la main posée sur le mur. Placez une main au mur, à la hauteur des épaules, pour vous stabiliser. Concentrez votre regard sur un point au loin, droit devant vous. Gardez la tête haute et ne regardez pas vos pieds.

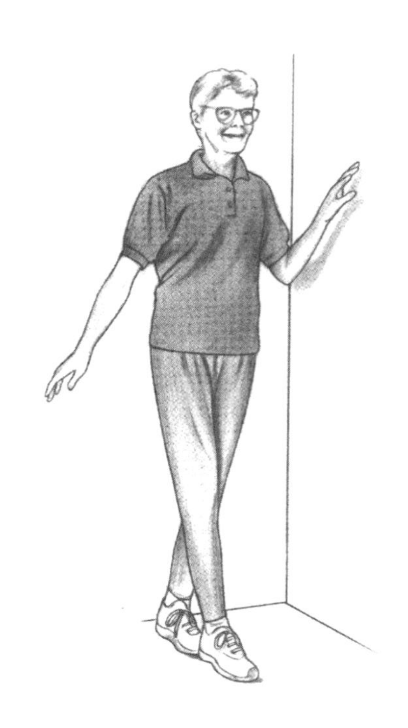

Le mouvement : Placez un pied devant l'autre de sorte que les orteils du pied d'en arrière touchent le talon du pied d'en avant. Alignez bien vos pieds et ne bloquez pas les genoux. Marchez ainsi, en style tandem, les orteils touchant le talon ; faites 10 à 20 pas. Déplacez la main le long du mur pour maintenir votre équilibre. Tournez-vous prudemment et retournez à votre point de départ, avec cette même démarche en tandem, les orteils touchant le talon.

Répétitions : Répétez l'exercice deux fois.

NOTES DE VOTRE ENTRAÎNEUR PERSONNEL :

Essayez de ne pas regarder vos pieds. Sentez plutôt vos orteils toucher au talon du pied qui est à l'avant pendant que vous marchez et concentrez-vous sur le fait de maintenir vos pieds bien alignés. Pour augmenter le défi, essayez de ne pas toucher le mur en marchant, mais gardez votre main tout près pour rattraper votre équilibre au besoin.

Les étirements

Les étirements sont une composante essentielle de tout programme d'exercice. Un bref étirement après votre séance d'exercice constitue une excellente façon de vous relaxer et ce genre d'exercices aide à prévenir les blessures et à maintenir la souplesse. Les étirements peuvent aussi, dans les cas d'ostéoporose, contribuer à réduire les douleurs dorsales ainsi que d'autres genres de maux et de malaises.

Recommandations générales

Vous devez faire des étirements après chaque séance d'exercices aérobiques ou d'entraînement-musculation. Les étirements constituent un de mes remontants préférés quand je travaille à l'ordinateur. Je fais une pause de deux minutes par heure pour faire des étirements et cela me permet de dissiper la tension dans la nuque, le dos et les épaules. Ces exercices sont vraiment revivifiants et je me sens beaucoup mieux après les avoir faits. Les rudiments ne sauraient être plus faciles :

- **Prenez la position :** Tendez vos muscles le plus possible sans créer de malaise.
- **Restez en position étirée :** Respirez normalement et maintenez votre étirement pendant 20 à 30 secondes. Puis, essayez doucement d'augmenter votre étirement, mais sans rien brusquer et jamais jusqu'au point d'avoir mal. Essayez de relaxer vos muscles le plus possible. Plus vous les relaxez, plus vos muscles pourront s'étirer.
- **Relâchez :** Détendez lentement votre étirement et reprenez une position normale.

Les exercices d'étirements

Faites ces étirements à la fin de chacune de vos séances d'exercices. Si vous faites vos exercices de mise en charge dans la même séance que votre entraînement-musculation, faites une série d'étirements après l'entraînement-musculation. Je vous recommande aussi de vous étirer lorsque vous sentez le besoin de vous relaxer et de dissiper la tension.

Je fais de l'ostéoporose. Je travaille constamment ma posture parce que la seule chose qui soulage la douleur causée par le tassement des vertèbres, c'est une posture parfaite. Et j'ai aussi perdu près d'un centimètre de taille.

En plus d'aller au centre de conditionnement physique trois fois par semaine, je fais chaque jour 15 à 20 minutes d'exercices, le matin. Je fais du jogging sur la pointe des pieds pendant 10 minutes et ensuite, je fais beaucoup d'étirements. Avant, j'avais de la difficulté à commencer mes journées, mais ces exercices sont un véritable réveille-matin ! Et je ne suis pas courbée.

ANNE

ISCHIO-JAMBIER

Il vous faudra une serviette pour cet exercice qui améliore la flexibilité des muscles arrière des cuisses et du bas du dos. Cet étirement tonifie aussi le dos et réduit le risque de blessure tout en soulageant et en prévenant la douleur au bas du dos. Il s'agit d'un exercice sécuritaire et très bénéfique pour les femmes atteintes d'ostéoporose.

Position de départ : Couchez-vous sur le dos et tenez les extrémités de votre serviette. Les genoux doivent être légèrement fléchis, les pieds bien à plat, le creux du dos pressé contre le sol. Pliez un genou vers vous et placez votre pied au centre de la serviette. Tendez la jambe vers le haut de sorte que la semelle de votre soulier soit orientée vers le plafond. Ne bloquez pas le genou. La serviette vous aidera à maintenir une bonne position.

L'étirement : Tirez lentement sur les extrémités de la serviette en ramenant votre jambe vers vous jusqu'à ce que vous sentiez l'étirement. La jambe peut se déplacer de quelques centimètres seulement ou de plusieurs, selon votre souplesse. Gardez les fesses sur le tapis d'exercice. Assurez-vous aussi de garder le pied de la jambe tendue bien plat et orienté vers le plafond. Si vous pointez les orteils, l'étirement ne sera pas aussi efficace. Maintenez la position étirée pendant 20 à 30 secondes, en respirant normalement et en détendant le reste de votre corps. Puis relâchez.

Répétitions : Faites un étirement avec chaque jambe. Répétez si vous le voulez. Vous sentirez l'étirement à l'arrière de la cuisse et du mollet.

ÉTIREMENT DES ÉPAULES

Cet exercice permet d'améliorer la posture et la flexibilité de votre dos en plus de permettre de dissiper la tension.

Position de départ : Debout, les pieds écartés d'une distance équivalant à celle des hanches, les genoux légèrement fléchis, les omoplates à peine tirées vers l'arrière. Croisez les doigts des deux mains et faites tourner les poignets jusqu'à ce que les paumes soient orientées vers l'avant. Poussez les paumes vers l'extérieur jusqu'à ce que vos bras soient droits, sans être bloqués. En gardant les épaules abaissées et tirées vers l'arrière, levez les bras jusqu'à la hauteur du thorax.

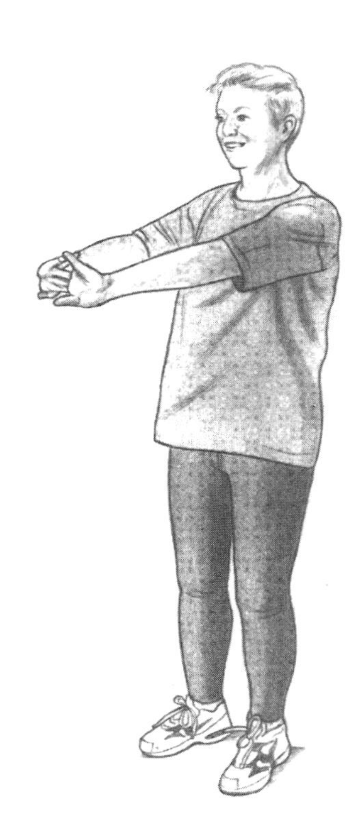

L'étirement : Poussez vos paumes devant vous et vers l'extérieur jusqu'à ce que vous sentiez un peu de tension dans le dos et les épaules. Ne penchez pas la colonne vertébrale vers l'avant en faisant cet exercice. Assurez-vous aussi de ne pas bloquer les coudes. Vérifiez la tension au niveau de votre cou et dans votre corps tout entier. À l'exception des membres étirés, tout votre corps devrait être détendu. Maintenez l'étirement pendant 20 à 30 secondes en respirant normalement.

Répétitions : Faites un étirement. Répétez si vous le voulez. Vous sentirez l'étirement dans votre dos, dans vos épaules et dans vos bras.

ÉTIREMENT DU HAUT DU DOS

Cet exercice est particulièrement utile pour les femmes atteintes d'ostéoporose qui éprouvent des douleurs au dos ou qui présentent une déviation de la colonne. Il permet d'étirer les muscles du thorax de même que ceux du milieu de la partie supérieure du dos, pour améliorer la posture et soulager la douleur. Vous pouvez faire cet étirement en tout temps quand vous êtes assise. Personnellement, je le fais toutes les heures lorsque je travaille à mon bureau.

Position de départ : Asseyez-vous à l'avant de votre chaise, les pieds bien à plat au sol, écartés d'une distance équivalant à celle des hanches. Pliez les coudes de sorte que les avant-bras soient parallèles à vos cuisses et que vos bras soient collés le long de votre corps.

L'étirement : Poussez vos épaules vers le bas et tirez les omoplates l'une vers l'autre. Vos bras se déplaceront un tout petit peu vers l'arrière. Maintenez une bonne position assise et restez étirée pendant 20 à 30 secondes, en respirant normalement et en détendant le reste de votre corps. Faites une pause, puis refaites le mouvement une deuxième fois si vous le voulez.

Répétitions : Faites un étirement. Répétez si vous le voulez. Vous sentirez l'étirement au niveau du thorax et du dos.

À quoi s'attendre pendant les 12 premières semaines

Il est toujours exaltant et parfois même un peu bouleversant d'apporter des changements importants à son mode de vie. Pendant les 12 premières semaines de ce programme, vous verrez augmenter votre force et s'améliorer votre forme physique. Je vous recommande vivement de compléter la grille d'exercices aux pages 264 à 269 pour vous aider à garder le cap. Et plus tard, vous apprécierez pouvoir relire vos premières données et vous serez impressionnée de vos progrès.

La planification des séances

Certaines femmes aiment bien échelonner leurs exercices sur toute la semaine ; d'autres préfèrent s'entraîner moins souvent et faire des séances plus longues. Allez-y selon vos préférences. Vous trouverez ci-dessous deux possibilités, mais je tiens à souligner qu'il en existe aussi de nombreuses autres. Le meilleur système est celui auquel vous pouvez vous conformer.

L'option « trois jours »

Si vous voulez faire vos exercices aérobiques et l'entraînement-musculation le même jour, suivez l'ordre d'enchaînement proposé ci-dessous pour vous assurer que vos muscles sont bien échauffés au début et pour vous permettre de bien récupérer à la fin. Accordez-vous au moins une journée de repos entre vos séances d'entraînement-musculation pour permettre à vos muscles de récupérer. Mais n'hésitez pas à faire plus d'activités aérobiques, des sauts à la verticale, des exercices d'équilibre et des étirements si le cœur vous en dit lors de ces journées « de repos ».

- Activités aérobiques avec mise en charge (commencez lentement pour bien échauffer vos muscles)
- Sauts à la verticale (si ce genre d'exercices vous convient)
- Entraînement-musculation

- Exercices d'équilibre
- Étirements

L'option « six jours »

Suivez l'ordre d'enchaînement suivant trois jours par semaine pour compléter vos séances d'activités aérobiques :

- Exercices aérobiques avec mise en charge (commencez lentement pour bien échauffer vos muscles)
- Sauts à la verticale (si appropriés)
- Exercices d'équilibre
- Étirements

Un jour sur deux, remplacez vos exercices aérobiques avec mise en charge par des exercices de développement de la force musculaire.

- Sauts à la verticale (si appropriés)
- Entraînement-musculation
- Exercices d'équilibre
- Étirements

Si vous manquez de temps, vous pouvez réduire la fréquence des sauts à la verticale et des exercices d'équilibre à trois fois par semaine, au lieu de six.

Semaines 1 à 3

La plupart des femmes avec lesquelles je travaille constatent une différence presque immédiatement, surtout si elles étaient inactives avant d'entreprendre ce programme. D'abord, elles ont bonne conscience d'avoir commencé à faire de l'exercice. Ensuite, elles ressentent vivement l'état de bien-être qui suit un exercice physique et elles me disent souvent avoir plus d'énergie pendant la journée et mieux dormir la nuit.

Semaines 1 à 3 : option « trois jours »							
EXERCICE	Dim	Lun	Mar	Mer	Jeu	Ven	Sam
Activité aérobique (minutes)		15		15		15	
Sauts à la verticale (si appropriés)		✓		✓		✓	
Entraînement-musculation							
Accroupissement		✓		✓		✓	
Montée		✓		✓		✓	
Dév. des bras en position assise		✓		✓		✓	
Envol		✓		✓		✓	
Exercices d'équilibre		✓		✓		✓	
Étirements		✓		✓		✓	

Semaines 1 à 3 : option « six jours »							
EXERCICE	Dim	Lun	Mar	Mer	Jeu	Ven	Sam
Activité aérobique (minutes)	15		15		15		
Sauts à la verticale (si appropriés)	✓	✓	✓	✓	✓	✓	
Entraînement-musculation							
Accroupissement		✓		✓		✓	
Montée		✓		✓		✓	
Dév. des bras en position assise		✓		✓		✓	
Envol		✓		✓		✓	
Exercices d'équilibre	✓	✓	✓	✓	✓	✓	
Étirements	✓	✓	✓	✓	✓	✓	

Semaines 4 à 7

Vous devriez maintenant être habituée à vos séances et vous y sentir à l'aise. J'espère en effet que vous y prendrez tellement plaisir que vous serez déçue si jamais vous devez en sauter une. Pour maintenir un niveau 3 d'intensité de l'effort dans votre activité aérobique, vous avez probablement dû augmenter votre rythme, vous marchez un peu plus vite ou jouez au tennis un peu plus vigoureusement. Dans vos exercices d'entraînement-musculation, vous devriez travailler au niveau d'intensité 4. Au cours du deuxième mois, vous soulèverez peut-être le double du poids que vous souleviez au début.

Semaines 4 à 7 : option « trois jours »							
EXERCICE	Dim	Lun	Mar	Mer	Jeu	Ven	Sam
Activité aérobique (minutes)		20		20		20	
Sauts à la verticale (si appropriés)		✓		✓		✓	
Entraînement-musculation							
Accroupissement		✓		✓		✓	
Montée		✓		✓		✓	
Dév. des bras en position assise		✓		✓		✓	
Envol		✓		✓		✓	
Extension du dos		✓		✓		✓	
Abdominaux		✓		✓		✓	
Exercices d'équilibre		✓		✓		✓	
Étirements		✓		✓		✓	

Semaines 4 à 7 : option « six jours »							
EXERCICE	Dim	Lun	Mar	Mer	Jeu	Ven	Sam
Activité aérobique (minutes)	20		20		20		
Sauts à la verticale (si appropriés)	✓	✓	✓	✓	✓	✓	
Entraînement-musculation							
Accroupissement		✓		✓		✓	
Montée		✓		✓		✓	
Dév. des bras en position assise		✓		✓		✓	
Envol		✓		✓		✓	
Extension du dos		✓		✓		✓	
Abdominaux							
Exercices d'équilibre	✓	✓	✓	✓	✓	✓	
Étirements	✓	✓	✓	✓	✓	✓	

Semaines 8 à 11

Quand vous entreprendrez le troisième mois, vous profiterez sans doute des multiples bienfaits de vos exercices : une énergie et une résistance accrues, un meilleur équilibre, une plus grande souplesse et un meilleur teint, tous des signes que votre condition physique s'améliore.

Semaines 8 à 11 : option « trois jours »							
EXERCICE	Dim	Lun	Mar	Mer	Jeu	Ven	Sam
Activité aérobique (minutes)		25		25		25	
Sauts à la verticale (si appropriés)		✓		✓		✓	
Entraînement-musculation							
Accroupissement		✓		✓		✓	
Montée		✓		✓		✓	
Dév. des bras en position assise		✓		✓		✓	
Envol		✓		✓		✓	
Extension du dos		✓		✓		✓	
Abdominaux		✓		✓		✓	

EXERCICE	DIM	LUN	MAR	MER	JEU	VEN	SAM
Élévation latérale de la jambe		✓		✓		✓	
Exercice pour les chevilles		✓		✓		✓	
Exercices d'équilibre		✓		✓		✓	
Étirements		✓		✓		✓	

SEMAINES 8 À 11 : OPTION « SIX JOURS »							
EXERCICE	DIM	LUN	MAR	MER	JEU	VEN	SAM
Activité aérobique (minutes)	25		25		25		
Sauts à la verticale (si appropriés)	✓	✓	✓	✓	✓	✓	
Entraînement-musculation							
Accroupissement		✓		✓		✓	
Montée		✓		✓		✓	
Dév. des bras en position assise		✓		✓		✓	
Envol		✓		✓		✓	
Extension du dos		✓		✓		✓	
Abdominaux		✓		✓		✓	
Élévation latérale de la jambe		✓		✓		✓	
Exercice pour les chevilles		✓		✓		✓	
Exercices d'équilibre	✓	✓	✓	✓	✓	✓	
Étirements	✓	✓	✓	✓	✓	✓	

Semaines 12 et suivantes

Félicitations ! Vous faites maintenant 30 minutes d'exercice trois à six fois par semaine, ce qui signifie que vous êtes parmi les femmes les plus actives. Selon votre point de départ, votre condition cardiovasculaire s'est sans doute améliorée de 10 à 20 p. 100 et la quantité de poids que vous pouvez soulever a probablement triplé ! De plus, vous avez développé une habitude de l'exercice physique qui vous gardera en bonne forme. Vos os commencent à se modifier, mais il leur faudra du temps, au moins un an, pour que les différences soient visibles.

SEMAINES 12 ET SUIVANTES : OPTION « TROIS JOURS »							
EXERCICE	DIM	LUN	MAR	MER	JEU	VEN	SAM
Activité aérobique (minutes)		30		30		30	
Sauts à la verticale (si appropriés)		✓		✓		✓	
Entraînement-musculation							
Génuflexion ou accroupissement		✓		✓		✓	
Montée		✓		✓		✓	
Dév. des bras en position assise		✓		✓		✓	
Envol		✓		✓		✓	
Extension du dos		✓		✓		✓	
Abdominaux		✓		✓		✓	
Élévation latérale de la jambe		✓		✓		✓	
Exercice pour les chevilles		✓		✓		✓	
Dév. des bras en position couchée		✓		✓		✓	
Flexion-rotation des biceps		✓		✓		✓	
Exercices d'équilibre		✓		✓		✓	
Étirements		✓		✓		✓	

Semaines 12 et suivantes : option « six jours »							
EXERCICE	Dim	Lun	Mar	Mer	Jeu	Ven	Sam
Activité aérobique (minutes)	30		30		30		
Sauts à la verticale (si appropriés)	✓	✓	✓	✓	✓	✓	
Entraînement-musculation							
Génuflexion ou accroupissement		✓		✓		✓	
Montée		✓		✓		✓	
Dév. des bras en position assise		✓		✓		✓	
Envol		✓		✓		✓	
Extension du dos		✓		✓		✓	
Abdominaux		✓		✓		✓	
Élévation latérale de la jambe		✓		✓		✓	
Exercice pour les chevilles		✓		✓		✓	
Dév. des bras en position couchée		✓		✓		✓	
Flexion-rotation des biceps							
Exercices d'équilibre	✓	✓	✓	✓	✓	✓	
Étirements	✓	✓	✓	✓	✓	✓	

Et ensuite ?

Maintenant que votre habitude de l'exercice est fermement établie, il serait bon de varier vos activités. Des nouveaux exercices stimuleront d'autres muscles et d'autres os, tout en maintenant l'intérêt de vos séances d'entraînement.

Certaines femmes sont prêtes à consacrer plus de temps à leurs activités aérobiques. Très bien, mais n'oubliez pas qu'il faut augmenter la durée des séances de façon graduelle en ne leur ajoutant que cinq minutes par semaine. Par exemple, prenez au moins trois semaines pour augmenter la durée de vos séances de 30 à 45 minutes.

Après six à neuf mois d'entraînement-musculation, vous atteindrez probablement les objectifs décrits à la page 240. Tout progrès ultérieur se fera beaucoup plus lentement. Je pense qu'il est plus bénéfique pour les os d'ajouter de nouveaux exercices à votre routine que d'essayer de soulever toujours plus de poids.

J'espère que vous explorerez d'autres formes d'exercices comme le yoga et le tai chi, de même que des activités de loisirs telles que la danse sociale ou l'escrime. Il y a tellement de façons agréables de faire des activités physiques !

> *« Si les médecins pouvaient prescrire des comprimés d'exercices physiques, il s'agirait du médicament le plus prescrit au monde. »*
>
> ROBERT BUTLER, M.D.,
> Fondateur et directeur du
> National Institute on Aging

Malgré toutes les découvertes miraculeuses de la médecine moderne, il n'existe pas encore d'intervention unique qui puisse améliorer votre santé globale plus que l'activité physique. Un mode de vie actif comprenant les exercices présentés dans ce chapitre profitera à vos os et réduira votre risque de fracture.

J'espère que ce long chapitre aura suscité votre enthousiasme sans soulever trop de craintes. Commencez lentement et progressez graduellement. Vous y arriverez ! Ce qui importe pour vos os, ce n'est pas ce que vous faites en une heure ni même en une journée, mais votre persévérance pendant des semaines, des mois et des années.

CHAPITRE 9

Les bonnes nouvelles concernant les traitements médicamenteux

Au début des années 1980, après avoir terminé mes études de premier cycle, je me suis rendu compte, en faisant une revue de la documentation scientifique sur l'ostéoporose, que les œstrogènes étaient à l'époque les seuls médicaments disponibles pour traiter cette maladie. La calcitonine, une hormone thyroïdienne qui aide à conserver la masse osseuse, n'est apparue qu'en 1985 et il fallait alors l'administrer par injection. Les femmes atteintes d'ostéoporose n'avaient alors que peu de choix. Puis, au milieu des années 1990, les choses ont commencé à changer. L'alendronate (nom commercial: Fosamax) a été approuvé par la FDA en 1995. Il s'agissait du premier traitement non hormonal pour contrer les pertes de masse osseuse, une percée majeure. Trois ans plus tard, le raloxifène (nom commercial: Evista) était approuvé. Et ce n'était que le début.

Les recherches en ce domaine foisonnent. De nombreux médicaments prometteurs sont actuellement à l'étude et nous en apprenons chaque jour davantage sur l'importance thérapeutique de l'alimentation et de l'exercice. Il existe aujourd'hui plus de choix et de meilleures stratégies que jamais auparavant. Et dans quelques années, la liste de médicaments pour prévenir et traiter l'ostéoporose sera encore plus longue.

Si votre risque de perte de masse osseuse est élevé, des médicaments peuvent vous aider à le réduire. Si vous êtes déjà atteinte d'ostéopénie ou d'ostéoporose, les médicaments peuvent aider à contrer les pertes de masse osseuse et même à restaurer une partie de votre capital osseux. De nombreuses femmes ont beaucoup à gagner des nouvelles découvertes pharmacologiques. Mais un si grand choix peut aussi s'avérer déconcertant. Vous trouverez, dans ce chapitre, des explications sur le mode d'action des médicaments actuellement sur le marché ainsi que de ceux qui seront offerts sous peu, de même que des indications sur les meilleures stratégies à suivre pour optimiser l'efficacité de ces médicaments.

Un survol rapide

Si vous avez eu un diagnostic d'ostéopénie ou d'ostéoporose, ou si votre risque est très élevé, votre médecin vous a sans doute conseillé de :

- prendre des suppléments de calcium avec de la vitamine D ;
- entreprendre (ou continuer) un programme d'exercices ;
- adopter des mesures pour éviter les chutes (si vous êtes à risque de tomber).

Votre médecin peut aussi vous suggérer un ou plusieurs médicaments. Si vous êtes postménopausée, il vous conseillera fort probablement une hormonothérapie de remplacement, du raloxifène, de l'alendronate ou de la calcitonine. Et même si aucun de ces médicaments n'a été approuvé par la FDA pour les femmes préménopausées, il arrive que les médecins leur prescrivent de l'alendronate ou de la calcitonine.

J'aimerais souligner que les choix et les décisions concernant les traitements médicamenteux sont personnels et individuels. Ce qui convient à votre meilleure amie, ou même à votre sœur, ne vous convient pas nécessairement à vous. Il est donc très important de prendre une telle décision de concert avec un médecin qui s'y connaît et qui considérera non seulement votre état de santé actuel, mais aussi tous vos antécédents médicaux.

Un autre point fondamental : les médicaments ne peuvent pas remplacer une saine alimentation et l'exercice ! Le calcium, la vitamine D et l'activité physique procurent en soi des bienfaits thérapeutiques : ils aident à maintenir la masse osseuse et peuvent même, jusqu'à un certain point, contribuer à la formation de nouveau tissu osseux. Mais les chercheurs pensent que les médicaments pour traiter et prévenir l'ostéoporose sont plus efficaces si la femme s'alimente bien et qu'elle fait beaucoup d'exercice pour fournir à l'organisme les matières premières et la stimulation mécanique nécessaires à la formation de nouveau tissu osseux.

L'hormonothérapie de remplacement

L'hormonothérapie de remplacement (HTR) ou de substitution (HTS) constitue le traitement que les médecins prescrivent le plus souvent pour prévenir et traiter l'ostéoporose. On me pose souvent des questions sur l'hormonothérapie lors de mes conférences et certaines femmes m'écrivent même à ce propos. Les femmes s'inquiètent en effet de prendre des hormones et elles s'inquiètent aussi si elles *n'en prennent pas,* en se demandant si leur choix ne risque pas de nuire à leurs os. Ce n'est certes pas une décision facile à prendre, et il vaut toujours mieux être bien informée.

Mécanisme d'action

Comme vous le savez, les œstrogènes jouent un rôle clé dans la santé des os, et ce, dès que nous atteignons la puberté. Vers le milieu de la trentaine, nos ovaires commencent à produire moins d'œstrogènes. À 45 ans, nous sommes au seuil de la ménopause, et nos niveaux d'œstrogènes ont diminué d'environ 20 p. 100 par rapport à ce qu'ils étaient 10 ans plus tôt. En conséquence, nous avons déjà commencé à perdre du capital osseux. Quand nous entrons en ménopause, nos taux d'œstrogènes chutent. À 60 ans, le niveau d'œstrogènes a diminué de 88 p. 100 en moyenne par rapport à ce qu'il était quand nous avions 35 ans. De plus, ces œstrogènes contiennent moins d'estradiol qu'auparavant, l'estradiol, rappelons-le, étant l'hormone œstrogène la plus puissante. L'organisme tout entier est affecté par ces changements et l'impact sur les os est particulièrement important.

Nos os, comme la plupart des autres tissus de l'organisme, sont munis de récepteurs spéciaux pour les œstrogènes. Nous savons, depuis un certain temps, que les œstrogènes inhibent l'activité des ostéoclastes décomposeurs de tissu osseux. Nous croyons maintenant que les œstrogènes pourraient aussi stimuler les ostéoblastes, les cellules qui bâtissent le tissu osseux. En plus de ces effets directs, les œstrogènes affectent aussi les os de manière indirecte. Voici quelques-uns des mécanismes par lesquels ils agissent :

- Ils stimulent la production de vitamine D qui aide les intestins à absorber le calcium.
- Ils favorisent la conservation du calcium par les reins, pour en réduire l'excrétion.
- Ils déclenchent la libération de calcitonine par la glande thyroïde, ce qui réduit l'activité des ostéoclastes décomposeurs de tissu osseux.
- Ils provoquent la libération d'hormone de croissance par l'hypophyse. Cette hormone stimule la formation de tissu osseux et augmente l'absorption du calcium par les intestins.

Voilà des décennies que les médecins ont compris le lien qui existe entre la diminution des taux d'œstrogènes et la perte de tissu osseux. La première étude à démontrer que le traitement aux œstrogènes était bénéfique pour les os a été publiée il y a environ 60 ans, en 1941. Depuis ce temps, beaucoup d'autres études d'envergure sont venues confirmer les bienfaits de ces hormones pour les os.

Un traitement médicamenteux comportant uniquement des œstrogènes augmente les risques de cancer de l'utérus et de l'endomètre. C'est pourquoi la plupart des femmes reçoivent aussi de la progestérone pour contrer la stimulation de l'utérus par les œstrogènes. L'expression « hormonothérapie de remplacement » (HTR) réfère à cette association d'œstrogènes et de progestérone, sinon on parle d'œstrogénothérapie de substitution (ETS), un traitement aux œstrogènes seulement. Les femmes qui se sont fait enlever l'utérus, donc qui ne risquent pas d'avoir de cancer de l'utérus ou de l'endomètre, se voient habituellement prescrire une ETS.

Les femmes qui suivent une HTR ou une ETS pendant trois à cinq ans peuvent réduire leur risque de fractures vertébrales de 50 p. 100 et celui d'autres fractures, de 25 p. 100. Si elles poursuivent leur traitement plus longtemps, pendant 10 ans ou plus par exemple, le risque peut diminuer de 75 p. 100. Et ces bienfaits persistent tant et aussi longtemps que la femme suit son traitement. Si toutefois elle arrête de prendre des hormones, elle doit s'attendre à voir rapidement diminuer sa masse osseuse comme c'est le cas après la ménopause, c'est-à-dire que cinq à sept ans plus tard, sa densité osseuse et son risque de fracture seront à peu près les mêmes que ceux d'une femme qui n'aurait jamais suivi de traitement hormonal.

L'hormonothérapie de remplacement et l'œstrogénothérapie de substitution comportent aussi d'autres bienfaits pour la santé des femmes postménopausées. Celles qui prennent des hormones voient en effet leur risque de maladie cardiaque diminuer de 40 p. 100 et les recherches semblent aussi indiquer une certaine protection contre la maladie d'Alzheimer. Un autre avantage vient de ce que ce genre de traitement soulage les symptômes désagréables de la ménopause, tels que les bouffées de chaleur, les sautes d'humeur, la sécheresse vaginale, les pertes de mémoire et les troubles du sommeil.

Mais il y a aussi des inconvénients à considérer. D'abord, beaucoup de femmes sont aux prises avec des effets indésirables comme des saignements intermenstruels, de la rétention d'eau, un endolorissement des seins, des crampes, des maux de tête et des problèmes d'humeur. Et le plus dérangeant est sans doute le risque accru de cancer du sein dans le cas d'une utilisation prolongée (plus de cinq ans), surtout chez celles qui ont des antécédents familiaux de cancer du sein.

Les effets indésirables et le risque accru de cancer du sein incitent beaucoup de femmes à ne pas entreprendre de traitement hormonal ou à l'arrêter. Une étude d'envergure faite en 1999 évaluait à 37 p. 100 la quantité de femmes de 50 à 74 ans qui suivaient un traitement hormonal. Je pense, quant à moi, que deux fois plus de femmes pourraient bénéficier d'une hormonothérapie. Je suis aussi préoccupée par le fait qu'un si grand nombre de femmes ne profitent pas des bienfaits de leur traitement parce qu'elles l'abandonnent : moins de 20 p. 100 le poursuivent pendant au moins cinq ans. L'une des raisons pourrait tenir au fait qu'un bon nombre des bienfaits importants de ces traitements ne sont pas visibles. Naturellement, la plupart d'entre nous ne pensons pas aux fractures ou aux crises cardiaques que nous *ne subissons pas* ! Avec les tests de densitométrie osseuse qui deviennent de plus en plus courants, j'espère qu'on réussira à convaincre un plus grand nombre de femmes des bienfaits des œstrogènes.

LES CONTRACEPTIFS ORAUX ET LES OS

Les contraceptifs oraux sont aussi prescrits à d'autres fins que la seule contraception. Chez les femmes préménopausées, les anovulants peuvent corriger certains troubles menstruels comme l'irrégularité ou l'absence de règles, des problèmes étroitement liés à la perte de masse osseuse.

Une étude suédoise récente a montré que les contraceptifs oraux pouvaient avoir des effets positifs sur les os. Les chercheurs ont interrogé deux groupes de femmes âgées de 50 à 81 ans. Les femmes du premier groupe avaient subi une fracture de la hanche, celles du deuxième, non. Celles qui avaient pris des contraceptifs oraux à base d'œstrogènes quand elles étaient plus jeunes avaient un risque de fracture de la hanche de 25 p. 100 inférieur aux autres. La différence était encore

plus frappante pour celles qui avaient pris des anovulants à dose d'œstrogènes élevée : leur risque de fracture de la hanche était de 44 p. 100 inférieur.
Note : on a constaté que les femmes qui prenaient des contraceptifs oraux à base de progestérone seulement, comme les injections de Depo-provera ou les implants Norplant, avaient en fait une densité osseuse de 10 p. 100 inférieure à la moyenne. Ceci est particulièrement inquiétant pour les femmes de moins de 25 ans qui devraient encore gagner du capital osseux.

La décision concernant les hormones

La plupart des experts et des organismes spécialisés croient que la majorité des femmes postménopausées pourraient bénéficier d'une hormonothérapie de remplacement ou d'une œstrogénothérapie de substitution. Quant à moi, je n'étais pas d'accord avec cette idée il y a cinq ans, mais avec les résultats des études qui s'accumulent, je pense maintenant comme eux. Je sais cependant que ce genre de médicaments ne convient pas à toutes les femmes. Les traitements hormonaux comportent toujours des risques et des bienfaits et l'équilibre de ces deux aspects varie pour chacune. D'où l'importance de discuter de vos antécédents médicaux personnels et familiaux avec votre médecin et de bien comprendre les avantages et les inconvénients de ce genre de traitement pour vous.

Les recherches actuelles indiquent que la prise d'œstrogènes augmente le risque de cancer du sein tout en diminuant le risque de maladie cardiaque et d'ostéoporose. La plupart des femmes craignent le cancer du sein et avec raison : une femme sur huit développera un cancer du sein au cours de sa vie, une maladie qui tue 43 000 femmes chaque année aux États-Unis. Mais peu de femmes se rendent compte que les statistiques concernant l'ostéoporose sont encore plus inquiétantes.

Aux États-Unis, les maladies cardiaques touchent environ 50 p. 100 des femmes et 233 000 en meurent chaque année.

En outre, près de 65 000 femmes meurent chaque année d'une fracture de la hanche attribuable à l'ostéoporose. Bien sûr, selon vos antécédents, vos risques de cancer du sein, de maladie cardiaque et d'ostéoporose peuvent être très différents. Voici certains points à discuter avec votre médecin.

Pour les femmes qui commencent leur ménopause

Je pense que toute femme qui commence sa ménopause devrait considérer l'hormonothérapie de remplacement ou l'œstrogénothérapie de substitution, à moins qu'il n'y ait contre-indication, comme un risque élevé de cancer du sein, de l'endomètre ou de l'utérus, des saignements utérins anormaux de cause inconnue, des antécédents de caillots sanguins ou de maladie du foie. Étant donné que le tabagisme augmente aussi ces risques, il est très important qu'une femme qui veut prendre des œstrogènes cesse de fumer.

Par contre, le traitement hormonal est tout à fait indiqué dans les cas suivants : une densité osseuse faible ou un risque particulièrement élevé d'ostéoporose, un risque élevé de maladie du cœur ou des symptômes ménopausiques difficiles à supporter. La plupart des professionnels de la santé croient que l'hormonothérapie de remplacement s'avère plus efficace pour les os si la femme l'entreprend au moment de sa ménopause et qu'elle la poursuit pendant au moins 10 ans.

Pour les femmes postménopausées

Si vous êtes déjà ménopausée et que vous ne suivez pas d'hormonothérapie, je vous encourage vivement à reconsidérer votre décision maintenant et dans l'avenir. Votre santé et votre profil de risque peuvent changer et les connaissances en ce domaine augmentent sans cesse. Les recherches indiquent que les œstrogènes sont bénéfiques pour les os même si la femme commence à en prendre plus de 10 ans après sa ménopause. Ainsi, une étude d'envergure portant sur des femmes de 65 ans et plus a révélé une augmentation de la densité osseuse de 5 p. 100 en moyenne après trois ans de traitement.

L'hormonothérapie de remplacement (HTR) : maximiser les bienfaits et minimiser les problèmes

Vous pouvez faire beaucoup pour accentuer les effets positifs de l'HTR. Comme vous le verrez, certaines suggestions s'avèrent de bon conseil pour la plupart des femmes plus âgées même si elles ne prennent pas d'hormones.

LES COMPRIMÉS, LE « PATCH », LA CRÈME OU LE STÉRILET LIBÉRANT DES HORMONES ?

Il existe plusieurs formes d'hormonothérapie de remplacement et d'œstrogénothérapie de substitution. Celle que vous choisirez dépendra des objectifs de votre traitement et de vos préférences personnelles. Un changement peut parfois rendre votre traitement encore plus efficace ou plus facile à suivre.

- **Les comprimés** : Il s'agit de la forme la plus courante d'HTR et d'ETS pour protéger les os et le cœur. Certaines femmes trouvent cependant difficile de se rappeler de prendre leur comprimé chaque jour. Si c'est votre cas, demandez à votre médecin de vous prescrire une marque de comprimés offerts dans un emballage pratique qui vous aidera à penser à en prendre un chaque jour.
- **Le « patch »** ou timbre transdermique : C'est la deuxième forme de traitement la plus populaire pour l'HTR et l'ETS. Il s'agit d'un timbre adhésif de la grandeur d'un billet de banque plié en deux que vous placez sur la hanche ou l'abdomen et qui libère des hormones dans votre sang à travers la peau. Bien que les timbres transdermiques soient aussi efficaces que les comprimés pour protéger les os, ils peuvent ne pas s'avérer tout à fait aussi bienfaisants pour le cœur. Tout cela parce que ce système de transport des hormones ne passe pas par le foie, siège de fabrication du cholestérol. Le dispositif transdermique doit par ailleurs être changé deux fois par semaine ; une routine aide-mémoire peut donc aussi s'avérer utile.
- **La crème vaginale, les suppositoires ou le stérilet libérant des hormones** : Ces autres formes d'hormonothérapie

libèrent des œstrogènes directement dans le vagin et aident à combattre la sécheresse vaginale, un symptôme postménopausique courant. Une action locale signifie aussi moins de risques d'effets indésirables. Par contre, vous ne pouvez pas profiter de tous les bienfaits des autres formes d'hormonothérapie. J'aimerais aussi souligner que ces produits n'ont pas été approuvés par la FDA pour prévenir ou traiter l'ostéoporose.

Prenez des suppléments de calcium et de vitamine D, et soyez active

Une bonne alimentation et l'exercice physique accroissent l'efficacité d'un traitement hormonal. Les chercheurs commencent même à pouvoir en quantifier les bénéfices. Ainsi, le Dr Morris Notelovitz et ses collègues du Women's Medical and Diagnostic Centre de Gainesville, en Floride, se sont penchés sur le cas de femmes qui s'étaient fait enlever les ovaires et qui avaient suivi une œstrogénothérapie de substitution pendant au moins six mois. Pendant l'étude, les femmes continuaient à prendre des œstrogènes et la moitié d'entre elles a aussi entrepris un programme d'entraînement-musculation. Après un an, celles qui s'étaient contentées de prendre des hormones n'avaient eu aucun changement de densité osseuse, tandis que celles qui avaient aussi fait des exercices de développement de la force musculaire avaient eu des augmentations de 8,3 p. 100 de la densité osseuse des vertèbres et de 4,1 p. 100 de celle du poignet !

Faites faire votre bilan de santé régulièrement

Étant donné que l'hormonothérapie de remplacement augmente votre risque de cancer du sein, de l'endomètre et de l'utérus, il est essentiel que vous vous fassiez examiner attentivement avant d'entreprendre ce traitement et il faut que vous demeuriez vigilante tout au long de celui-ci. Votre examen initial devrait comprendre : un bilan de santé complet pour exclure toute contre-indication comme les problèmes de caillots sanguins, une mammographie et un examen manuel des seins, un examen pelvien et un frottis vaginal. Faites aussi faire un test de densitométrie osseuse initiale pour vous permettre, tant à vous qu'à votre médecin, de suivre les progrès du traitement. D'autres tests et examens peuvent aussi être faits selon vos antécédents familiaux.

Naturellement, l'auto-examen des seins devrait faire partie de la routine mensuelle de toutes les femmes, mais il est encore plus important de le faire si vous suivez une hormonothérapie. Chaque année, vous devriez passer une mammographie, faire faire un examen manuel de vos seins par votre médecin, faire vérifier votre tension artérielle et faire faire un bilan de santé général. Assurez-vous en outre que tous les médecins qui vous traitent savent que vous prenez des hormones.

Occupez-vous de tout effet indésirable

Beaucoup de femmes qui prennent des hormones ne constatent aucun effet indésirable. Plusieurs disent même qu'elles se sentent mieux, qu'elles dorment mieux et sont en meilleure forme. D'autres cependant éprouvent certains effets secondaires désagréables. Mais, puisqu'on gagne tellement à prendre des hormones pendant au moins 10 ans, il est important de réduire le plus possible les effets indésirables.

Consultez votre médecin si vous éprouvez l'un des problèmes suivants : maux de tête, changements d'humeur, nausées, endolorissement des seins ou hémorragies intermenstruelles. Il se peut qu'il vous conseille d'attendre un peu, car souvent ces effets secondaires disparaissent d'eux-mêmes après quelques mois. Ainsi, les hémorragies intermenstruelles cessent habituellement après six à neuf mois si vous prenez de la progestérone en traitement continu. Votre médecin pourrait aussi vous proposer une formule différente, une autre marque ou une autre forme d'hormonothérapie comme un dispositif transdermique au lieu de comprimés, par exemple. Une autre solution à discuter avec votre médecin serait de réduire la dose que vous prenez. Les études récentes indiquent en effet que la moitié de la dose habituelle peut fournir une protection adéquate pour les os (bien que peut-être pas pour le cœur) et ce, avec moins d'effets fâcheux. Et, puisque la progestérone est la composante hormonale qui risque le plus de causer des problèmes, il peut être utile de remplacer une utilisation cyclique de progestérone par une utilisation continue.

L'HORMONOTHÉRAPIE DE REMPLACEMENT FAIT-ELLE ENGRAISSER ?

De nombreuses femmes sont persuadées que le fait de prendre des hormones fait engraisser. Mais les études scientifiques ne corroborent pas cette impression. La plupart montrent en effet que les femmes qui suivent une HTR ne prennent pas de poids ; d'autres révèlent de faibles gains, mais il s'agit de gains que l'on note aussi chez les femmes du même âge qui ne prennent pas d'hormones.

En Italie, par exemple, en 1997, des chercheurs ont suivi 37 femmes récemment ménopausées pendant un an. Les participantes ont été réparties aléatoirement en deux groupes. Dans un des groupes, les femmes prenaient des hormones ; dans l'autre, le groupe témoin, elles n'en prenaient pas. Au début, toutes les femmes avaient des poids moyens semblables et des morphologies corporelles similaires. Après un an, les femmes des deux groupes avaient pris du poids, mais celles du groupe témoin en avaient pris *plus* : des gains de 2 kg en moyenne par rapport à 500 g pour celles qui avaient suivi une hormonothérapie, une différence statistiquement significative. Dans certains cas, les femmes qui s'inquiètent de leur poids font de la rétention d'eau, tout simplement. Parfois, un dosage différent ou une autre forme d'hormonothérapie peut corriger le problème. Mais en général, la prise de poids n'est pas liée à l'HTR comme telle, mais plutôt à deux changements qui surviennent avec l'âge : la perte de masse musculaire et l'inactivité. Plus notre masse musculaire diminue, plus notre métabolisme ralentit et plus nous engraissons facilement.

Une masse musculaire réduite signifie aussi que nous risquons d'être moins active et donc de brûler moins de calories. Quand une femme me dit qu'elle a pris du poids à cause de son hormonothérapie, je l'invite à considérer aussi les autres facteurs qui pourraient expliquer son gain de poids. Enfin, l'entraînement-musculation et les exercices aérobiques peuvent souvent corriger ce problème.

Pensez à prendre d'autres médicaments pour vos os si vous cessez votre hormonothérapie

Quand vous cessez une hormonothérapie, votre capital osseux diminue rapidement, comme c'est le cas après la ménopause pour celles qui ne prennent pas d'hormones. Demandez à votre médecin de changer pour de l'alendronate ou du raloxifène pour maintenir votre densité osseuse.

> *Un test a révélé des signes d'ostéoporose légère. Je n'aime pas prendre des médicaments à moins que ce ne soit vraiment nécessaire, mais ma mère avait une bosse de douairière et je ne tiens pas à en avoir une. La posture a toujours été très importante pour moi. Je me suis toujours dit que je ne serais pas une petite vieille toute voûtée. Je prends des œstrogènes ainsi que deux comprimés* Tums *le matin, et deux autres le soir. J'ai commencé à faire des exercices : je me suis mise à marcher et je me suis aussi inscrite à des cours d'entraînement-musculation pour contrer l'ostéoporose. Après mon dernier test de densitométrie osseuse, mon médecin m'a envoyé ce mot : « Quoi que vous fassiez, continuez ! »*
>
> DOROTHÉE, 67 ans

Bisphosphanates

Les bisphosphanates font partie des médicaments les plus nouveaux pour prévenir et traiter l'ostéoporose. Ces substances se lient aux ostéoclastes, les cellules qui décomposent le tissu osseux, et les empêchent de fonctionner. Bien que l'utilisation des bisphosphanates soit récente dans le traitement de l'ostéoporose, on les prescrit depuis plusieurs décennies pour traiter d'autres troubles des os. Jusqu'à présent, un seul bisphosphanate a reçu l'approbation de la FDA pour combattre l'ostéoporose, il s'agit de l'alendronate (Fosamax). Mais d'autres médicaments de cette catégorie devraient être offerts sous peu. L'un d'eux, le risédronate (Actonel, de son nom commercial), est actuellement à l'étude par la FDA. Les recherches indiquent que le produit est efficace et sécuritaire et je m'attends à ce qu'il soit approuvé sous peu.

De nombreuses études ont montré que l'alendronate pouvait augmenter la densité osseuse de manière statistiquement significative. On note, après seulement trois ans d'utilisation, une diminution de 50 p. 100 de l'incidence des fractures de la hanche et des vertèbres. On constate aussi des effets bénéfiques pendant la première année de traitement et ceux-ci augmentent après deux et trois ans. Par la suite, les améliorations sont minimales. Toutefois, l'utilisation à long terme est probablement nécessaire pour maintenir une protection des os. Heureusement, puisque les bisphosphanates ont été utilisés pour traiter d'autres maladies des os, nous savons d'expérience qu'ils sont sans danger.

Qui devrait considérer la prise d'alendronate ?

L'alendronate constitue une solution intéressante pour celles qui ne peuvent pas ou ne veulent pas prendre d'hormones. C'est aussi un médicament qui aide à prévenir la perte rapide de capital osseux qui survient chez les femmes qui cessent leur traitement hormonal. Dans une étude faite en 1999, des chercheurs espagnols se sont penchés sur les cas de 144 femmes qui avaient arrêté de prendre des hormones. La moitié d'entre elles a reçu de l'alendronate et les autres, celles du groupe témoin, un placebo. Un an plus tard, les femmes du groupe témoin montraient une perte accélérée de masse osseuse caractéristique de celle que subissent les femmes qui arrêtent de prendre des hormones : la densité des os de la colonne vertébrale avait diminué en moyenne de 3,2 p. 100 et celle des os de la hanche, de 1,4 p. 100. Mais chez les femmes qui avaient pris de l'alendronate, la densité osseuse de la hanche s'était maintenue et on constatait même une augmentation de 2,3 p. 100 de celle des vertèbres.

Devrait-on prendre de l'alendronate avec une HTR ? Cette association médicamenteuse semble avoir un effet positif légèrement accru sur les os par rapport à chacun des médicaments pris séparément, alors certains médecins prescrivent les deux aux femmes atteintes d'ostéoporose avancée.

La plupart des femmes tolèrent bien l'alendronate pourvu qu'elles suivent les indications et le prennent à jeun. Ce médicament peut toutefois entraîner des réactions défavorables comme des nausées ou de l'indigestion. À cause de ces problèmes, on ne prescrit pas l'alendronate à celles qui ont des ulcères ou des brûlures d'estomac ou tout autre trouble du tractus gastro-intestinal supérieur.

Maximiser les bienfaits et minimiser les effets indésirables

Pour vous assurer que l'alendronate est bien absorbé, prenez votre médicament à jeun, avec un grand verre d'eau (150 ml ou plus), et attendez au moins une demi-heure avant de boire autre chose ou de manger. Cette routine aide à prévenir les troubles gastriques qu'éprouvent environ 5 p. 100 des femmes qui essaient ce médicament. Dans la plupart des cas, on peut éviter ces problèmes en suivant la routine matinale suivante :

- Prenez le médicament dès votre réveil, lorsque votre estomac est vide.
- Attendez au moins une demi-heure avant de prendre votre petit-déjeuner.
- Ne vous couchez pas après avoir pris votre médicament, attendez au moins une demi-heure : l'effet de la gravité

aide à combattre le reflux gastrique et permet de réduire de beaucoup le risque de brûlure d'estomac.

La recherche

L'alendronate réduit l'incidence de fractures

Après que les études préliminaires eurent suggéré que l'alendronate semblait prometteur pour traiter l'ostéoporose, les chercheurs de 11 centres cliniques ont joint leurs efforts pour pousser plus loin leurs recherches. Ils ont recruté 2 027 femmes âgées de 55 à 80 ans dans une étude appelée FIT (Fracture Intervention Trial). Les participantes avaient des fractures vertébrales préexistantes causées par l'ostéoporose et elles avaient donc un risque élevé de développer des fractures additionnelles. La moitié des participantes, réparties au hasard, recevaient de l'alendronate, les autres, un placebo. Au cours des trois années suivantes, toutes les femmes ont passé un test annuel de densitométrie osseuse et on a relevé toutes les fractures.

Après trois ans, on a constaté une différence considérable entre les femmes des deux groupes : chez celles qui avaient pris de l'alendronate, on notait 47 p. 100 moins de nouvelles fractures vertébrales, 51 p. 100 moins de fractures de la hanche et 41 p. 100 moins de fractures du poignet. Ces bienfaits sont presque aussi importants que ceux obtenus avec un traitement hormonal de longue durée, à la différence qu'on les constate beaucoup plus tôt.

L'étude FIT s'est poursuivie avec un autre groupe de 4 432 femmes âgées de 55 à 80 ans, et cette fois les chercheurs ont choisi des femmes qui n'avaient jamais eu de fractures. Celles qui prenaient de l'alendronate ont eu 44 p. 100 moins de fractures vertébrales que celles qui avaient reçu un placebo.

D'autres bisphosphanates efficaces (y compris l'étidronate, le risédronate, le pamidronate et l'ibandronate) sont actuellement à l'étude pour le traitement de l'ostéoporose, mais ils n'ont pas encore été approuvés par la FDA. Ces médicaments pourraient constituer une solution intéressante pour les femmes qui souffrent de malaises gastriques causés par l'alendronate.

CATHERINE

Il y a des années que je prends des médicaments pour la glande thyroïde, alors je savais que j'étais à risque. J'ai passé un test de densitométrie osseuse en décembre 1997 et les résultats se sont avérés accablants. Mon indice de densité osseuse n'était même pas sur le graphique pour une femme de mon âge. J'avais 54 ans, mais ma densité osseuse était comparable à celle de femmes de 85 ans.

Je ne pouvais pas prendre d'œstrogènes, même à faibles doses, parce que quand j'avais pris des anovulants avec œstrogènes, j'avais eu des problèmes de caillots sanguins. Alors j'ai commencé à prendre du calcium, de la vitamine D et un supplément vitaminique. J'ai engagé un entraîneur personnel et je me suis mise à faire des exercices avec des poids. J'ai aussi pris du Fosamax. Un an plus tard, j'ai passé un autre test et ma densité osseuse avait augmenté de 9,9 p. 100.

Les modulateurs sélectifs des récepteurs des œstrogènes (MSRE)

Vers la fin des années 1980, les chercheurs qui s'intéressaient au cancer du sein se sont rendu compte que les femmes qui prenaient du tamoxifène (nom commercial : Nolvadex) bénéficiaient d'un effet positif inattendu : la préservation de la masse osseuse. Le tamoxifène est un médicament de la famille des MSRE. Ces substances se fixent aux récepteurs des œstrogènes de différents tissus et ont des effets qui ressemblent à ceux des œstrogènes, bien qu'à une intensité moindre. C'est pour cette raison qu'on les appelle parfois « de faibles œstrogènes » (on voit aussi « œstrogènes de synthèse »). On peut les prendre sans augmenter le risque de cancer du sein.

Le tamoxifène n'a pas eu d'effets aussi importants sur les os que l'alendronate ou l'hormonothérapie de remplacement, mais cette découverte accidentelle a tout de même incité les chercheurs à étudier de plus près d'autres MSRE. En 1998, la FDA a approuvé le premier MSRE pour la prévention de l'ostéoporose: le raloxifène (nom commercial: Evista). Et en 1999, l'organisme l'approuvait aussi pour le traitement de l'ostéoporose.

Le raloxifène est un médicament fort intéressant. L'augmentation de la densité osseuse n'est qu'un des effets bénéfiques qu'il procure. Il semble aussi qu'il contribue à abaisser le taux de cholestérol (quoique pas autant que l'hormonothérapie de remplacement) et qu'il pourrait réduire considérablement le risque de cancer du sein. D'autres MSRE sont actuellement à l'étude et devraient être approuvés par la FDA d'ici quelques années.

LA RECHERCHE

Le raloxifène pour prévenir les fractures et le cancer du sein

À ce jour, la plus vaste étude sur le raloxifène est l'étude MORE (Multiple Outcomes of Raloxifene Evaluation) qui a porté sur 7705 femmes postménopausées de 25 pays différents. Toutes étaient atteintes d'ostéoporose ou avaient des fractures vertébrales préexistantes. Elles ont été réparties au hasard en trois groupes. Les femmes du premier groupe prenaient un seul comprimé de raloxifène par jour, celles du deuxième en prenaient deux et les femmes du troisième groupe ont reçu un placebo. Les chercheurs ont suivi les participantes pendant trois ans en leur faisant passer un test de densitométrie osseuse chaque année et en notant les fractures. Les femmes du groupe témoin, celles sous placebo, montraient un taux de fractures vertébrales de 10,1 p. 100. Or ce taux était de 6,6 p. 100 chez les femmes qui prenaient un comprimé de raloxifène par jour et de seulement 5,4 p. 100 chez celles qui en prenaient deux, soit une réduction de 30 à

50 p. 100 de l'incidence des fractures. Il faudra encore d'autres recherches pour arriver à déterminer la dose la plus efficace à long terme.

L'impact de ce traitement sur le cancer du sein s'est avéré tout aussi important. Au cours des trois années de l'étude MORE, 40 participantes ont eu un diagnostic de cancer du sein. Mais l'incidence était de 76 p. 100 inférieure dans le groupe de celles qui prenaient du raloxifène. De nouvelles études sont actuellement en cours pour comparer l'efficacité du raloxifène par rapport à celle du tamoxifène dans la prévention du cancer du sein. Plusieurs croient en effet que le raloxifène pourrait s'avérer plus efficace et ce, avec moins d'effets indésirables.

Qui devrait considérer la prise de raloxifène ?

Parce que le raloxifène se fixe aux récepteurs des œstrogènes, il interfère avec les autres formes d'œstrogènes. Ainsi, les femmes qui n'ont pas eu leur ménopause ne peuvent pas prendre ce médicament, ni celles qui suivent une HTR ou une ETS. Comme les œstrogènes, le raloxifène ne convient pas aux femmes qui ont une maladie du foie ni des antécédents ou un risque de caillots sanguins.

Si vous êtes postménopausée et que vous ne pouvez pas suivre d'hormonothérapie, ou si vous préférez ne pas prendre d'hormones, je vous encourage vivement à parler de raloxifène avec votre médecin. Il pourrait aussi s'agir d'une solution intéressante pour les femmes qui ont des antécédents personnels ou familiaux de cancer du sein.

Devriez-vous remplacer votre hormonothérapie par un traitement au raloxifène ? Probablement pas. Si vous êtes atteinte d'ostéoporose, l'hormonothérapie de remplacement ou l'alendronate constituent sans doute de meilleurs choix puisque l'efficacité du raloxifène pour la réduction du risque de fracture n'est que des deux tiers de celle des deux autres traitements. Par ailleurs, bien qu'il contribue jusqu'à un certain point à améliorer le taux de cholestérol, il n'est pas démontré que le raloxifène peut réduire le risque de maladie cardiaque autant que l'HTR. Et nous ne savons pas encore s'il peut contrer le risque de maladie d'Alzheimer. Enfin, le raloxifène ne soulage pas les bouffées de chaleur ni les autres symptômes de la ménopause. D'ailleurs, les bouffées de chaleur sont une des réactions défavorables fréquemment rapportées par les femmes qui prennent ce médicament.

Notre manque d'expérience à long terme avec ce médicament constitue une autre de nos préoccupations. Bien qu'il semble tout à fait sécuritaire, nous ne pourrons en être certains avant quelque temps encore. Et nous ne savons pas non plus ce qui se passerait si une femme arrêtait d'en prendre, quoique nous puissions présumer qu'elle recommencerait à perdre du capital osseux. Une autre question concerne les effets bénéfiques possibles d'une association de raloxifène et d'alendronate. Malgré que certains médecins prescrivent les deux aux femmes atteintes d'ostéoporose confirmée ou avancée, nous ne savons pas vraiment si cette association offre un quelconque avantage sur le fait de prendre l'un ou l'autre de ces médicaments séparément. Des chercheurs étudient actuellement toutes ces questions, alors nous en saurons certainement davantage dans un avenir rapproché.

Minimiser les effets indésirables

Le raloxifène semble n'avoir qu'un seul effet secondaire grave : les caillots sanguins. Heureusement, ceux-ci ne surviennent que dans 1 p. 100 des cas. D'autres effets désagréables plus courants sont évoqués : les bouffées de chaleur (10 p. 100), les crampes dans les jambes (7 p. 100) et l'enflure des mains ou des pieds (5 à 6 p. 100). Si vous éprouvez de tels problèmes, parlez-en à votre médecin. Il se pourrait qu'il puisse diminuer votre dose au lieu d'arrêter le traitement.

Bien que l'effet du raloxifène sur les os soit semblable à celui des œstrogènes, ce médicament n'a pas les effets de ces hormones sur les seins ou l'utérus. Ce qui signifie que si vous prenez du raloxifène, tout endolorissement des seins ou saignement vaginal anormal ne peut être attribué à la prise de ce médicament. Si vous éprouvez de tels symptômes, vous devez en parler avec votre médecin.

La calcitonine

La calcitonine est une hormone produite par la glande thyroïde qui réduit l'activité de décomposition osseuse des ostéoclastes. Normalement, la calcitonine est sécrétée en réponse à un taux élevé de calcium sanguin. Vers la fin des années 1970, les chercheurs ont commencé à étudier la calcitonine dans le traitement de la maladie de Paget. Quand il fut clair que cette hormone pouvait inhiber l'activité des ostéoclastes, on a voulu étendre les recherches pour y inclure l'ostéoporose. La calcitonine a été approuvée par la FDA pour traiter l'ostéoporose en 1985. Elle demeure un choix intéressant pour ceux et celles qui ne peuvent prendre d'autres sortes de médicaments pour l'ostéoporose.

La calcitonine améliore la densité osseuse et réduit l'incidence de fractures, notamment celles des vertèbres. Après un an ou deux de traitement, on constate une diminution de 30 à 50 p. 100 des fractures vertébrales et de 25 p. 100 environ pour celles de la hanche. Ces améliorations sont tout à fait comparables à celles que l'on obtient avec le raloxifène, mais toutefois moins importantes que celles obtenues avec l'hormonothérapie de remplacement ou l'alendronate.

L'un des bienfaits importants de la calcitonine lui est par ailleurs unique : il s'agit du soulagement de la douleur causée par des fractures vertébrales récentes. Après seulement deux à quatre semaines de traitement à la calcitonine, on note un apaisement de la douleur. Et c'est pourquoi, si une femme souffre de douleurs dorsales attribuables à une fracture ostéoporotique, son médecin peut lui prescrire, entre autres choses, de la calcitonine.

Qui devrait considérer la prise de calcitonine ?

Les recherches actuelles suggèrent que, pour la plupart des femmes, l'hormonothérapie de remplacement et l'alendronate sont beaucoup plus efficaces que la calcitonine pour prévenir et traiter l'ostéoporose. Mais si une femme ne peut pas prendre ce genre de médicaments, elle devrait considérer la calcitonine. Cette dernière constitue aussi un choix valable pour les femmes qui souffrent de douleurs dorsales causées par des fractures ostéoporotiques. Les médecins ajoutent parfois de la calcitonine à une hormonothérapie de remplacement ou à un traitement à l'alendronate ou au raloxifène quand la femme est atteinte d'ostéoporose avancée, ou encore si elle ne répond pas bien à un seul médicament.

Minimiser les effets indésirables

Parce que la calcitonine est dégradée dans l'estomac pendant la digestion, elle ne peut être administrée par voie orale. Jusqu'au milieu des années 1990, les femmes qui prenaient de la calcitonine devaient se faire des injections tous les deux jours. Mais la calcitonine est maintenant offerte sous forme de pulvérisation nasale (nom commercial Miacalcin), une formule beaucoup plus facile à utiliser pour la majorité des femmes. La forme injectable (Calcimar et Miacalcin) est cependant encore utilisée.

Bien que la calcitonine soit sécuritaire, certaines femmes éprouvent des effets désagréables de la pulvérisation, dont une irritation des voies nasales, une rougeur, des démangeaisons et des saignements de nez. La meilleure façon d'éviter ces problèmes consiste à alterner les vaporisations dans une narine et dans l'autre en faisant attention de ne pas vaporiser dans la même narine deux jours de suite. Des nausées et un goût bizarre ou des bouffées congestives ont aussi été rapportés, quoique moins fréquemment. Si vous souffrez d'un de ces symptômes, parlez-en à votre médecin. Vous pourriez peut-être changer pour la forme injectable ou encore pour un autre médicament qui permette de préserver le capital osseux.

En Europe, des chercheurs travaillent actuellement sur une nouvelle forme de calcitonine administrée par voie orale qui ne serait pas dégradée dans l'estomac.

D'autres médicaments parfois utilisés pour traiter l'ostéoporose

Les médicaments dont nous avons parlé jusqu'à maintenant, les traitements hormonaux (HTR, ETS), l'alendronate, le raloxifène et la calcitonine, ont tous été approuvés par la FDA pour la prévention ou le traitement de l'ostéoporose ou encore pour les deux. Il arrive aussi que des médecins prescrivent d'autres médicaments pour l'ostéoporose. Ceux mentionnés ci-après ont tous été approuvés pour traiter d'autres maladies ou affections et certains seront sans doute approuvés pour le traitement de l'ostéoporose, lorsque suffisamment d'études auront pu confirmer leur efficacité contre cette maladie. Si votre médecin vous suggère l'un d'entre eux, discutez avec lui des raisons qui motivent son choix. Souvent, en effet, ces médicaments sont prescrits quand les os de la patiente ne semblent pas répondre aux autres médicaments approuvés.

Médicaments approuvés par la FDA pour prévenir ou traiter l'ostéoporose			
Traitement médicamenteux	Utilisation pour l'ostéoporose	Bienfaits	Inconvénients
HTR ou **ETS**	Prévention et traitement chez les femmes postménopausées.	Améliore la densité des os et réduit l'incidence de fractures ; actuellement la forme la plus efficace de traitement de longue durée pour les os. Réduit aussi le risque de maladie cardiaque, soulage les symptômes de la ménopause et peut aussi réduire le risque de maladie d'Alzheimer.	Augmente le risque de caillots sanguins ; augmente légèrement le risque de cancer du sein. Peut causer des hémorragies intermenstruelles, de la rétention d'eau et d'autres réactions indésirables mineures.
Alendronate (Fosamax)	Prévention et traitement chez les femmes postménopausées.	Améliore la densité des os et réduit l'incidence de fractures aussi efficacement que l'HTR.	Peut causer des problèmes gastro-intestinaux : reflux gastrique et brûlures d'estomac. Ces effets désagréables peuvent être minimisés en suivant une routine matinale stricte.

Médicaments approuvés par la FDA pour prévenir ou traiter l'ostéoporose			
Traitement médicamenteux	Utilisation pour l'ostéoporose	Bienfaits	Inconvénients
Raloxifène (Evista)	Prévention et traitement chez les femmes postménopausées.	Améliore la densité des os et réduit l'incidence de fractures, mais pas aussi efficacement que l'alendronate ou l'HTR. Réduit aussi considérablement le risque de cancer du sein et peut abaisser légèrement le taux de cholestérol.	Augmente le risque de caillots sanguins. Peut causer des bouffées de chaleur et une enflure des bras et des jambes.
Calcitonine (Miacalcin, Calcimar)	Traitement chez les femmes postménopausées.	Améliore la densité des os, surtout celle de la hanche et de la colonne vertébrale, mais pas aussi efficacement que l'HTR, l'alendronate ou le raloxifène.	Soulage la douleur de fractures vertébrales récentes. Peut aussi causer des bouffées congestives et des malaises gastro-intestinaux.

L'hormone parathyroïdienne

L'hormone parathyroïdienne (PTH) est produite par la glande thyroïde, laquelle est située dans le cou. Comme la calcitonine et la vitamine D, la PTH veille à maintenir des niveaux adéquats de calcium et de phosphate dans le sang.

Les chercheurs croyaient auparavant que la PTH stimulait tout simplement l'activité des ostéoclastes décomposeurs de tissu osseux. Mais de nouvelles études révèlent que la PTH agit aussi sur les ostéoblastes pour stimuler la formation de tissu osseux. Ce sont de telles données qui ont mené à l'hypothèse selon laquelle la PTH pourrait être administrée en association avec d'autres médicaments pour obtenir un gain de tissu osseux. Une étude d'envergure réduite publiée dans la revue scientifique *Lancet* en 1997 a montré des résultats prometteurs quand on ajoutait de la PTH à l'hormonothérapie de remplacement. Dix-sept femmes postménopausées ont reçu cette association médicamenteuse tandis que d'autres du groupe témoin ont reçu un placebo avec leur HTR. Ces dernières ont vu leur densité osseuse se maintenir au cours d'une période de trois ans, mais chez celles qui recevaient une faible dose de PTH de concert avec leur HTR, on a constaté des augmentations de masse osseuse de l'ordre de 13 p. 100 pour la colonne vertébrale et une incidence moindre de fractures vertébrales.

D'autres études portant sur des femmes préménopausées qui développent de l'ostéoporose à cause de problèmes médicaux comme des troubles de la glande thyroïde et la polyarthrite rhumatoïde suggèrent elles aussi que la PTH peut contribuer à la formation de nouveau tissu osseux. Actuellement, la PTH n'est offerte que sous forme d'injections quotidiennes, ce qui en diminue l'attrait. Mais il s'agit tout de même d'un médicament très prometteur qui mérite plus de recherches.

Le fluorure

Le fluorure, cet élément minéral dont les bienfaits pour les dents sont bien connus, pourrait s'avérer nécessaire à l'état de traces pour une minéralisation adéquate des os. Les premières études sur les traitements au fluorure ont montré que celui-ci pouvait stimuler la formation de nouveau tissu osseux. Mais il y avait un inconvénient : les os devenaient peut-être plus denses, mais ils n'étaient pas tout à fait aussi forts et solides que normalement. En fait, on a relevé un *plus grand nombre* de fractures chez les femmes traitées avec du fluorure.

Des études plus récentes, dans lesquelles on administrait des doses plus faibles de fluorure, ont donné des résultats plus prometteurs. Dans l'une de ces études portant sur 200 femmes postménopausées qui avaient pris du fluorure pendant quatre ans, on a constaté une augmentation de 10 p. 100 de la densité osseuse des vertèbres et une diminution de 70 p. 100 de l'incidence des fractures à la colonne vertébrale.

Dans le passé, les effets indésirables du traitement au fluorure constituaient un problème de taille. Avec des doses réduites, cependant, les réactions défavorables sont moins fréquentes. Mais certaines femmes éprouvent tout de même des douleurs abdominales, des saignements du tractus gastro-intestinal, des vomissements, de la diarrhée ainsi qu'une raideur articulaire. Il faudra donc des études plus poussées pour explorer le potentiel du fluorure en tant que médicament pour traiter l'ostéoporose, que ce soit à lui seul ou en association avec d'autres médicaments.

Le calcitriol

Comme vous le savez, la vitamine D joue un rôle clé dans la santé des os. Cette vitamine prend plusieurs formes différentes dans l'organisme, la plus puissante étant le calcitriol. On utilise ce dernier pour traiter certains troubles rares du métabolisme du calcium tels que l'hypocalcémie (taux faible de calcium dans le sang). Bien qu'un essai comparatif ait montré que le calcitriol pouvait réduire l'incidence des fractures ostéoporotiques, les bienfaits de cette substance étaient les mêmes que ceux obtenus avec des suppléments ordinaires de vitamine D. Une question qui préoccupe beaucoup les chercheurs tient au fait que le calcitriol peut s'avérer toxique. Il faudra donc plus de recherches pour démontrer l'innocuité et l'efficacité de ce produit. En attendant, je ne recommande pas l'utilisation du calcitriol pour prévenir ou traiter l'ostéoporose.

La testostérone

La testostérone, l'hormone sexuelle mâle, aide à protéger les hommes de l'ostéoporose. Puisque les femmes produisent de faibles quantités de testostérone, les chercheurs se sont demandé si le fait d'augmenter le taux de testostérone chez les femmes pourrait avoir un effet bénéfique sur leurs os. Or, les études préliminaires tendent à le démontrer. Mais il faut davantage de recherches. Bien que la FDA ait approuvé la testostérone dans le traitement du syndrome ménopausique, cette hormone mâle n'a pas encore été approuvée pour traiter l'ostéoporose. Mentionnons en outre que la testostérone entraîne d'importants effets indésirables comme un gain de poids, une voix plus grave, des poils au visage, de l'acné et une augmentation des odeurs corporelles.

Les thiazidiques

Les thiazidiques sont une sorte de diurétiques utilisés pour traiter l'hypertension artérielle légère ou modérée. Un des bienfaits de ces médicaments provient de ce qu'ils aident les reins à préserver leur calcium : la quantité excrétée dans l'urine est donc moindre. Les femmes qui prennent des thiazidiques pendant de longues périodes (plus de cinq ans) semblent avoir une meilleure densité osseuse que prévu et un risque de fracture réduit. Mais les effets constatés jusqu'à présent ne suffisent pas pour que ce médicament soit considéré comme un choix intéressant par rapport à ceux actuellement offerts. D'autres recherches permettront peut-être de trouver des moyens d'utiliser les thiazidiques de manière plus efficace. Enfin, si vous prenez des médicaments pour l'hypertension, informez-vous auprès de votre médecin pour savoir si vous pouvez changer pour des thiazidiques (ces médicaments ne conviennent pas toujours). Les thiazidiques peuvent être utilisés en association avec d'autres médicaments pour traiter ou prévenir l'ostéoporose.

Des médicaments encore au stade expérimental

Tous les médicaments actuellement approuvés agissent en inhibant l'action de décomposition des ostéoclastes. On appelle ce genre de médicaments des substances anti-résorption. Mais on voit poindre à l'horizon une nouvelle classe de médicaments **stimulants,** qui augmenteraient plutôt l'activité des ostéoblastes bâtisseurs de tissu osseux. Ceux-ci pourront être utilisés seuls ou en association médicamenteuse avec des substances anti-résorption ainsi qu'avec un programme d'exercices et des suppléments diététiques.

Les chercheurs s'intéressent aussi à des facteurs de croissance qui pourraient stimuler la croissance des os. Parmi les substances à l'étude, mentionnons l'hormone de croissance, produite par l'hypophyse et le facteur de croissance insulinomimétique (IGF), produit par le foie et d'autres tissus.

Certaines cytokines (sortes d'hormones produites localement ou près du site qu'elles influencent) pourraient aussi s'avérer importantes. L'une d'elles actuellement à l'étude, le facteur de croissance transformant b, est produite par les cellules immunitaires de l'organisme. Le facteur de croissance transformant b inhibe la formation des ostéoclastes, ce qui réduit la dissolution du tissu osseux. Ce facteur de croissance stimule aussi la formation des ostéoblastes bâtisseurs de tissu osseux. Nous pensons maintenant que cette cytokine joue un rôle crucial dans le processus de remodelage des os.

À l'heure actuelle, les recherches sur les cytokines et les facteurs de croissance n'en sont qu'à leurs premiers balbutiements. Les chercheurs en sont à l'étape des essais sur cellules en éprouvettes et animaux de laboratoire. Mais je m'attends à ce que d'ici quelque 10 ans, nous voyions naître de nouveaux médicaments de tous ces efforts.

Les médicaments non conventionnels : possibilités et limites

Les magasins d'aliments naturels regorgent d'herbes et d'autres produits médicinaux soi-disant très efficaces. Naturellement, nous aimerions tous découvrir de nouveaux traitements pour l'ostéoporose, des médicaments sécuritaires, efficaces et faciles à trouver. Les médicaments d'usage traditionnel constituent une excellente source d'inspiration pour la recherche scientifique. Certains de nos médicaments les plus précieux, comme l'aspirine et le tamoxifène, ont été découverts de cette façon. Un autre, l'ipriflavone, un dérivé synthétique du soja, a montré des effets prometteurs dans le traitement de l'ostéoporose lors d'études sérieuses et bien contrôlées.

Néanmoins, je trouve curieux et inquiétant qu'autant de femmes rejettent d'emblée les médicaments qui ont fait leurs preuves pour favoriser plutôt des herbes et autres substances médicinales qui n'ont pas été éprouvées et qui pourraient même s'avérer risquées. Quelque intéressantes que soient les anecdotes que l'on entend, elles ne peuvent remplacer des études cliniques et scientifiques. Les médicaments d'ordonnance de même que ceux en vente libre doivent satisfaire aux normes de sécurité et d'efficacité d'organismes nationaux tandis que les herbes médicinales n'y sont pas soumises. La pureté et les unités de dosage de ces produits ne sont ni réglementées ni standardisées. Quand vous avalez un de ces comprimés ou élixirs, vous n'avez aucune garantie que le produit agira comme le prétend son étiquette. Vous ne savez même pas s'il contient bien les ingrédients mentionnés ni s'il ne contient pas autre chose que vous ne voudriez pas avaler. J'espère que vous ferez preuve d'une grande prudence en abordant ces produits naturels à vocation thérapeutique. Discutez-en avec votre médecin et parlez-lui des médicaments en vente libre ou autres produits que vous prenez.

Vous trouverez ci-dessous des substances naturelles médicinales vendues dans les magasins d'aliments naturels ou que vous pouvez vous procurer via Internet et qui sont parfois recommandées par les herboristes pour traiter l'ostéoporose. Je tiens à souligner qu'aucune de ces substances n'a été approuvée par la FDA et qu'aucune n'est réglementée par cet organisme.

L'ipriflavone

L'ipriflavone est un médicament prometteur pour le traitement de l'ostéoporose. Il s'agit d'un dérivé synthétique d'isoflavones (des phytoœstrogènes que l'on trouve dans le soja) qui est offert sous forme de comprimés. Plus de 60 études, la plupart provenant d'Italie, de Hongrie et du Japon, indiquent que l'ipriflavone améliore la densité osseuse de la colonne vertébrale et de la hanche chez les femmes postménopausées et ce, d'un facteur de 1 ou 2 p. 100 après une période de deux ou trois ans d'utilisation. Bien que l'ipriflavone semble entraîner peu d'effets indésirables, nous savons que ce produit interfère avec les récepteurs des œstrogènes. Il faudra donc vérifier ses effets sur l'utérus, les seins, le cœur et les autres organes du corps.

L'utilisation d'ipriflavone est maintenant approuvée en Italie, en Hongrie et au Japon pour le traitement de l'ostéoporose. Mais les résultats des recherches doivent satisfaire des normes plus élevées pour gagner l'approbation de la FDA. En attendant, on peut se procurer de l'ipriflavone, sans ordonnance, dans des pharmacies et de nombreux magasins d'aliments naturels.

Les herbes pour traiter les symptômes de la ménopause

Les herboristes asiatiques prescrivent parfois certaines herbes pour traiter l'ostéoporose parce que celles-ci sont supposées avoir des effets similaires à ceux des œstrogènes sur certains symptômes de la ménopause, telles les bouffées de chaleur. Ils espèrent en fait que ces herbes procurent aussi des bienfaits sur les os qui soient comparables à ceux des œstrogènes. Une autre sorte de traitement pour l'ostéoporose fait appel à des herbes qui contiennent des quantités élevées de substances que l'on retrouve naturellement dans les os. J'énumère ci-dessous quelques-unes de ces herbes. Mais rappelez-vous qu'aucune d'entre elles n'a été éprouvée scientifiquement à cet effet, alors nous ne pouvons être assurés de leur efficacité dans le traitement ou la prévention de l'ostéoporose.

L'igname sauvage *(Dioscorea villosa)*

Les ignames sauvages contiennent de la diosgénine, laquelle est utilisée pour les préparations d'œstrogènes et de progestérone avec lesquelles on fabrique les comprimés d'HTR et d'ETS. On trouve des crèmes, des capsules et des extraits de cette plante dans les magasins d'aliments naturels. Leurs étiquettes prétendent souvent que ces produits peuvent augmenter la production naturelle d'œstrogènes et de progestérone de l'organisme. Il n'existe cependant aucune preuve scientifique à cet effet.

Les produits faits d'igname sauvage sont utilisés depuis longtemps pour traiter les symptômes de la ménopause. Certaines données suggèrent que cette herbe peut soulager les bouffées de chaleur, mais ce facteur n'a pas été étudié à fond. Il n'y a toutefois aucune preuve à l'effet que l'igname puisse traiter ou prévenir l'ostéoporose. Sachez aussi que malgré des prix élevés, certaines de ces crèmes ne contiennent même pas d'extrait d'igname !

L'herbe de Saint-Christophe, le ginseng asiatique et le dong quai

Ces racines, riches en isoflavones, ont été prescrites par les herboristes asiatiques pour soulager les bouffées de chaleur chez les femmes ménopausées. On ne dispose toutefois d'aucune étude scientifique pour confirmer leur efficacité dans le traitement de ce symptôme ménopausique et on ne sait pas non plus si ces substances comportent quelque bienfait que ce soit pour les os.

La prêle *(Equisetum arvense)*

Cette herbe, vendue comme élixir ou tisane, est riche en acide silicique et en silicates, des éléments qui fournissent le silicium élémentaire qui contribue à la formation du cartilage et des os. Cependant, l'alimentation nous fournit habituellement suffisamment de silicium (les principales sources étant les céréales) et il n'y a aucune preuve à l'effet que des suppléments de silicium soient bénéfiques pour les os.

Parlez d'ostéoporose avec votre médecin

Si vos os vous préoccupent et que vous pensez à un traitement médicamenteux, il est important de discuter des choix possibles avec votre médecin. Préparez votre visite en rassemblant l'information qui aidera votre médecin à bien vous conseiller et notez par écrit vos questions ou vos inquiétudes. Voici deux listes aide-mémoire qui vous aideront à préparer votre visite :

Ce que votre médecin devrait savoir

- Préparez une liste de vos antécédents médicaux, tant personnels que familiaux, en y inscrivant les maladies chroniques dont vos grands-parents, parents, frères et sœurs ont souffert de même que les maladies ou affections dont vous avez vous-même été atteinte.
- Dressez une liste des facteurs de risque que vous avez identifiés au chapitre 4 et assurez-vous de couvrir vos modes de vie actuel et passé et d'y inclure tout trouble de l'alimentation ou période pendant laquelle vous avez fumé.
- Apportez une liste de tous les médicaments que vous prenez régulièrement : médicaments d'ordonnance ou en vente libre, suppléments diététiques, herbes médicinales de même que toute substance que vous consommez.

Questions à poser à votre médecin s'il vous recommande un traitement médicamenteux

- Devrais-je passer un test de densitométrie osseuse ? Quels tests additionnels dois-je passer si j'ai subi des pertes de masse osseuse ?
- Devrais-je prendre des suppléments de calcium et de vitamine D ?
- Quels exercices sont appropriés pour moi ?
- Quels sont les objectifs réalistes concernant ma densité osseuse ?
- Quels effets défavorables un médicament en particulier risque-t-il d'entraîner ?
- Y a-t-il des risques associés à la prise de ce médicament ?
- Y a-t-il des symptômes à surveiller et pour lesquels il faut communiquer avec son médecin ou cesser de prendre le médicament ?
- Que puis-je faire pour minimiser les risques et les réactions défavorables ?
- Y a-t-il d'autres médicaments que je devrais prendre pour prévenir ou traiter l'ostéoporose ?
- Pendant combien de temps devrai-je prendre ce médicament ?
- Quand pourra-t-on vérifier de nouveau ma densité osseuse pour évaluer le succès du traitement ?

Comme la plupart des femmes qui se préoccupent de leur santé, je prends à cœur de bien manger et de faire beaucoup d'exercice, et j'évite le plus possible de prendre des médicaments. Jusqu'au milieu des années 1990, quand des femmes me demandaient comment prévenir l'ostéoporose, je leur recommandais de maintenir la solidité et la force de leurs os en prenant soin de bien s'alimenter, en faisant beaucoup d'exercices aérobiques de même que de l'entraînement-musculation. Même si je suggérais à celles qui étaient déjà atteintes d'ostéoporose de considérer une hormonothérapie de remplacement, je ne m'attendais pas personnellement à prendre des hormones ou d'autres médicaments pour prévenir l'ostéoporose quand j'atteindrais moi-même la ménopause.

Or, mon opinion à cet effet a changé avec les progrès considérables dans ce domaine de recherche et l'avènement des nouveaux médicaments sur le marché. Je pense en effet qu'un traitement médicamenteux pour prévenir et traiter l'ostéoporose s'avérerait bénéfique pour la majorité des femmes. Si vous avez déjà perdu de votre masse osseuse, je vous conseille vivement de ne pas hésiter à prendre les médicaments appropriés : ils sont vraiment efficaces ! Quant à moi, lorsque j'atteindrai la ménopause, je prévois évaluer la situation par rapport à mon cas personnel et, au besoin, prendre des médicaments.

Quatrième partie

Défiez l'ostéoporose

CHAPITRE 10

L'agenda des os forts

Vous savez qu'il vous faut recourir à un ensemble de moyens pour garder vos os en santé : une alimentation saine et des exercices pour toutes de même qu'un traitement médicamenteux pour certaines. La prochaine étape consiste à intégrer ce que vous savez maintenant à votre mode de vie.

Vous trouverez, dans les deux prochaines pages, des tableaux qui résument mes recommandations pour les femmes de différents âges et à différentes étapes de leur vie. Puis je vous guiderai dans le processus d'établissement d'un programme individualisé pour renforcer vos os.

COMMENT PROTÉGER SES OS À TOUT ÂGE		
AVANT LA MÉNOPAUSE, SANS FACTEUR DE RISQUE PARTICULIER	AVANT LA MÉNOPAUSE, AVEC DES FACTEURS DE RISQUE IMPORTANTS	PRÈS DE LA MÉNOPAUSE
Parce que vous êtes une femme, l'ostéoporose vous guette. Il faut donc que vous preniez soin de vos os dès votre plus jeune âge. Le fait de maximiser la santé de vos os contribue aussi à maximiser votre santé globale.	En tant que femme avec des facteurs de risque particuliers, vous devez porter une attention toute spéciale à vos os. Les mesures que vous prenez pour protéger vos os sont aussi bonnes pour votre santé en général.	Vous vous apprêtez à commencer votre ménopause. Les cinq années qui suivent la ménopause constituent la période pendant laquelle vos pertes de masse osseuse sont les plus importantes. C'est pourquoi il faut vous y préparer dès maintenant.
Consultez votre médecin régulièrement pour faire faire votre bilan de santé.	Consultez votre médecin régulièrement pour faire faire votre bilan de santé. Demandez à votre médecin de passer un test de densitométrie osseuse si vous avez un problème de santé ou si vous prenez des médicaments qui peuvent augmenter votre risque d'ostéoporose.	Consultez votre médecin régulièrement pour faire faire votre bilan de santé. Faites faire un test de densitométrie osseuse initiale si vous ne l'avez pas encore fait. Il est temps de considérer l'HTR. Lors de votre prochaine visite chez le médecin, discutez avec lui des stratégies pour maintenir votre masse osseuse.
Veillez à ce que votre alimentation vous fournisse au moins 1 000 mg de calcium par jour. Prenez du soleil tous les jours de mars à octobre. Choisissez des aliments qui contiennent de la vitamine D. Mangez au moins cinq portions de fruits et de légumes par jour. Mangez du soja au moins une fois par semaine. Faites des exercices aérobiques avec mise en charge et de l'entraînement-musculation. Faites des exercices d'équilibre et des étirements. Si vous êtes en bonne santé, faites des sauts à la verticale.		

Comment protéger ses os à tout âge		
Après la ménopause	Diagnostic d'ostéopénie	Diagnostic d'ostéoporose
Votre risque d'ostéoporose est élevé. Une saine alimentation ainsi qu'un bon programme d'exercices et peut-être un traitement médicamenteux vous aideront à maintenir, voire à augmenter, votre densité osseuse.	Votre risque d'ostéoporose est particulièrement élevé. Une saine alimentation ainsi qu'un bon programme d'exercices et fort probablement un traitement médicamenteux vous aideront à maintenir, voire à augmenter, votre densité osseuse.	Une saine alimentation de concert avec un bon programme d'exercices et un traitement médicamenteux vous aideront à éviter les fractures et des pertes additionnelles de masse osseuse. Il faudrait aussi prendre des mesures pour prévenir les chutes.
Consultez votre médecin régulièrement pour faire faire votre bilan de santé et parlez-lui d'HTR. Faites faire un test de densitométrie osseuse initiale si vous ne l'avez pas déjà fait, et faites réévaluer votre densité osseuse au besoin.	Consultez votre médecin régulièrement pour faire faire votre bilan de santé ainsi que des tests de densitométrie osseuse au besoin. Parlez de traitement médicamenteux avec votre médecin. Si vous êtes préménopausée, il pourrait vous conseiller l'alendronate et la calcitonine, bien que leur utilisation n'ait pas été approuvée par la FDA pour les femmes préménopausées. Si vous êtes postménopausée, vous pouvez considérer ces médicaments de même que l'HTR et le raloxifène.	Consultez votre médecin régulièrement pour faire faire votre bilan de santé ainsi que des tests de densitométrie osseuse au besoin. Les médicaments sont fortement recommandés dans ce cas pour contrer la perte de masse osseuse. Consultez des spécialistes si l'ostéoporose vous cause des douleurs ou certains troubles émotifs.

Prenez des suppléments de calcium et de vitamine D.
Veillez à ce que votre alimentation vous fournisse au moins 1 000 mg de calcium par jour si vous avez 50 ans ou moins, et 1 200 mg par jour si vous avez plus de 51 ans.
Prenez du soleil, autant que possible, tous les jours de mars à octobre.
Choisissez des aliments qui contiennent de la vitamine D.
Mangez au moins cinq portions de fruits et de légumes par jour.
Mangez du soja au moins une fois par semaine. Faites des exercices aérobiques avec mise en charge, mais soyez prudente en ce qui concerne les activités dans lesquelles vous risquez de tomber comme les sports d'équipe ou le ski.
Faites de l'entraînement-musculation pour développer vos os.
Faites des exercices d'équilibre et des étirements pour améliorer votre souplesse ainsi que votre équilibre corporel et réduire votre risque de chutes.

Démarche d'une heure par année pour promouvoir la santé de vos os

Je vous conseille vivement de vous réserver une heure chaque année pour penser à vos os. Faites 10 copies du formulaire qui se trouve aux pages 316 et 317 et conservez-les dans une chemise. Remplissez-en une maintenant et prenez rendez-vous avec vous-même dans un an pour en compléter une autre. Choisissez une date dont vous vous rappellerez facilement comme le jour de votre anniversaire, par exemple. Ce jour-là, vous réévaluerez votre situation et ferez des plans. Voici ce qu'il faut faire.

Mesurez votre taille

Nombre de parents notent la taille de leurs enfants sur un mur de la cuisine, par exemple, pour voir combien ils grandissent vite. Mais nous ne pensons pas à mesurer notre propre taille. N'oubliez pas qu'une modification de la taille peut constituer un signe avertisseur d'ostéoporose.

Mesurez votre taille le matin. C'est le moment de la journée où votre taille est à son maximum. L'effet de la gravité tout au long de la journée peut faire en sorte que vous atteigniez un centimètre de moins en soirée.

- Enlevez vos chaussures et vos chaussettes et placez-vous dos au mur. Mettez vos pieds l'un près de l'autre, les talons au mur. Tenez-vous droite et regardez devant vous.
- Demandez à quelqu'un de placer une règle ou un livre sur votre tête. En maintenant la règle ou le livre bien droit, la personne fera une marque au mur juste sous le livre ou la règle.
- À l'aide d'un ruban gradué ou d'un mètre pliant, déterminez votre taille.

Si votre taille a diminué de plus de 1 cm par rapport à l'année précédente, ou si vous avez perdu 4 cm de taille par rapport à votre taille adulte maximale, parlez-en à votre médecin. Une perte de taille corporelle peut être signe d'ostéoporose ou d'autres troubles de santé.

Pesez-vous

Certaines femmes surveillent de près leur poids, d'autres préfèrent ne pas y penser. Quoi qu'il en soit, je pense que toutes auraient intérêt à se peser au moins une fois par année. On peut ainsi être à l'affût de gains de poids non souhaités : plus tôt on se rend compte d'un changement, plus vite il est facile de corriger la situation. Mentionnons en outre qu'une perte de poids peut être signe de problèmes de santé. La plupart des gens atteignent un maximum de poids dans la cinquantaine et la soixantaine, puis perdent graduellement du poids à 70, 80 et 90 ans. Un faible poids corporel constitue un facteur de risque d'ostéoporose, alors il ne faut pas en perdre trop.

Testez votre équilibre

Je vous encourage à faire, chaque année, les tests d'équilibre décrits au chapitre 6. Quand nous atteignons la quarantaine et la cinquantaine, notre coordination et notre équilibre commencent habituellement à décliner. Si vous notez des changements, vous saurez ce qu'il faut faire pour corriger la situation. Si vous suivez le programme d'entraînement proposé dans ce livre, vous constaterez sans doute des progrès encourageants.

Évaluez vos habitudes alimentaires

Nos habitudes alimentaires peuvent changer tout comme notre mode de vie : la vie de couple, les enfants, les déménagements ou même l'achat d'un nouveau livre de recettes peuvent modifier ou bouleverser nos habitudes alimentaires. Il est donc utile d'évaluer périodiquement son régime alimentaire.

- Remplissez le questionnaire sur le calcium qui se trouve au chapitre 7 (page 140) pour voir si vous en consommez suffisamment. Cet exercice vous aidera à déterminer si vous devez apporter des changements à votre régime alimentaire ou prendre des suppléments.
- Le soleil vous fournit-il assez de vitamine D ?
- Mangez-vous au moins cinq portions de fruits et de légumes par jour ?
- Mangez-vous du soja au moins une fois par semaine ?

Évaluez votre degré d'activité physique

L'évaluation de vos habitudes d'exercice peut vous aider à rester sur la bonne voie et à établir un programme d'activités efficace pour l'année à venir.

- Combien d'heures consacrez-vous chaque semaine à des activités aérobiques vigoureuses ? Combien de temps passez-vous à faire des activités avec mise en charge ?
- Faites-vous des exercices d'entraînement-musculation au moins deux fois par semaine ?
- Si vous avez moins de 50 ans et que vous êtes en bonne santé, faites-vous une ou deux minutes de sauts à la verticale trois à six fois par semaine ?
- Prenez-vous le temps de faire des exercices d'équilibre ?
- Faites-vous des étirements après chaque séance d'exercices ou à d'autres moments de la journée ?

Mettez à jour votre dossier médical

Rassemblez les informations suivantes :

- Test de densitométrie osseuse : conservez vos résultats.
- Vaccins et examens de routine comme les mammographies.
- Maladies et problèmes de santé.
- Médicaments pris régulièrement (y compris les médicaments offerts en vente libre et les traitements dits naturels).
- Problèmes de santé importants de vos frères, sœurs et parents.

Prenez rendez-vous pour votre bilan de santé annuel

La détection précoce des maladies, y compris de l'ostéoporose, permet les plus grands espoirs de succès thérapeutique. Discutez d'ostéoporose avec votre médecin et demandez-lui si vous devriez passer un test de densitométrie osseuse. Demandez-lui aussi de vérifier votre colonne vertébrale pour déceler toute modification de la posture.

Vérifiez votre demeure pour éliminer les risques de chute

De petits changements dans votre environnement peuvent augmenter vos risques de chute : une ampoule brûlée dans un escalier, là où il est difficile de la remplacer, un nouveau tapis sous lequel vous n'avez pas encore placé de sous-tapis antidérapant.

C'est l'occasion de réévaluer la sécurité de votre environnement immédiat. Utilisez la liste de contrôle de la page 124-125 pour connaître les principales choses à vérifier. Il est important de corriger les risques tant pour vous que pour vos invités.

Réfléchissez à votre style de vie

Vous avez déjà pensé à votre alimentation et à votre programme d'exercices. Quels autres changements aimeriez-vous faire pour améliorer votre santé ?

- Fumez-vous ?
- Buvez-vous trop d'alcool (plus d'une consommation par jour) ?
- Consommez-vous trop de caféine (plus de 400 mg par jour, par exemple : quatre tasses de café) ?
- Y a-t-il trop de stress dans votre quotidien ?

Le tabagisme, tout comme l'excès d'alcool ou de caféine, augmente votre risque d'ostéoporose.

Dressez la liste de ce que vous avez accompli et de vos objectifs de changements

Repassez votre formulaire et notez les moyens que vous prenez pour promouvoir la santé de vos os. Relevez aussi les points à améliorer.

Prenez le temps de penser à vos objectifs pour l'année à venir. Qu'est-ce qui vous aiderait à réussir ? Quelles sont les difficultés que vous entrevoyez ? Comment pouvez-vous les surmonter ou les contourner ? Un peu plus loin dans ce chapitre, je vous indiquerai comment vous servir de cette liste dans votre quotidien.

LES BESOINS CHANGENT AVEC LE TEMPS

En 1985, l'équipe de Marie s'est classée première au marathon de course à pied. Le lendemain, Marie passait un test de densitométrie osseuse et apprenait qu'elle faisait de l'ostéoporose. Elle avait 51 ans.

Marie a attaqué ce problème avec l'énergie qui lui est caractéristique. Elle a entrepris une routine matinale d'exercices de 45 minutes comprenant des redressements assis, des tractions, des exercices pour le dos et des étirements. Elle a commencé à faire de l'entraînement-musculation trois fois par semaine. Et quand son horaire le lui permettait, elle marchait, courait, nageait, faisait du ski de fond ou participait à des cours de gymnastique aquatique. En plus, elle a ajouté du calcium à son alimentation et a commencé à prendre des suppléments calciques avec vitamine D. Son médecin lui a prescrit des œstrogènes. Ses efforts ont porté fruit pendant plus de 10 ans: en effet, sa densité osseuse a augmenté de 5 à 6 p. 100 au cours de cette période.

Mais l'année dernière, son test de densitométrie osseuse a révélé une diminution. Un autre signe avertisseur: une fracture à l'orteil. Suivant les conseils de son médecin, Marie a commencé à prendre du Fosamax tout en poursuivant les autres mesures qu'elle avait entreprises. «J'espère obtenir de meilleurs résultats l'année prochaine», dit-elle.

LISTE POUR L'AUTOÉVALUATION
EN VUE DE L'ÉTABLISSEMENT D'UN PLAN POUR MAINTENIR LA SANTÉ DE SES OS

Date ____________________

Taille (mesurée le matin)

____

Poids (mesuré le matin)

____

Résultat obtenu au test d'équilibre

____

☐ Vérification de la sécurité de l'environnement immédiat

Corrections à apporter

____

____

Alimentation

Apport approximatif de calcium quotidien (mg):

Ai-je besoin de suppléments de calcium?	☐ Oui	☐ Non
Ai-je besoin de plus de vitamine D?	☐ Oui	☐ Non
Est-ce que je mange au moins cinq portions de fruits et de légumes par jour?	☐ Oui	☐ Non
Est-ce que je mange au moins une portion de soja par semaine?	☐ Oui	☐ Non

Exercices

Exercices aérobiques avec mise en charge:

Nombre moyen de séances par semaine: ____________________

Temps moyen par séance: ____________________

Type d'exercices avec mise en charge: ____________________

Entraînement-musculation:

Nombre moyen de séances par semaine:

Poids pour chevilles le plus lourd: ________ kg

Poids de l'haltère le plus lourd: ________kg

Je fais des sauts à la verticale (pour les femmes préménopausées): ☐ Oui ☐ Non

Je fais des exercices pour l'équilibre toutes les semaines: ☐ Oui ☐ Non

Je fais des étirements après chaque séance d'exercices: ☐ Oui ☐ Non

LISTE POUR L'AUTOÉVALUATION
EN VUE DE L'ÉTABLISSEMENT D'UN PLAN POUR MAINTENIR LA SANTÉ DE SES OS

Rendez-vous chez le médecin

- ☐ Bilan de santé annuel
- ☐ Test de densitométrie osseuse (au besoin)

Tests faits cette année

____

____

Vaccins reçus cette année

____

Mise à jour du dossier médical

Personnel

____

____

____

____

Familial (frères, sœurs et parents)

____

____

____

____

Mode de vie

(cochez chaque élément qui s'applique à votre cas)

- ☐ Tabagisme
- ☐ Alcool
- ☐ Caféine
- ☐ Stress

Accomplissements

Exercices ______________________

Alimentation ______________________

____

Médicaux ______________________

____

Mode de vie ______________________

____

Objectifs

Exercices ______________________

Alimentaires ______________________

Médicaux ______________________

Mode de vie ______________________

Pour commencer

En lisant ce livre, vous avez peut-être décidé de changer votre alimentation, de prendre des suppléments diététiques, de commencer à faire plusieurs sortes d'exercices différents, de cesser de fumer, de réduire votre consommation de caféine et d'alcool, de prendre un rendez-vous chez votre médecin et de passer un test de densitométrie osseuse. Wow !

Certaines personnes affrontent facilement de tels défis. Mais la plupart d'entre nous trouvons difficile d'avoir autant de tâches à assumer. Nous nous sentons déconcertées et nous avons tendance à tout remettre au lendemain. D'après mon expérience et des études qui appuient mes dires, la réussite dépend de deux choses simples : la planification et un journal.

La planification

Prenez une demi-heure pour remplir le formulaire d'évaluation qui se trouve aux pages 316 et 317. Puis, réservez-vous une autre demi-heure pour faire vos plans. Asseyez-vous avec ce livre, un calendrier, du papier et un crayon et repassez le formulaire que vous venez de compléter.

Voulez-vous apporter des changements à votre alimentation ? Faites une liste d'épicerie (voir la liste proposée à la page 319). Avez-vous décidé de prendre des suppléments de calcium ? Déterminez la sorte que vous voulez prendre et le moment de la journée qui convient le mieux.

Et en ce qui concerne les exercices ? Avez-vous besoin d'acheter de l'équipement ? Faites une liste et commandez par la poste ou vérifiez dans les pages jaunes de votre annuaire téléphonique, puis réservez-vous une journée pour faire vos appels. Indiquez cette journée sur votre calendrier. Ensuite, décidez des jours et des moments de la journée où vous voulez faire vos exercices et inscrivez-les sur votre calendrier.

Si vous n'avez pas eu de bilan de santé depuis plus d'un an, prenez un rendez-vous chez votre médecin.

Pensez à vos objectifs et aux obstacles que vous pouvez anticiper. Comment pouvez-vous atteindre vos buts ?

Liste d'épicerie pour promouvoir la santé de vos os

Produits laitiers

- ☐ lait
- ☐ babeurre
- ☐ yogourt
- ☐ fromage cottage
- ☐ ricotta
- ☐ fromage cheddar, suisse, parmesan
- ☐ fromage à la crème enrichi de protéines
- ☐ yogourt glacé

Dérivés de soja et haricots

- ☐ boisson de soja
- ☐ boisson de soja enrichie de calcium
- ☐ haricots de soja, noix de soja
- ☐ tofu fabriqué avec du sulfate de calcium
- ☐ tempeh
- ☐ protéine végétale texturée
- ☐ miso
- ☐ haricots (secs ou en boîte : petits blancs, secs, pinto et pois chiches)

Poissons frais

- ☐ d'eau salée
- ☐ truite, perche
- ☐ palourdes, huîtres, homard, crevettes

Légumes

- ☐ épinards
- ☐ chou frisé
- ☐ feuilles de moutarde
- ☐ laitue
- ☐ haricots verts
- ☐ brocoli
- ☐ chou-fleur
- ☐ pommes de terre
- ☐ courges
- ☐ patates douces
- ☐ céleri
- ☐ oignons
- ☐ carottes
- ☐ champignons
- ☐ pois verts
- ☐ aubergines
- ☐ choux de Bruxelles
- ☐ chou pommé
- ☐ poivrons
- ☐ concombres
- ☐ tomates
- ☐ radis
- ☐ oignons verts
- ☐ aneth, persil
- ☐ basilic, autres fines herbes
- ☐ ail
- ☐ légumes de saison
- ☐ tomates en boîte
- ☐ sauce tomate
- ☐ jus de légumes

Fruits et jus

- ☐ jus d'orange enrichi de calcium
- ☐ oranges
- ☐ pamplemousses
- ☐ citrons, limettes
- ☐ tangerines
- ☐ mangues
- ☐ rhubarbe
- ☐ kiwis
- ☐ raisins secs
- ☐ pruneaux
- ☐ pommes
- ☐ poires
- ☐ pêches
- ☐ prunes
- ☐ bananes
- ☐ melons
- ☐ ananas
- ☐ fraises
- ☐ bleuets
- ☐ fruits séchés
- ☐ fruits de saison

Autres produits

- ☐ céréales enrichies de calcium
- ☐ poisson en boîte (saumon, anchois, sardines, thon)
- ☐ noix (amandes, noisettes)
- ☐ lait écrémé en poudre

Tenir un journal

Il ne faut que quelques secondes pour noter les progrès de ses exercices ou les détails de son alimentation dans un dossier de compte rendu. Les études sont unanimes : il s'agit du moyen qui à lui seul est le plus efficace pour assurer le succès. Faites des copies des grilles des pages 321 et 322 et conservez-les dans une chemise.

Dossier alimentaire

Je vous recommande de coller chaque semaine une grille alimentaire sur votre réfrigérateur ou à un autre endroit pratique et de l'utiliser chaque jour pendant quelques semaines au moins. Ensuite, vous n'en aurez probablement plus besoin, mais je vous encourage à la ressortir une fois par mois pour vous assurer que vous consommez toujours tous les aliments nécessaires à la bonne santé de vos os.

Dossier d'exercices

Le programme d'exercices proposé dans ce livre comprend cinq composantes. L'une d'elles, l'entraînement-musculation, comporte 10 exercices différents. De plus, puisque vous progresserez de semaine en semaine, il vous faudra ajuster la durée de vos séances d'exercices aérobiques ainsi que la quantité de poids que vous soulèverez. Voilà beaucoup de choses à se rappeler ! C'est pourquoi le fait de noter les détails dans un journal peut rendre vos séances plus efficaces. Et il est aussi très gratifiant de voir les progrès que l'on a faits après quelques mois.

> *Certains de mes amis se contentent de leurs activités de loisir pour tout exercice. Pour moi, faire de l'exercice, c'est comme prendre un tonique énergisant. Le jour prévu, il faut absolument que je les fasse et que j'y mette le temps prévu. Je garde un dossier détaillé de mon programme d'entraînement.*
>
> PATRICIA

Grille alimentaire								
	Objectif	Dim	Lun	Mar	Mer	Jeu	Ven	Sam
Calcium par portion ///= excellente source //= bonne source /=source mineure	Jusqu'à 50 ans : au moins 10/par jour 50 ans et plus : au moins 12/par jour							
Vitamine D /= 10 -15 minutes de soleil /= 1 portion d'aliment riche en vitamine D //= supplément de 400 UI	Jusqu'à 50 ans : 1/par jour De 50 à 70 ans : 2/par jour 70 ans et plus : 3/par jour							
Fruits et légumes / = 1 portion	Au moins 5/par jour							
Soja et dérivés / = 1 portion	Au moins 1/par semaine							

/// = EXCELLENTE SOURCE DE CALCIUM
lait, yogourt, fromages ricotta, cheddar, suisse, boisson de soja ordinaire ou enrichie de calcium, tofu fabriqué avec du sulfate de calcium, noix de soja, saumon en boîte (avec les arêtes), jus d'orange enrichi de calcium et céréales du matin enrichies de calcium

// = BONNE SOURCE DE CALCIUM
fromage à pâte molle, crème glacée, yogourt glacé, haricots de soja, rhubarbe, sardines, anchois

/ = SOURCE MINEURE DE CALCIUM
fromage cottage, fromage à la crème, haricots, amandes, noisettes, légumes verts feuillus, brocoli, haricots verts, courges, poissons frais, fruits de mer, pruneaux, raisins secs, oranges, tangerines, pamplemousses, mangues, kiwis

/ = ALIMENTS RICHES EN VITAMINE D

GRILLE D'EXERCICES

EXERCICE	OBJECTIF	DIM	LUN	MAR	MER	JEU	VEN	SAM
Activité aérobique (minutes)								
Sauts à la verticale (si appropriés)	3 à 6 fois/ semaine							
Entraînement-musculation (2 séries de 8 rép.)	3 fois/semaine	Inscrire le poids ou le niveau d'intensité pour chaque séance.						
Accroupissement ou génuflexion								
Montée								
Développé des bras en position assise								
Envol								
Extension du dos								
Abdominaux								
Élévation latérale de la jambe								
Exercice pour les chevilles								
Dév. des bras en position couchée								
Flexion-rotation des biceps								
Exercices d'équilibre La montagne La cigogne Marche en tandem	3 à 6 fois/ semaine							
Étirements Ischio-jambier Épaules Haut du dos	Après chaque séance							

Lorsque j'ai appris le diagnostic, j'ai été très bouleversée pendant environ une semaine. Mais il faut bien se ressaisir et faire quelque chose. J'ai eu mes résultats le 21 janvier et le 23, j'ai commencé à faire les exercices. Je m'entraîne trois ou quatre fois par semaine. Je suis très décidée parce que je ne veux pas devenir invalide et je n'ai aucune difficulté à garder ma motivation !

ANNIE

Comment aborder les ennuis temporaires

Il n'est jamais facile d'instaurer de nouvelles habitudes ! Il faut du temps pour apporter des changements significatifs à ses habitudes alimentaires et à son mode de vie. Avec de la persévérance, vous y arriverez. Soyez patiente avec vous-même.

Si vous avez de la difficulté à commencer

Le programme proposé est ambitieux. J'ai fait de mon mieux pour le rendre accessible et faisable, mais il se peut que vous ayez besoin de commencer encore plus graduellement. Par exemple, au lieu d'adopter tout de go le régime alimentaire suggéré, vous pouvez tout simplement ajouter à vos menus habituels une portion de fruits ou de légumes par jour. Quant aux exercices, vous pouvez commencer par faire la partie aérobique du programme proposé et n'en faire que 10 minutes, trois fois par semaine. Fixez vos propres objectifs selon ce que vous savez pouvoir atteindre, puis augmentez au fur et à mesure que vous vous améliorez. Ce qui importe avant tout pour avoir des os forts et solides, c'est la régularité sur une longue période de temps. Peu importe s'il vous faut quelques semaines de plus pour y parvenir.

Si vous avez perdu le fil

Personne n'est parfait. Je sais que je ne le suis pas. Même si j'aime manger sainement et faire des exercices, il m'arrive de ne pas avoir envie de ma routine habituelle. Par moments, mon mode de vie semble ne plus me convenir. Lorsque je suis malade, par exemple, ou quand je voyage et que j'ai des horaires serrés, ou encore lorsque les besoins familiaux interfèrent avec ma routine. Ce qui importe, c'est de faire en sorte que ces moments soient les plus brefs possibles.

Quelques trucs

• **Notez vos objectifs par écrit**
Le fait de voir, par écrit, la liste des objectifs que vous voulez atteindre peut avoir un effet quasi magique.

• **Ajoutez de la variété**
La routine convient parfaitement à la régularité, mais trop de déjà-vu finit par devenir ennuyeux. Achetez-vous un nouveau livre de cuisine et essayez de nouvelles recettes. Jouez sur l'ordre dans lequel vous faites vos exercices, changez votre itinéraire de marche ou trouvez une nouvelle musique de fond.

• **Trouvez-vous un partenaire**
Il est bien démontré que d'avoir un partenaire pour faire ses exercices ou partager son régime alimentaire constitue une source importante de motivation. Les rendez-vous pour exercices ou activités physiques constituent en outre des moyens additionnels de socialisation.

• **Inscrivez-vous à un centre de conditionnement physique**
Pour l'accompagnement et la variété ! Les centres communautaires ou de conditionnement physique pour adultes offrent souvent des cours ou des options très abordables sur le plan financier.

- **Faites *quelque chose*.** Ne considérez pas les modifications du style de vie comme des obligations du genre « tout ou rien ». Il vaut beaucoup mieux, autant pour votre corps que pour maintenir votre motivation ainsi que vos bonnes habitudes, en faire un peu que de ne rien faire du tout. Concentrez-vous sur le fait de prendre au moins un repas nutritif par jour (même si les autres le sont un peu moins). Faites de courtes marches ou faites des accroupissements même si vous n'arrivez pas à faire le programme d'exercices complet.

- **Reprenez le fil dès que possible.** Si le programme proposé vous semble accablant ou trop ambitieux, commencez lentement et augmentez graduellement votre rythme.
- **Ne vous sentez pas coupable !** Demandez-vous pourquoi vous avez perdu le fil et comment vous pourriez éviter que cela ne se répète. Puis, félicitez-vous et continuez.

QUAND L'EXERCICE FAIT MAL

Les exercices devraient vous aider à vous sentir en grande forme. Bien sûr, il se peut que vous ressentiez quelques légers inconforts, surtout au début. Si vous étiez inactive, vos muscles seront sans doute sensibles pendant les premières semaines.

Et quand vous serez rendue au niveau d'intensité 4 pour les exercices d'entraînement-musculation, vous ressentirez une certaine fatigue musculaire lorsque vous soulèverez les derniers poids de la séance. Mais les exercices décrits dans ce livre ne devraient jamais causer de douleur aiguë.

CE QUE L'ON RESSENT	CE QUE CELA SIGNIFIE	CE QU'IL FAUT FAIRE
Douleur musculaire sourde qui augmente pendant la séance d'exercices, mais qui disparaît aussitôt que l'on arrête.	Fatigue musculaire normale.	Si la douleur vous gêne trop, choisissez un poids un peu plus léger.
Sensibilité musculaire le lendemain de la séance d'entraînement.	Il est normal de ressentir une sensibilité musculaire à retardement ; elle devrait disparaître en quelques jours.	Essayez des étirements. Des bains chauds ou des massages peuvent aussi aider à soulager.

Ce que l'on ressent	Ce que cela signifie	Ce qu'il faut faire
Une douleur vive dans le dos ou dans une articulation qui ne disparaît pas rapidement.	Vous avez peut-être exposé une blessure préexistante ou encore, vous vous êtes blessée.	Arrêtez de faire l'exercice. Reposez la région affectée et appliquez-y de la glace. Recommencez vos exercices après quelques jours, mais à une intensité moindre. S'il s'agit d'entraînement-musculation, utilisez des poids plus légers et réduisez l'éventail de vos mouvements ; s'il s'agit d'exercices aérobiques, ralentissez votre rythme. Si la douleur persiste, consultez votre médecin.
Douleur thoracique ou gêne respiratoire pendant les exercices aérobiques ; essoufflement intense ou graves difficultés respiratoires.	Ces symptômes peuvent être révélateurs de problèmes cardiaques.	Arrêtez immédiatement vos exercices et téléphonez à votre médecin.

Si vous avez besoin d'une aide individuelle

Travailler avec un professionnel de la condition physique peut être extrêmement utile, surtout si vous avez des besoins particuliers ou si vous éprouvez des difficultés à commencer votre entraînement. Une telle assistance peut par ailleurs s'avérer moins onéreuse que vous ne le croyez. Certains plans d'assurance santé remboursent en effet les frais de consultations individuelles ou de groupe, notamment si vous avez reçu un diagnostic d'ostéoporose. Si vous êtes membre d'un centre communautaire ou de conditionnement physique, informez-vous des ressources disponibles à cet effet.

Voici quatre sortes de spécialistes que je recommande souvent :

Diététiste

Un diététiste diplômé peut vous aider si vous éprouvez des difficultés à modifier votre alimentation pour y inclure plus de calcium, de vitamine D, de fruits et de légumes. Assurez-vous qu'il soit membre d'un ordre professionnel de diététistes.

Entraîneur personnel

Les entraîneurs personnels ne sont pas réservés exclusivement aux grandes stars de cinéma ! Même si, financièrement, vous ne pouvez pas vous permettre d'avoir un entraîneur présent à chacune de vos séances d'exercices, il peut être utile de recourir aux services d'un professionnel quand vous commencez un programme d'entraînement ou quand vous changez de routine et que vous apprenez de nouveaux mouvements. Pour les deux premières séances, son aide peut s'avérer très précieuse, surtout si vous avez des restrictions ou des besoins physiques particuliers et qu'il faut adapter les exercices à votre cas personnel.

Votre médecin peut vous recommander quelqu'un ou vous pouvez vous adresser à un centre communautaire ou de conditionnement physique (même si vous n'êtes pas membre). Si vous avez certains problèmes de santé, si vous faites de l'ostéoporose par exemple, assurez-vous que votre entraîneur a une bonne expérience dans le domaine. Celui-ci devrait être diplômé d'une école ou d'une association reconnue.

> *J'en suis au point où, si je ne fais pas mes exercices, je me sens très contrariée. C'est vraiment un besoin pour moi. Après, je me sens toujours mieux et ce, à propos de tout.*
>
> LISE

Psychothérapeute

Apprendre que l'on fait de l'ostéopénie ou de l'ostéoporose peut être inquiétant. Cela peut affecter l'image de nous-même ainsi que notre confiance en nous.

Comme l'explique Denise :

> *J'ai 48 ans et j'ai appris un peu plus tôt cette année que je faisais de l'ostéoporose. Je ne m'y attendais pas : j'ai toujours fait beaucoup d'exercices. La nouvelle m'a dévastée. Je n'en ai pas parlé à grand monde. Personne ne s'en douterait, d'ailleurs. Je suis la personne la plus active de mon groupe d'amis et de collègues de travail et je suis l'image même de la santé. Je me sentais presque anéantie. Depuis quelques mois, j'ai remarqué certains signes de dépression. Je consulte actuellement pour comprendre pourquoi je réagis ainsi.*

Beaucoup de femmes deviennent déprimées, anxieuses, en colère ou craintives après leur diagnostic. Si des réactions négatives intenses durent plus de quelques semaines ou si vous sentez que vos troubles émotifs vous empêchent de faire les changements nécessaires dans votre alimentation et dans votre mode de vie, je vous recommande vivement de consulter un professionnel de la santé mentale. Quelques rencontres avec un thérapeute expérimenté peuvent vous aider à voir clair et à affronter la situation. Vous pouvez vous adresser à votre médecin ou au département de psychologie ou de psychiatrie d'un hôpital universitaire.

Physiothérapeute

Les fractures sont souvent douloureuses et elles peuvent aussi vous restreindre sur le plan physique. Un physiothérapeute peut alléger ces problèmes grâce à des exercices spécialement conçus pour améliorer votre force et votre souplesse. Il peut aussi vous aider à modifier le programme proposé dans ce livre pour le rendre encore plus efficace pour vous. Si vous croyez que ce genre d'assistance pourrait vous être utile, demandez à votre médecin de vous recommander un physiothérapeute qualifié. Il se peut que votre plan d'assurance couvre ce genre de consultation ; renseignez-vous.

Vous entreprenez un programme qui va changer votre vie. Vous ferez tout ce que vous pouvez pour protéger vos os et éviter les fractures dévastatrices qui invalident un si grand nombre de femmes chaque année. Mais les résultats de ce programme vont bien au-delà de la santé de vos os. Une bonne alimentation et l'activité physique favorisent aussi votre santé globale et votre bien-être. Vous aurez probablement plus d'énergie pendant la journée et dormirez mieux le soir. Développer sa force donne aussi une impression de puissance sur le plan émotif. Et vous serez satisfaite de ce que vous accomplissez pour vous-même. J'ai travaillé avec beaucoup de femmes qui ont fait de tels changements. Elles disent se sentir si bien qu'elles ne peuvent imaginer vivre autrement. Je vous souhaite autant de joie et de succès dès le début.

CHAPITRE 11

Les hommes ne sont pas à l'abri de l'ostéoporose

J'ai reçu, récemment, un courrier électronique d'une femme dont le mari s'était fait dire par son médecin que « l'ostéoporose n'affectait pas les hommes ». Cela me rappelle toutes ces années pendant lesquelles on disait aux femmes que les maladies cardiovasculaires n'affectaient que les hommes.

JEROME C. DONNELLY
Groupe de soutien
pour les hommes atteints d'ostéoporose
http://pages.prodigy.net/jerryd3001/

La plupart des hommes sont surpris d'apprendre qu'ils peuvent eux aussi subir des pertes de masse osseuse et des fractures ostéoporotiques. En fait, il s'agit d'un problème courant. On estime, aux États-Unis, que deux millions d'hommes sont atteints d'ostéoporose et trois millions, d'ostéopénie. Chaque année, dans ce pays, 100 000 hommes se fracturent la hanche. Au cours de sa vie, un homme sur cinq subira une fracture ostéoporotique, une proportion encore plus élevée que dans le cas du cancer de la prostate.

Malgré ces chiffres inquiétants, l'ostéoporose est rarement diagnostiquée chez les hommes parce que même les médecins croient qu'il s'agit d'une maladie de femmes. Un récent sondage Gallup a révélé que moins de 2 p. 100 des hommes avaient été avisés par leur médecin qu'ils pouvaient développer de l'ostéoporose.

J'ai dû changer de médecin, et aller voir une femme médecin. Elle m'a posé des questions sur mon dos, a regardé mon dossier médical et m'a suggéré de passer un test de densitométrie osseuse. Elle m'a dit qu'étant donné ma posture, mes antécédents de maux de dos et le fait que j'avais subi une réduction de taille, il se pourrait que je fasse de l'ostéoporose. Elle avait raison. Je suis chanceux d'avoir consulté une femme médecin, parce qu'elle était plus à l'affût de cette maladie.

J'avais 53 ans et j'étais en bonne santé. Voilà sept ou huit ans que j'allais chez un médecin chaque année pour un bilan de santé et il ne disait jamais rien. Il y a quelques années, pour faire don d'un rein à mon frère, j'ai dû subir toute une série de tests, mais aucun n'a révélé mon ostéoporose. Je ne savais pas que les hommes pouvaient être atteints; je pensais que cette maladie n'affectait que les vieilles dames voûtées.

RICHARD

Les hommes disposent de plus de temps que les femmes pour se prémunir contre l'ostéoporose. Même s'ils perdent une certaine quantité de masse osseuse en vieillissant, ils ne subissent pas les pertes rapides dont les femmes sont victimes lors de la ménopause. Alors il leur faut plus de temps pour atteindre un point critique. Mais s'ils vivent assez longtemps, ils risquent, eux aussi, d'être victimes de fractures ostéoporotiques.

Une grande partie de l'information contenue dans ce livre s'applique autant aux hommes qu'aux femmes. Les mêmes mesures préventives (alimentation saine et activité physique) bénéficient aux deux sexes. Les hommes peuvent passer les mêmes tests de densitométrie osseuse. Les traitements médicamenteux peuvent aussi leur être utiles, quoiqu'on leur prescrira peut-être des médicaments différents. Ce chapitre explique comment les hommes peuvent tirer profit du programme proposé dans ce livre.

Le développement des os chez les hommes

En général, les hommes ont un capital osseux de 25 p. 100 supérieur à celui des femmes. L'une des raisons tient à la testostérone, l'hormone sexuelle mâle, qui stimule la croissance des muscles et des os. De plus, les hommes ont tendance à être plus actifs physiquement que les femmes, ce qui aide aussi à bâtir leurs muscles. Le régime alimentaire joue aussi un rôle : étant donné que les hommes sont plus corpulents, plus musclés et plus actifs, ils mangent habituellement plus que nous et consomment donc plus de calcium et d'autres éléments nutritifs essentiels.

Comme les femmes, les hommes commencent à perdre de leur capital osseux vers la fin de la trentaine ou au début de la quarantaine, mais le processus est beaucoup plus lent chez eux. Au lieu de perdre entre 0,5 et 1 p. 100 de leur masse osseuse chaque année comme c'est le cas pour les femmes, les hommes subissent des pertes d'environ 0,3 p. 100 par année. Le déclin se poursuit lentement même quand ils amorcent la cinquantaine, contrairement à ce qui se passe chez les femmes après la ménopause. Comme nous l'avons vu au chapitre 2, chez les femmes, les pertes de capital osseux sont surtout attribuables à l'activité accrue des ostéoclastes. Chez les hommes, le mécanisme est différent : les pertes de masse osseuse sont surtout dues au fait qu'il y a moins de nouveau tissu osseux qui est formé.

Les hommes voient aussi leur force et leur équilibre décroître en vieillissant, ce qui augmente leur risque de chutes. En commençant vers l'âge de 30 ans, leur force musculaire diminue d'environ 1 p. 100 par année. La perte s'accélère pour atteindre environ 2 p. 100 par année après l'âge de 60 ans. Puis, quand l'homme atteint 80 ans, il a perdu environ 60 p. 100 de la force qu'il avait à 30 ans.

En général, c'est vers l'âge de 50 ans que les femmes commencent à subir des fractures ostéoporotiques. Quant aux hommes, grâce à des pics de masse osseuse plus élevés et à des pertes plus lentes, ils peuvent habituellement profiter d'une ou deux décennies de plus avant d'atteindre un point critique.

Les symptômes de l'ostéoporose

Si vous avez remarqué l'un ou l'autre de ces symptômes, il se peut que vous fassiez de l'ostéopénie ou de l'ostéoporose. Parlez-en avec votre médecin et demandez-lui de passer un test de densitométrie osseuse. Le plus tôt vous saurez si vous êtes atteint de l'une ou l'autre de ces maladies, le plus tôt vous pourrez prendre des mesures préventives.

- Fractures causées par un traumatisme léger ou modéré
- Diminution de taille corporelle de plus de 4 cm
- Déviation de la colonne vertébrale ou posture voûtée
- Douleur chronique au dos, habituellement au milieu ou dans la partie supérieure.

Avant, j'atteignais presque 1,78 m. Maintenant, je fais à peine 1,68 m. Au bureau, il y a une femme qui fait de l'ostéoporose. Nous en avons parlé ensemble ainsi que du fait que je rapetissais. Je m'appelle Richard et une des filles au bureau m'a surnommé « Richard le raccourci » !

Les hommes à risque

Tous les hommes de plus de 65 ans, comme les femmes de 50 ans et plus, devraient se considérer à risque d'ostéoporose. Mais certains hommes plus jeunes sont aussi à risque. En effet, à part ce qui a trait aux hormones, les facteurs de risque sont les mêmes pour les hommes que pour les femmes. Parlez des tests de densitométrie osseuse avec votre médecin si un des éléments suivants s'applique à votre cas :

De faibles taux de testostérone

La stimulation hormonale est tout aussi importante pour l'ossature des hommes que pour celle des femmes. Près de la moitié des cas d'ostéoporose chez les hommes sont attribuables à des taux de testostérone faibles. Habituellement, des niveaux de testostérone faibles sont une conséquence du vieillissement. Mais certains troubles médicaux peuvent aussi entraîner des pertes plus rapides. Les signes d'un faible taux de testostérone comprennent :

- Une libido réduite ou l'impuissance ;
- Une diminution des poils faciaux et corporels ;
- Une augmentation du volume des seins.

Si vous remarquez de tels changements, parlez-en avec votre médecin pour qu'il puisse en déterminer la cause et traiter le problème. Beaucoup d'hommes ont des taux de testostérone faibles sans jamais constater de symptômes. On peut mesurer le taux de testostérone par une analyse de sang. Si l'on décèle chez vous un faible taux de testostérone, votre médecin pourrait vous suggérer un test de densitométrie osseuse en plus d'autres examens et traitements.

L'héritage racial et les antécédents familiaux

Chez les hommes, comme chez les femmes, une peau claire est associée à un risque plus élevé d'ostéoporose. Les Noirs et les Latino-Américains peuvent aussi être atteints d'ostéoporose, mais cela leur arrive habituellement plus tard que pour les autres hommes.

Si vos proches (frères, sœurs ou parents) ont subi des pertes de masse osseuse ou des fractures, votre risque est plus élevé. La raison peut être génétique ou encore liée à votre alimentation ou à votre mode de vie, des comportements qui vous ont été légués par votre famille.

Le type morphologique

Les hommes à l'ossature grêle et dont le poids est faible ont un risque d'ostéoporose plus élevé. Considérez votre risque comme élevé si votre IMC est inférieur à 19 (voir le tableau de la page 75).

Le régime alimentaire et les troubles de l'alimentation

Nous avons tendance à associer les troubles de l'alimentation aux jeunes femmes, mais un nombre surprenant de jeunes hommes, surtout des athlètes de compétition dans des domaines qui comportent des catégories liées au poids, souffrent aussi de troubles de l'alimentation. Si vous avez fait plusieurs régimes amaigrissants ou si vous avez eu des problèmes d'anorexie ou de boulimie, votre risque de perte de masse osseuse est plus élevé.

Les antécédents médicaux et les médicaments

En ce qui concerne leurs problèmes de santé et les médicaments qu'ils prennent, les hommes sont soumis aux mêmes risques que les femmes pour ce qui a trait à l'ostéoporose (voir les pages 77 à 81 pour plus de détails).

Affections	**Médicaments**
Polyarthrite rhumatoïde	Stéroïdes
Troubles de la thyroïde ou de la parathyroïde	Anticonvulsivants
Diabète de type 1	Diurétiques autres que les thiazidiques
Intolérance au lactose	Antiacides contenant de l'aluminium
Autres troubles digestifs chroniques	

Mode de vie

Les éléments suivants augmentent le risque d'ostéoporose autant pour les hommes que pour les femmes (pour de plus amples renseignements, consulter les pages 84 à 86) :

- Inactivité ;
- Alimentation faible en calcium et en vitamine D ;
- Consommation élevée d'alcool ;
- Tabagisme (présentement ou dans le passé).

Recommandations concernant les tests pour les hommes

Les organismes spécialisés ont établi des lignes directrices en ce qui concerne les tests pour les femmes. Mais jusqu'à ce jour, il n'en existe pas pour les hommes. Je suppose que cette omission sera corrigée sous peu puisque les baby-boomers vieillissent et que l'ostéoporose masculine deviendra bientôt un problème plus évident.

Plus on décèle les pertes de masse osseuse tôt, plus le problème est facile à traiter. Parlez des tests de densitométrie osseuse avec votre médecin si un des éléments suivants s'applique à votre cas :

- Votre taux de testostérone est faible.
- Vous avez des symptômes d'ostéopénie ou d'ostéoporose : des fractures, une déviation de la colonne vertébrale, une réduction de taille ou une douleur chronique au dos.
- Vous avez un problème de santé qui peut entraîner des pertes de masse osseuse.
- Vous prenez des médicaments qui peuvent causer des pertes de masse osseuse.
- Vous vous apprêtez à commencer un traitement pour contrer des pertes de masse osseuse.

Bien que les tests de densitométrie osseuse soient faits de la même manière pour les hommes que pour les femmes, les résultats doivent être interprétés différemment. Au lieu de comparer les hommes aux jeunes femmes pour calculer les indices T, il faut les comparer à des jeunes hommes.

> *J'ai passé toutes sortes de tests et on m'a dit que je faisais de l'ostéoporose idiopathique. J'ai demandé : « Qu'est-ce que ça veut dire en langage de tous les jours ? » Le médecin m'a répondu : « Votre risque de fracture est 10 fois plus élevé que celui de la moyenne des gens de votre âge. Et nous ne savons pas pourquoi. »*
>
> RICHARD

Pour adapter le programme proposé dans ce livre aux hommes

Pour les hommes, aussi bien que pour les femmes, la prévention et le traitement de l'ostéoporose reposent sur trois éléments fondamentaux : l'alimentation, les exercices et les médicaments. Mais certains détails spécifiques sont différents. Voici comment les hommes devraient modifier le programme.

L'alimentation

Les mêmes aliments qui sont importants pour les femmes sont aussi bons pour les hommes. Mais parce que les hommes sont plus corpulents et qu'ils mangent plus, ils consomment habituellement plus d'éléments nutritifs essentiels comme le calcium, la vitamine D, le magnésium et le potassium de même que les vitamines C et K. Néanmoins, un homme atteint d'ostéopénie ou d'ostéoporose devrait prendre des suppléments de calcium et de vitamine D (voir les indications et recommandations aux pages 147 à 151 du chapitre 7). Une étude citée plus tôt (page 152) a montré une réduction importante de l'incidence des fractures chez les hommes et les femmes plus âgés qui prenaient 500 mg de calcium et 700 UI de vitamine D par jour.

Les exercices

Il est probable que l'ossature des hommes réagisse aux exercices de la même manière positive que celle des femmes, mais nous ne disposons pas encore de données scientifiques à cet effet. Nous connaissons toutefois les autres bienfaits des exercices sur la santé et c'est pourquoi nous les recommandons sans la moindre hésitation.

Exercices aérobiques avec mise en charge

Les hommes peuvent suivre le même programme d'exercices que celui suggéré aux femmes.

Exercices avec sauts

Les hommes de 50 ans ou moins, qui sont en bonne santé, peuvent faire des sauts à la verticale en suivant les mêmes recommandations générales que nous avons adressées aux femmes.

Entraînement-musculation

Étant donné qu'en général, les hommes sont plus forts que les femmes, la plupart peuvent commencer avec des poids un peu plus lourds que ceux conseillés aux femmes. Les hommes atteignent habituellement des poids qui dépassent de 25 ou de 50 p. 100 ceux qu'utilisent des femmes du même âge. Mais pour ce qui est du reste, les conseils sont les mêmes pour les deux sexes.

Voici comment adapter le programme d'entraînement-musculation de ce livre si vous êtes un homme :

- Au lieu de commencer avec des haltères de 1,5 ou 2,5 kg, choisissez plutôt des poids de 2,5 et 4 kg. Mais n'hésitez pas à utiliser des poids plus légers si vous préférez : vous

pourrez augmenter graduellement au fur et à mesure que votre force musculaire se développera.
- Utilisez le tableau pour fixer vos objectifs. Il s'agit de limites supérieures, mais vous pouvez progresser davantage. Tenez compte, toutefois, des mises en garde suivantes que j'ai aussi adressées aux femmes : ne dépassez pas les 10 kg pour les poids des chevilles ni les 12,5 kg pour les haltères, sinon vous risquez de nuire à vos articulations.

Exercices d'équilibre et étirements

Les hommes peuvent suivre le même programme que celui proposé aux femmes.

Les médicaments

Actuellement, aucun médicament n'a été approuvé par la FDA pour prévenir ou traiter l'ostéoporose chez les hommes. Il y a un besoin urgent de recherches dans ce domaine. Entretemps, les médecins prescrivent aux hommes certains des mêmes médicaments que ceux qu'ils prescrivent aux femmes.

La testostérone est le premier médicament qu'ils considèrent pour les hommes aux prises avec une faible densité osseuse. Mais un traitement de remplacement à la testostérone ne peut être prescrit qu'à ceux qui ont de faibles taux de cette hormone. Voici d'autres médicaments qui peuvent être prescrits aux hommes.

Les bisphosphanates (Fosamax)

Des études récentes indiquent que le Fosamax est efficace tant pour les hommes que pour les femmes. De nombreux médecins l'utilisent déjà pour traiter les hommes atteints d'ostéoporose et l'on s'attend à ce que la FDA l'approuve bientôt pour cette indication thérapeutique. D'autres bisphosphanates actuellement à l'étude pourraient aussi être approuvés pour le traitement de cette maladie chez les hommes.

Objectifs d'entraînement-musculation pour les hommes			
Exercice	20 à 49 ans	50 à 69 ans	70 ans et plus
L'accroupissement	Ne pas toucher la chaise et ajouter des haltères de 4 à 6 kg	Ne pas toucher la chaise et ajouter des haltères de 2,5 à 5 kg	Ne pas toucher la chaise et ajouter des haltères de 1,5 à 4 kg
La montée	Deux marches, avec des haltères de 4 à 6 kg	Deux marches, avec des haltères de 2,5 à 5 kg	Deux marches, avec des haltères de 1,5 à 4 kg
Développé des bras en position assise	5 à 10 kg	4 à 9 kg	7,5 kg
L'envol	6 à 7,5 kg	4 à 6 kg	2,5 à 4 kg
Extension du dos	Mouvement harmonieux	Mouvement harmonieux	Mouvement harmonieux
Abdominaux	Flexion inversée	Flexion inversée	Flexion inversée
Élévation latérale de la jambe	6 à 9 kg	4 à 7,5 kg	2,5 à 6 kg
Exercice pour les chevilles	Flexion des chevilles avec des poids de 7,5 à 10 kg	Flexion des chevilles avec des poids de 5 à 7,5 kg	Flexion des chevilles avec des poids de 4 à 6 kg
Dév. des bras en position couchée	7,5 à 12,5 kg	6 à 10 kg	4 à 9 kg
Flexion-rotation des biceps	10 à 12,5 kg	6 à 10 kg	5 à 7,5 kg
Génuflexion	Mouvement bien contrôlé, aplomb solide, avec des haltères de 5 à 7,5 kg	Mouvement bien contrôlé, aplomb solide, avec des haltères de 4 à 6 kg	Mouvement bien contrôlé, aplomb solide, avec des haltères de 2,5 à 4 kg
Flexion du poignet	3 à 5 kg	2,5 à 4 kg	1,5 à 2,5 kg

La calcitonine (Miacalcin ou Calcimar)

Cette substance semble aussi efficace pour les hommes, bien qu'il n'y ait pas encore suffisamment de preuves scientifiques pour qu'elle reçoive l'approbation de la FDA.

L'hormone parathyroïdienne et le fluorure

Aucune de ces substances n'est approuvée pour le traitement de l'ostéoporose, que ce soit chez les femmes ou les hommes, mais elles sont parfois prescrites aux hommes qui ne répondent pas bien aux autres traitements médicamenteux.

L'ostéoporose peut s'attaquer à ceux qui s'y attendent le moins. Et les conséquences de cette maladie sont aussi dévastatrices pour les hommes que pour les femmes. La prévention et la détection précoce sont donc tout aussi importantes pour les uns que pour les autres.

BERNARD

J'avais 50 ans et je souffrais de maux de dos depuis 15 ans. Mon travail de dentiste semblait amplifier mes douleurs. Finalement, on m'a envoyé dans une importante clinique médicale. Après avoir vu mes radiographies, les spécialistes m'ont dit : « Vous avez des fractures vertébrales par tassement et vous faites probablement de l'ostéoporose. » Ils m'ont fait passer un test d'absorptiométrie à rayons X (ADEX) et mon écart type était de – 2,5 pour la colonne vertébrale.

Le diagnostic d'ostéoporose m'a bouleversé. Je ne savais pas que cette maladie pouvait affecter les hommes. J'ai toujours eu une bonne alimentation et fait beaucoup d'exercice. Les résultats des tests ont aussi révélé de l'hypogonadisme, ou plus précisément un faible taux de testostérone. Aussi, des années plus tôt, alors que j'étais étudiant en médecine dentaire, j'avais reçu des injections de stéroïdes pour traiter mes allergies. Cela pourrait aussi avoir eu un effet sur mes os.

Je prends de la testostérone, du Fosamax et des suppléments de calcium avec de la vitamine D. Je fais encore des exercices et je fais aussi de l'entraînement-musculation. Je mange beaucoup de fruits et de légumes. Mon dernier test de densitométrie osseuse indique que la densité osseuse de mes vertèbres a augmenté de 21 p. 100 depuis ce diagnostic d'ostéoporose, il y a cinq ans. Sur le graphique, mes résultats se situent maintenant à l'extrémité inférieure de la courbe normale : ce qui signifie que je ne suis même plus considéré comme quelqu'un qui fait de l'ostéopénie ! J'ai beaucoup moins de douleurs au dos. Je me considère chanceux : si tout ceci m'était arrivé il y a 10 ans, je serais sans doute invalide aujourd'hui. En ce qui me concerne, Fosamax est un médicament miracle.

CHAPITRE 12

Questions et réponses

En écrivant ce livre, j'ai essayé d'anticiper les questions que vous pouviez vous poser. Mais il se peut que vous en ayez d'autres. J'espère que vous trouverez les réponses dans ce chapitre. Sinon, vérifiez l'index, car il est si facile de manquer un détail en lisant.

L'ostéoporose

Ma colonne vertébrale penche vers l'avant à cause de l'ostéoporose. Y a-t-il des chances que je retrouve ma posture de jeunesse ?

Ce sont les fractures vertébrales qui causent la posture voûtée caractéristique de l'ostéoporose. Malheureusement, les vertèbres brisées ne peuvent reprendre leur forme originale. Toutefois, en renforçant les muscles de vos épaules et du haut de votre dos, vous pouvez améliorer votre posture. Les exercices de même que les médicaments et une bonne alimentation peuvent aussi vous aider à prévenir toute détérioration ultérieure.

J'ai eu une scoliose quand j'étais jeune. Est-ce que cela me rend plus vulnérable à l'ostéoporose ?

C'est bien possible. Des chercheurs se penchent actuellement sur cette question parce que nous savons que beaucoup de femmes qui développent de l'ostéoporose ont aussi été victimes de scoliose (une déviation de la colonne vertébrale). Étant donné ce lien, je vous conseille de demander à votre médecin de passer un test de densitométrie osseuse.

J'ai subi récemment une fracture à la jambe à cause d'une simple chute. Est-il possible de faire de l'ostéoporose dans d'autres os que ceux des hanches, de la colonne vertébrale et des poignets ?

L'ostéoporose affecte tous les os du corps, mais les fractures les plus courantes surviennent dans la colonne vertébrale, les hanches ou les poignets. Si vous vous fracturez un os *quel qu'il soit* à cause d'une chute mineure, demandez à votre médecin si vous ne devriez pas passer un test de densitométrie osseuse.

Je fais de l'arthrose. Quelqu'un m'a dit que cela me rendait en quelque sorte invulnérable à l'ostéoporose. Est-ce vrai ?

Les gens qui souffrent d'arthrose, une maladie qui cause la dégénérescence du cartilage articulaire, ne sont pas à l'abri de l'ostéoporose. Il semble toutefois que leur risque de perte de masse osseuse soit moindre, mais nous ne savons pas encore exactement pourquoi. Il se pourrait que ce soit en partie parce que ceux qui souffrent d'arthrose ont habituellement un poids corporel plus élevé que la moyenne des gens. L'excès de poids, bien que pénible pour les articulations, protège contre l'ostéoporose.

Ma mère, qui a 82 ans, a le dos voûté et est moins grande qu'auparavant. Est-ce que cela signifie qu'elle fait de l'ostéoporose ?

Étant donné son âge et les symptômes que vous décrivez, c'est fort possible. Mais la seule façon de le savoir vraiment, c'est en lui faisant passer un test de densitométrie osseuse. Et, parce qu'elle a une déviation de la colonne, elle devrait aussi passer une radiographie pour voir si elle n'a pas de fractures au niveau des vertèbres.

Les tests de densitométrie osseuse

On m'a refait une ostéodensitométrie en me faisant coucher sur le côté. Pourquoi ?

Le test de densitométrie osseuse (ADEX) révèle tout le tissu minéral osseux de la région explorée. Parfois, l'examen permet aussi de voir des dépôts de calcium dans des artères ou des calcifications autour des vertèbres, des choses non reliées à la densité osseuse. Avec certains appareils, on peut aussi obtenir une vue latérale de la colonne, ce qui permet au technicien de corriger pour tout calcium non pertinent. Mais si l'appareil ne peut pas prendre un tel angle latéral, c'est vous qui devez vous étendre sur le côté pour l'examen.

Mon médecin vient d'installer un ostéodensitomètre dans son bureau et elle m'a recommandé de passer un test de densité osseuse. J'ai 30 ans et je suis en bonne santé. Est-ce que cet examen vous semble nécessaire ?

Une femme de 30 ans qui n'a aucun facteur de risque particulier d'ostéoporose n'a probablement pas besoin de passer un test de densitométrie osseuse. Demandez à votre médecin pourquoi elle vous conseille ce test. Bien que ce genre de test ne soit pas nocif, il vous faudra sans doute payer pour ce dernier, car votre compagnie d'assurance ne couvre probablement pas cet examen si vous n'êtes pas à risque. Malheureusement, certains médecins abusent des tests de densitométrie osseuse après avoir investi dans un appareil coûteux.

DEVRAIS-JE M'INQUIÉTER DES RADIATIONS LORSQUE JE PASSE UN TEST DE DENSITOMÉTRIE OSSEUSE ?

Une exposition excessive aux radiations peut causer le cancer et d'autres problèmes médicaux graves. Heureusement, les tests de densitométrie osseuse requièrent si peu de radiations que le technicien peut, sans danger, demeurer dans la pièce avec vous.

Nous sommes tous exposés aux radiations de l'environnement (y compris celles du soleil et de la terre sur laquelle nous marchons) ; la plupart des adultes sont aussi exposés, à un moment ou à un autre, à une certaine quantité de radiations provenant d'examens médicaux. On mesure habituellement l'exposition aux radiations en millirems ou mRems. Voici quelques exemples :

Source de radiation	**Quantité approximative (en mRems)**
Environnement (aux É-U)	0,5 à 1,5 par jour
ASX (absorptiométrie simple énergie à rayons X)	1 - 2
ADEX (absorptiométrie double énergie à rayons X)	1 - 3
AR (absorptiométrie radiographique)	5
Vol d'avion d'un océan à l'autre	5
Radiographie thoracique ordinaire	25
Radiographie dentaire panoramique	200 - 300

L'alimentation

Puis-je utiliser une lampe à bronzer pour obtenir plus de vitamine D ?

Vous pourriez utiliser une lampe à bronzer comme source de vitamine D parce que l'ampoule spéciale déclenche la même réaction sur la peau que le soleil. Cependant, les lampes à bronzer, comme le soleil, comportent des risques de cancer de la peau, un facteur qui doit aussi être pris en considération. Les suppléments diététiques de vitamine D semblent donc constituer un meilleur choix.

J'ai remarqué que plusieurs des suppléments de calcium vendus dans le magasin d'aliments naturels près de chez moi contiennent du bore. Est-ce bon ou s'agit-il plutôt de quelque chose à éviter ?

Certains suppléments contiennent effectivement un bon nombre de minéraux traces, dont le bore. Cet élément minéral est nécessaire à la formation des os, mais notre alimentation nous en fournit habituellement assez. Et à l'heure actuelle, il n'y a aucune preuve à l'effet que des suppléments de bore puissent être utiles à nos os.

Est-ce que le fluorure contenu dans l'eau de ma municipalité peut affecter mes os ?

Nous savons que le fluorure stimule les ostéoblastes, mais nous ne savons pas encore comment cette stimulation se traduit au niveau de la solidité des os. Il y a quelques endroits aux États-Unis où le niveau de fluorure dans l'eau est élevé, et qui présentent une incidence élevée de fractures de la hanche. (Mais on ne remarque pas cet effet dans les municipalités où les niveaux de fluorure dans l'eau sont plus faibles.) Mentionnons que de nouveaux médicaments pour les os à base de fluorure sont actuellement à l'étude.

J'ai une bonne alimentation, mais je prends des suppléments vitaminiques juste au cas. Est-ce que j'ai tort ?

Non. Un supplément vitaminique qui fournit un apport de l'ordre de 50 à 100 p. 100 de l'ANR pour les vitamines et minéraux ne comporte aucun danger et peut même s'avérer bénéfique. Cependant, je ne vous conseille pas de prendre des suppléments qui fournissent plus de deux fois les quantités recommandées. Parce que de trop grandes quantités d'un élément nutritif quelconque peuvent interférer avec l'absorption ou le métabolisme d'un autre.

EST-CE QUE MON ENFANT MANQUE DE CALCIUM ?

L'apport nutritionnel recommandé en calcium pour les enfants de 4 à 8 ans est de 800 mg par jour et de 1300 mg par jour pour les préadolescents et les adolescents. C'est beaucoup de calcium ! En général, les bébés et les bambins en obtiennent beaucoup du lait qu'ils boivent. Mais après l'âge de 3 ans, la plupart des enfants n'en ont pas assez. Et c'est inquiétant parce que l'apport en calcium pendant l'enfance est étroitement lié aux pics de masse osseuse. Voici certains trucs pour aider votre enfant à obtenir suffisamment de calcium :

- Servez-lui des céréales avec du lait pour le petit-déjeuner.
- Servez du lait à boire avec les repas de midi et du soir.
- Choisissez du lait et d'autres produits laitiers pour les collations : yogourts, crèmes-desserts, fromages.
- Préparez des collations riches en calcium comme des mousses aux fruits et au yogourt.
- Choisissez des jus et des céréales du matin enrichis de calcium.

Faites participer l'enfant au défi. Demandez-lui comment réussir à prendre quatre portions d'aliments riches en calcium chaque jour. Vous pouvez même afficher une grille des progrès sur le réfrigérateur.

Je m'inquiète du fait de prendre des suppléments de vitamine D parce que j'ai entendu dire que cela pouvait être toxique. Comment puis-je être certaine de ne pas prendre trop de vitamine D ?

La limite sécuritaire supérieure pour la vitamine D est de 2 000 unités internationales (UI) par jour. Il est presque impossible d'en obtenir trop par l'alimentation. Mais soyez prudente si vous prenez plusieurs sortes de suppléments diététiques : par exemple, si vous prenez un supplément vitaminique de même qu'un supplément de calcium qui contient de la vitamine D. Vérifiez bien les étiquettes et additionnez les quantités de vitamine D. Le total ne devrait pas dépasser les 1 500 UI par jour, puisque votre alimentation vous en fournit probablement aussi. À moins que votre médecin ne vous ait suggéré de quantité plus élevée, je vous conseille de ne pas prendre plus de 600 UI par jour.

J'ai 65 ans et j'habite en Floride. Est-ce que le soleil auquel je suis exposée ici est suffisant pour que je ne sois pas obligée de prendre des suppléments de vitamine D ?

Comme vous habitez en Floride, il vous est possible de continuer à produire de la vitamine D même pendant les mois d'hiver, mais les niveaux sont habituellement plus faibles qu'en été. De plus, en vieillissant, notre capacité de synthèse de vitamine est beaucoup moins efficace. C'est pourquoi je vous recommanderais tout de même des suppléments de vitamine D pendant les mois d'hiver.

J'AIME LES FRUITS ET LES LÉGUMES, MAIS IL M'EST DIFFICILE D'EN MANGER ASSEZ, CAR JE N'AI PAS BEAUCOUP DE TEMPS POUR CUISINER. AVEZ-VOUS DES SUGGESTIONS ?

Voilà un problème courant. La plupart d'entre nous aimons les fruits et les légumes beaucoup plus que nous n'aimons les préparer. Voici sept moyens pour vous faciliter la tâche :

- Utilisez de la laitue et des crudités prêtes à servir pour simplifier la préparation de vos salades.
- Achetez des légumes déjà coupés comme les fleurons de brocoli ou les carottes miniatures comme collations.
- Considérez les légumes comme vos aides cuisiniers. Achetez des légumes déjà lavés et coupés ou tranchés pour ajouter à vos plats d'accompagnement ou de viande sautée de même qu'à vos soupes et ragoûts.
- Buvez des jus de fruits et de légumes. Les portions individuelles sont idéales pour les collations au bureau ou dans la voiture.
- Gardez des fruits séchés à portée de la main comme collations.
- Utilisez des fruits en boîte dans leur jus pour accompagner vos gaufres et crêpes.
- Ajoutez des fruits surgelés à vos collations et desserts de yogourt glacé ou de crème glacée.

Je suis une maman qui travaille à l'extérieur et la semaine, je suis toujours très pressée le matin. Puis-je me contenter d'une tablette granola comme petit-déjeuner ?

Il vaut certainement mieux prendre une de ces tablettes que de ne rien prendre du tout, alors considérez-les comme parfaites pour les urgences occasionnelles. Mais si vous en preniez l'habitude, je vous suggérerais de faire un effort pour trouver d'autres solutions simples et rapides parce que ces tablettes ne contiennent pas tous les éléments nutritifs que vous pouvez obtenir des vrais aliments. Prenez un fruit et du yogourt ; faites-vous un sandwich aux pommes et au fromage sur du pain de céréale entière. Ou essayez de changer votre horaire afin d'avoir 10 minutes de plus pour le petit déjeuner.

Est-ce qu'un régime à haute teneur en protéines peut nuire à mes os ?

Une consommation excessive de protéines, c'est-à-dire une quantité trois à quatre fois supérieure à celle recommandée, peut causer des pertes de masse osseuse. C'est un risque qui menace les femmes qui tentent de perdre du poids en augmentant trop leur apport en protéines. L'autre extrême n'est cependant pas mieux, car les protéines jouent un rôle important dans la santé des os. Environ 30 p. 100 des femmes ne consomment pas suffisamment de protéines, ce qui augmente leur risque d'ostéoporose.

L'exercice

Est-il préférable d'utiliser des poids libres ou de faire des exercices sur des appareils spécialisés ?

Les deux ont leurs avantages. Les appareils réduisent l'importance de certains problèmes liés à la forme du mouvement tout en vous permettant de soulever des charges plus lourdes. Quant aux poids et haltères, ils aident à améliorer la coordination parce que vous devez toujours connaître la position de vos membres dans l'espace ainsi que l'alignement de votre corps pendant que vous faites les mouvements. De plus, les poids libres sont plus pratiques pour la maison, parce qu'ils sont beaucoup plus petits et moins chers que les appareils. Je vous conseille d'utiliser les uns ou les autres selon vos préférences (ou leur accessibilité). J'utilise pour ma part tant les appareils que les poids libres.

Est-ce que je peux me débrouiller avec un seul poids pour chevilles ?

Malgré qu'il soit plus facile de faire les exercices pour les jambes avec deux poids, beaucoup de femmes réussissent très bien à suivre le programme avec un seul poids pour chevilles. Au lieu d'alterner une jambe avec l'autre, elles font deux séries de chaque exercice avec une jambe, puis changent le poids de cheville et font deux séries de mouvements avec l'autre jambe.

Voici deux suggestions si vous n'utilisez qu'un seul poids pour chevilles pour les exercices proposés qui doivent être faits debout :

- Assurez-vous de ne pas bloquer le genou de la jambe qui supporte votre poids corporel, parce que cela augmenterait le stress sur l'articulation.
- Si vous ressentez une douleur au genou dans la jambe qui supporte votre poids corporel, songez à investir dans une deuxième pochette de poids pour chevilles.

Mes revenus sont limités et je vis simplement. Est-ce que je peux fabriquer mes propres poids et haltères avec des contenants ou des bouteilles de plastique ?

Pour des raisons de sécurité, je ne vous conseille pas de vous fabriquer un équipement de fortune. Les contenants de détergent et autres ne sont pas conçus pour les exercices de développement de la force et pourraient même s'avérer dangereux. Voici cependant deux suggestions pour économiser : d'abord, vérifiez les ensembles d'haltères que vous pouvez vous procurer dans les magasins d'équipement sportif. Souvent, on peut économiser en achetant un ensemble d'haltères et en le complétant avec d'autres achetés individuellement. Une autre façon d'économiser est de partager son équipement avec des amis ou encore d'acheter des haltères usagés.

Puis-je utiliser des bandes élastiques pour exercices au lieu de poids lourds ?

Les bandes d'exercices élastiques sont légères et elles ne coûtent pas cher. Elles peuvent certes être utiles, mais il n'est pas facile de suivre un programme progressif avec celles-ci (à moins d'être bien informée et de savoir comment s'y prendre). Enfin, elles peuvent s'avérer difficiles à manier ; c'est pourquoi je préfère les haltères.

Combien de temps doit-on attendre après avoir mangé pour faire de l'exercice ?

Idéalement, vous devriez laisser un intervalle d'une à quatre heures après un repas avant de faire vos exercices. Après avoir mangé, le sang afflue vers l'estomac pour assurer la digestion. Or, quand on fait de l'exercice, le sang afflue vers les muscles. C'est pourquoi, si vous faites vos exercices tout de suite après avoir mangé, votre estomac et vos muscles y perdent au change, et cela pourrait provoquer des crampes. Par contre, il ne faut pas faire ses exercices l'estomac vide non plus, car vous risquez alors de vous sentir épuisée, drainée de toute énergie.

J'ai lu qu'une étude scientifique avait montré qu'une seule série de 12 répétitions pouvait suffire. Mes os bénéficieront-ils autant d'une série de 12 mouvements que de deux séries de 8 mouvements ?

Nous sommes tous pressés par le temps, alors il est tentant de réduire la durée de nos séances d'exercices. Mais avant de laisser tomber la deuxième série de mouvements, vous devez considérer certaines des limitations importantes des conclusions de cette étude. En effet, les programmes d'exercices qui ont servi à l'étude en question différaient de celui proposé dans ce livre sur deux points importants :

Premièrement, chaque séance d'exercice comprenait au moins 10 exercices différents. Ce qui signifie que chaque groupe majeur de muscles était sollicité par au moins deux exercices. Alors, même si les participants ne faisaient qu'une série pour chaque exercice, leurs muscles étaient amplement stimulés.

Deuxièmement, les exercices se faisaient sur les appareils d'entraînement-musculation et non avec des poids libres, comme des haltères ou des poids pour chevilles. Et vous savez que les appareils maintiennent le corps dans la bonne position, ce qui permet habituellement de soulever des charges plus lourdes.

Si vous faites plus de 10 exercices d'entraînement-musculation différents, vous pourriez éliminer une série de 8 mouvements si le temps vous pose problème. Cependant, si vous ne faites que 6 à 10 exercices, je vous conseille de continuer à faire deux séries de 8 mouvements pour chacun afin d'en retirer le plus de bénéfice possible pour vos muscles et vos os.

L'entraîneur du centre de conditionnement physique me conseille de prendre deux secondes pour soulever les poids et quatre, pour les abaisser. A-t-il raison ?

Oui, du moment que vous contrôliez bien le mouvement pour soulever vos poids. Si, par exemple, vous balancez les poids, vos muscles ne profiteront pas de tous les bienfaits de l'exercice.

Mon côté gauche est plus faible que le droit. Devrais-je utiliser des poids différents ou attendre que mon côté gauche devienne aussi fort que le droit ?

Il vaut mieux que les deux côtés du corps soient de force équivalente. Vous pouvez, pour un certain temps, utiliser des charges de poids différentes, mais aidez votre bras le moins fort à se rattraper. Progressez plus lentement avec votre bras le plus fort en n'augmentant la charge que toutes les deux ou trois semaines, par exemple, et essayez de progresser plus rapidement avec le bras le plus faible.

Soulever des poids de 2,5 kg ne constitue plus un défi pour moi, mais 4 kg, c'est trop. Que dois-je faire ?

Pour la transition, faites la première série d'exercices avec vos poids de 2,5 kg, et la deuxième, avec ceux de 4 kg. Après quelques séances, vous devriez pouvoir faire les deux séries avec les poids les plus lourds.

Est-ce que je peux faire des exercices de yoga ou d'autres de la méthode Pilates au lieu de l'entraînement-musculation ?

Le yoga et la méthode Pilates offrent d'excellents exercices pour aider à réduire le stress et à accroître la souplesse et la coordination tout en améliorant la santé et la forme physique. Mais ce ne sont pas tous les exercices de yoga ni de la méthode Pilates qui permettent d'obtenir des bienfaits sur le plan du développement de la force. Vous le saurez parce que vous ressentirez dans vos muscles. Si la pose à adopter constitue un défi tel que vous ne pouvez la maintenir pendant plus d'une minute sans avoir besoin de vous reposer et que vous avez une sensation de brûlure et de fatigue musculaire, alors, c'est probablement parce qu'il s'agit d'un exercice qui procure un certain effet de renforcement musculaire. Mais ces exercices ne seront sans doute pas aussi efficaces pour le développement de la force que ceux proposés dans ce livre, qui fatiguent vos muscles après 8 répétitions. Si vous faites de l'ostéoporose, rappelez-vous que les mouvements de flexion du corps vers l'avant peuvent être dangereux pour votre colonne vertébrale.

Je suis très occupée et j'aimerais rendre mes séances d'entraînement plus efficaces. Est-ce que je peux soulever des poids en marchant ?

Je vous comprends, car je suis moi-même pressée par le temps, mais il n'est pas sécuritaire de soulever des poids en marchant. Le programme d'entraînement-musculation proposé dans ce livre requiert des poids suffisamment lourds pour que vous ne puissiez pas les soulever plus de 8 fois sans avoir besoin de vous reposer. Les mouvements nécessitent beaucoup d'effort et une posture correcte, ce qu'il est impossible d'obtenir lorsque vous marchez. Quand vous marchez, vous ne pouvez tout simplement pas vous concentrer comme vous le devez sur vos mouvements. Il y a un risque réel de blessure, que ce soit avec les poids ou en trébuchant.

Je fais d'excellents progrès, si bien que mes poids de 10 kg pour les chevilles ne constituent plus un défi pour moi. Où puis-je en trouver de plus lourds ?

Vous ne pouvez pas ! Utiliser des poids pour chevilles de plus de 10 kg pourrait vous causer des problèmes orthopédiques. Pour augmenter le défi, passez à des exercices plus difficiles faisant appel à la résistance de votre poids corporel. Ou bien, utilisez les appareils d'entraînement-musculation, qui vous permettent de soulever des poids plus lourds en toute sécurité.

Dans la même optique, n'essayez pas de soulever des haltères de plus de 12,5 kg. Vous pouvez faire la flexion rotation des biceps, le développé des bras en position assise ou couchée avec des barres à disques, lesquelles sont plus stables. Ou encore, vous pouvez vous tourner vers les appareils.

Je suis un cours d'exercices aérobiques dans lequel nous faisons 20 minutes d'exercices pour la tonicité musculaire. Est-ce que cela compte comme de l'entraînement-musculation ?

Non. Vous en retirez sans doute d'excellents bienfaits pour l'appareil cardiovasculaire, mais ce genre d'exercices n'augmentera pas votre force musculaire. Les exercices de développement de la force proposés dans ce livre impliquent des poids que vous ne pouvez soulever que 8 fois environ avant de vous sentir fatiguée. Si vous pouvez lever vos charges beaucoup plus souvent sans vous fatiguer, c'est qu'elles ne sont pas assez lourdes pour renforcer vos muscles ni pour faire une différence pour vos os.

J'AI UN PROBLÈME MÉDICAL PARTICULIER.

De bons exercices peuvent bénéficier à presque tout le monde. Parmi les sujets qui ont participé à nos études sur les exercices à l'Université Tufts, certains étaient des femmes frêles atteintes d'ostéoporose avancée, d'autres des résidants de centres d'accueil, des gens qui avaient eu des opérations chirurgicales importantes (comme des remplacements d'articulations, des hystérectomies, des mastectomies et autres traitements de cancers) aussi bien que des personnes aux prises avec des maladies cardiaques, du diabète, de l'arthrite et d'autres problèmes articulaires.

La clé du succès est de trouver les activités appropriées à chacun. Par exemple, si vous faites de l'ostéoporose, les sauts à la verticale ne sont pas pour vous. Et il serait sage d'éviter les sports qui comportent des risques de chutes. Voici d'autres recommandations générales pour ceux et celles qui font de l'ostéoporose ou qui sont aux prises avec un problème médical particulier :

- Il faut absolument que vous discutiez avec votre médecin des exercices que vous prévoyez faire avant de les commencer afin de pouvoir procéder aux ajustements nécessaires.
- Commencez tranquillement et progressez lentement. Ainsi, votre médecin pourrait vous suggérer de commencer

par 5 minutes d'exercices aérobiques au lieu de 15, ou encore de faire vos premières séances d'entraînement-musculation sans utiliser de poids et d'augmenter la charge toutes les deux semaines au lieu de chaque semaine.
- Pensez à vous offrir les services d'un entraîneur professionnel pour quelques séances afin d'être sûr de faire les mouvements correctement. Celui-ci peut aussi vous aider à trouver des exercices pour répondre à certains besoins particuliers.
- Soyez attentif à votre corps. Si vous vous sentez bien et avez l'impression d'avoir plus d'énergie, c'est sans doute que vous faites bien vos exercices.

Les médicaments

J'ai 42 ans et je viens tout juste de passer un test de densitométrie osseuse. Les résultats ont montré que je fais de l'ostéoporose. Mon médecin veut maintenant me prescrire du Fosamax, mais j'ai horreur de prendre des médicaments. Est-ce que je ne peux pas me contenter de bien manger et de faire beaucoup d'exercices ?

Étant donné que vous êtes jeune et que vous avez encore de belles années devant vous, je vous recommande vivement de prendre le Fosamax, tout en veillant à bien manger et à faire de l'exercice. Cet ensemble de moyens constitue la meilleure façon de réduire votre risque de fractures.

Si vous hésitez toujours à prendre ce médicament, je vous suggère de suivre un programme d'exercices vigoureux pendant un an, tout en vous assurant de bien manger et de prendre des suppléments de calcium et de vitamine D. Après un an, passez un autre test de densitométrie osseuse et voyez les résultats. Si votre densité osseuse n'a pas augmenté ou si elle a encore diminué, je vous conseille fortement de prendre les médicaments.

J'ai des implants mammaires et je me demande si je peux faire des exercices d'entraînement-musculation !

Oui, vous le pouvez. Parlez-en d'abord avec votre médecin ne serait-ce que pour vous assurer qu'il n'y a pas de problème et pour savoir s'il vous faut adapter ou modifier le programme que vous prévoyez faire. Habituellement, les implants mammaires sont placés juste au-dessus des muscles thoraciques, alors les exercices de développement de la force ne devraient pas les affecter. Soyez tout de même prudente et commencez avec des poids plus légers en augmentant lentement et graduellement la charge. Et n'échappez pas vos poids sur votre poitrine !

J'ai commencé ma ménopause récemment et mon médecin m'a prescrit une HTR avec un œstrogène synthétique. Ma belle-sœur dit qu'il vaut mieux prendre des œstrogènes naturels. Y a-t-il vraiment une différence ?

Les études scientifiques n'ont montré aucune différence dans l'efficacité des œstrogènes naturels ou synthétiques.

Je prends des isoflavones de soja. Est-ce que cela signifie que je n'aurai pas besoin d'HTR quand j'atteindrai la ménopause ?

Les isoflavones peuvent avoir un léger effet positif sur les bouffées de chaleur et les autres symptômes de la ménopause, mais il n'est pas encore démontré que ces substances réduisent le risque d'ostéoporose, de maladie cardiaque ou d'Alzheimer, toutes des raisons importantes pour lesquelles une femme peut choisir l'HTR. La décision de suivre ou non une HTR n'est donc pas affectée par le fait de prendre des isoflavones ou d'autres produits dérivés du soja.

Ma fille, qui n'a que 28 ans, fait de l'ostéoporose. Je sais qu'elle veut avoir des enfants. Y a-t-il des médicaments qu'elle peut prendre pour ses os pendant la grossesse ?

Malheureusement, aucun médicament pour traiter l'ostéoporose n'a été éprouvé pour son innocuité chez les femmes enceintes. Étant donné le risque de grossesse chez les jeunes femmes, les médecins ne leur prescrivent habituellement pas de Fosamax, parce que ce médicament reste longtemps dans l'organisme et qu'il pourrait affecter le développement du fœtus. Le médecin de votre fille peut lui suggérer de prendre de la calcitonine par voie nasale, laquelle ne reste pas longtemps dans l'organisme, et il lui conseillera sans doute de cesser son traitement médicamenteux avant la conception et de le reprendre une fois qu'elle aura fini d'allaiter.

Il y a de l'ostéoporose dans ma famille et j'aimerais prendre des hormones (HTR), mais j'ai déjà essayé et j'avais eu de terribles maux de tête.

Les maux de tête sont un effet secondaire courant de l'HTR, mais ce symptôme disparaît habituellement après six à neuf mois de traitement. Si vous ne pouvez tolérer d'attendre aussi longtemps, parlez-en à votre médecin, il peut vous proposer une autre prescription ou encore une dose plus faible. Nous savons maintenant que des doses plus faibles d'œstrogènes ont des effets positifs sur les os tout en comportant moins d'effets indésirables. L'HTR n'est pas recommandée pour les femmes avec des antécédents de migraines puisque les hormones risquent d'aggraver le problème.

Est-ce que les médicaments que je prends pour mes os affectent la densité des os de ma mâchoire ?

Nous savons que les femmes qui prennent des hormones ont tendance à conserver leurs dents plus longtemps que celles qui ne suivent ni HTR ni ETS. Vous pouvez donc présumer que votre traitement médicamenteux aide aussi à maintenir la santé des os de votre mâchoire.

Ma densité osseuse est normale dans la colonne vertébrale, mais je fais de l'ostéopénie dans la hanche. J'aimerais savoir s'il y a des exercices spécifiques que je peux faire pour aider les os de ma hanche ou si l'entraînement-musculation aide tous les os du squelette.

L'exercice aide les os de vos hanches de plusieurs façons. D'abord, l'impact des exercices avec mise en charge stimule directement les os des hanches. Puis, à mesure que les muscles près des hanches deviennent plus forts, ils exercent plus de force sur les os et procurent donc une stimulation additionnelle. Finalement, l'exercice a des effets sur l'ensemble du corps et bénéficie donc à tous les muscles et à tous les os grâce à des changements positifs au niveau des facteurs de croissance.

N'oubliez pas que l'ostéoporose peut affecter n'importe quel os du corps. C'est pourquoi les meilleurs programmes d'entraînement-musculation pour prévenir ou traiter l'ostéoporose reposent sur des exercices qui ciblent les principaux muscles du tronc, des bras et des jambes.

Glossaire

Absorptiométrie : technique utilisée pour mesurer la densité osseuse en exposant l'os à de petites quantités de rayons X et en déterminant la proportion de radiation absorbée. Utilisée pour l'absorptiométrie simple et double énergie à rayons X.

Absorptiométrie double énergie à rayons X (ADEX) : méthode la plus couramment utilisée pour mesurer la densité des os. L'ADEX permet de mesurer avec précision la densité osseuse totale du corps aussi bien que la densité des os de la hanche, de la colonne vertébrale ou du bras.

Agonistes : substances dont l'action est similaire à celle d'hormones ou de composés naturels. Par exemple, un agoniste d'œstrogènes produit des effets semblables à ceux des œstrogènes.

Alendronate : bisphosphanate (nom commercial : Fosamax) qui inhibe la résorption osseuse et qui est approuvé par la FDA pour la prévention et le traitement de l'ostéoporose chez les femmes postménopausées.

Aménorrhée : absence de règles pendant une période prolongée (habituellement plus de 12 mois) chez une femme non ménopausée qui n'est pas enceinte. Les causes d'aménorrhée incluent les troubles de l'alimentation, l'excès d'exercice et des désordres médicaux tels que les problèmes de glande thyroïde.

Androgènes : hormones mâles, comme la testostérone, responsables des caractères sexuels masculins. Les femmes produisent aussi de faibles quantités d'androgènes.

Anorexie mentale : désordre psychologique qui peut mettre en danger la vie du malade et qui se manifeste par une sous-alimentation telle que le poids corporel diminue au-dessous d'un IMC de 18 et que les règles cessent. La plupart des anorexiques sont des jeunes femmes, mais les hommes et les femmes plus âgées peuvent aussi être atteints de cette maladie. Il faut habituellement une aide psychologique intensive pour traiter les malades avec succès.

Antiacides : médicaments qui diminuent l'acidité dans l'estomac.

Apport nutritionnel recommandé (ANR) : recommandation concernant la quantité quotidienne nécessaire d'un élément nutritif pour s'assurer d'avoir une saine alimentation.

Bisphosphanate : substance qui diminue l'activité des ostéoclastes et qui, par conséquent, inhibe la résorption osseuse. L'alendronate (Fosamax) est un bisphosphanate.

Bosse de douairière : voir *cyphose.*

Bouffée de chaleur ou bouffée congestive : sensation de chaleur soudaine souvent accompagnée de transpiration, causée par une dilatation des vaisseaux sanguins. Symptôme courant de la ménopause.

Calcitonine : hormone naturelle qui inhibe l'activité des ostéoclastes (les décomposeurs de tissu osseux). La calcitonine est offerte sous forme de médicament (nom commercial : Miacalcin) et est approuvée par la FDA pour le traitement de l'ostéoporose.

Calcitriol : forme de vitamine D synthétique qui peut être toxique. Ce produit n'a pas été approuvé par la FDA pour le traitement ni pour la prévention de l'ostéoporose.

Calcium : élément minéral que l'on trouve dans les produits laitiers et d'autres aliments, et qui joue un rôle essentiel dans la santé et le développement des os ainsi que dans d'autres processus vitaux de l'organisme.

Calcium élémentaire : quantité de calcium contenue dans un composé comme un supplément diététique. Par exemple, le carbonate de calcium contient environ 40 p. 100 de calcium élémentaire, tandis que le citrate de calcium en contient environ 21 p. 100.

Carbonate de calcium : l'une des formes de composés calciques utilisée dans les suppléments diététiques.

Citrate de calcium : l'une des formes de composés calciques utilisée dans les suppléments diététiques.

Collagène : protéine qui constitue l'élément principal du cartilage, de la peau et du tissu conjonctif et qui est aussi une composante importante des os.

Colonne dorsale : les 12 vertèbres situées dans la partie centrale de la colonne vertébrale.

Colonne lombaire : les cinq vertèbres qui constituent la partie inférieure de la colonne vertébrale.

Corticostéroïdes : hormones produites par les glandes surrénales ou substances telles que la cortisone qui leur ressemblent. Ces substances, qui sont utilisées dans le traitement de l'asthme, de l'arthrite et d'autres maladies, peuvent avoir des effets indésirables sur les os.

Cortisone : hormone produite par les glandes surrénales qui peut nuire aux os. (Voir *corticostéroïdes.)*

Cyphose : déviation de la colonne vertébrale caractérisée par une courbature vers l'extérieur de la partie supérieure du dos. Elle est causée par des fractures-tassement des vertèbres qui provoquent une posture voûtée de même qu'une protubérance dans le haut du dos. Parfois appelée « bosse de douairière ».

Cytokines : substances qui, à l'instar des hormones, aident à la régulation de la réponse immunitaire et qui jouent un rôle dans la régulation de l'activité des ostéoblastes et des ostéoclastes.

Daidzéine : sorte d'isoflavone que l'on trouve dans le soja et que l'on croit bénéfique pour les os.

Densité osseuse ou densité minérale osseuse (DMO) : teneur minérale des os dans une région donnée, généralement exprimée en grammes par centimètre carré (g/cm^2) ou, dans le cas de la tomodensitométrie à trois dimensions, en milligrammes par centimètre cube (mg/cm^3).

Densitométrie osseuse : mesure de la densité des os. (Voir *absorptiométrie.*)

Diurétiques : médicaments qui favorisent l'excrétion urinaire.

Endométriose : état pathologique, parfois douloureux, dans lequel on retrouve du tissu endométrial (tissu qui tapisse l'intérieur de l'utérus) ailleurs dans l'abdomen : à la surface de l'utérus, des ovaires ou des trompes de Fallope.

Entraînement avec poids et haltères : voir *exercices contre résistance.*

Estradiol : le plus puissant des œstrogènes naturels.

Étidronate : sorte de bisphosphanate qui diminue le taux de remodelage osseux. Ce médicament a été approuvé par la FDA pour le traitement de la maladie osseuse de Paget, une affection rare, mais il n'a pas encore été approuvé pour la prévention ou le traitement de l'ostéoporose.

Evista : voir *raloxifène.*

Exercice aérobique : activité physique qui élève les rythmes cardiaque et respiratoire et qui stimule l'appareil cardiovasculaire.

Exercices avec mise en charge : sorte d'activité physique, comme la marche, dans laquelle les jambes supportent le poids du corps.

Exercices avec sauts : activité physique, comme le saut à la corde ou les sauts à la verticale, qui produit une force d'impact significative sur les os.

Exercices contre résistance : sorte d'activité physique dans laquelle les muscles travaillent contre une force, comme des poids libres, des appareils ou encore le poids corporel.

Exercices d'entraînement-musculation (ou de développement de la force musculaire) : sorte d'exercices de résistance dans lesquels les muscles travaillent contre une résistance suffisante pour en augmenter la force.

Facteurs de croissance : substances produites par l'organisme, parmi lesquelles on compte l'hormone de croissance, et qui sont responsables de la croissance, de la réparation

… régénération de différents tissus corporels, dont les os.

FDA (Food and Drug Administration) : aux États-Unis, agence du *Department of Health and Human Services' Public Health Service* responsable de la sécurité et de l'efficacité des médicaments et des aliments (à l'exception des viandes, volailles et œufs) qui sont transformés et vendus dans ce pays. Les viandes, volailles et œufs relèvent pour leur part du département d'agriculture du pays.

Fémur : long os de la cuisse ; l'os le plus long du corps.

Fluorure : élément naturel qui stimule la formation des os et des dents. De nombreuses municipalités ajoutent du fluorure à l'eau pour réduire l'incidence de carie dentaire. Des études se penchent actuellement sur la valeur de différentes formes de fluorure pour prévenir et traiter l'ostéoporose.

Fosamax : voir *alendronate.*

Fracture biconcave : fracture vertébrale dans laquelle le centre de la vertèbre (parties supérieure et inférieure) s'affaisse, mais où l'arrière et l'avant demeurent intacts.

Fracture de Pouteau-Colles : fracture courante du poignet qui affecte le radius.

Fracture de la hanche : fracture qui survient dans le fémur, près de ou dans l'articulation de la hanche.

Fracture par tassement : fracture vertébrale dans laquelle la vertèbre entière s'affaisse.

Fracture par tassement du mur antérieur vertébral : fracture dans laquelle seule la partie avant de la vertèbre s'affaisse, la partie arrière demeurant intacte. C'est le genre de fracture qui peut entraîner une cyphose.

Génistéine : isoflavone naturelle que l'on trouve dans le soja et que l'on croit bénéfique pour les os.

Groupe témoin : groupe de sujets qui participent à une étude et qui ne reçoivent pas le médicament ou le traitement que l'on cherche à éprouver, afin de pouvoir évaluer les effets du médicament ou du traitement à l'étude.

Hormones : substances chimiques produites par des cellules et transportées par le sang jusqu'à d'autres cellules et organes sur lesquels elles ont un effet spécifique.

Hormone de croissance : hormone produite par l'hypophyse qui stimule la croissance de nombreux tissus de l'organisme, y compris les os.

Hormone folliculo-stimulante (FSH) : hormone produite par l'hypophyse qui aide à réguler le cycle menstruel. Le taux sanguin de FSH augmente au fur et à mesure que la femme avance dans sa ménopause. C'est ce taux que l'on vérifie pour établir l'état ménopausique d'une femme.

Hormonothérapie de remplacement (HTR) : traitement destiné aux femmes postménopausées qui est constitué d'œstrogènes et de progestérone ; cette dernière est administrée de façon cyclique ou en continu. L'HTR est généralement prescrite à des femmes qui ont encore leur utérus et qui, si elles ne prenaient que des œstrogènes, verraient leur risque de cancer de l'endomètre augmenter.

Hormone parathyroïdienne (PTH) : hormone sécrétée par les glandes parathyroïdiennes en réponse à de faibles taux de calcium dans le sang, qui stimule la résorption osseuse. L'hormone parathyroïdienne est parfois utilisée sous forme de médicament pour traiter l'ostéoporose, bien que cette substance n'ait pas encore été approuvée par la FDA pour cette indication.

Hypophyse (ou glande pituitaire) : petite glande à la base du cerveau qui produit la FSH, la TSH (hormone thyrotropine) et d'autres hormones importantes.

Hystérectomie : Ablation chirurgicale de l'utérus et du col de l'utérus. L'expression « hystérectomie complète » est utilisée quand on enlève également les ovaires.

Indice de masse corporelle (IMC) : rapport du poids d'une personne, exprimé en kilogrammes, et de sa taille, en mètres, utilisé pour évaluer le statut pondéral. Des IMC situés entre 19 et 25 sont considérés comme sains.

Indice T (ou T-score) : mesure statistique indiquant la différence entre le résultat d'une personne et la moyenne d'une population de référence. On l'utilise pour comparer la densité minérale osseuse d'un individu par rapport à la DMO moyenne de jeunes adultes normaux. Cet indice permet aussi de classer les résultats de DMO en trois catégories : normale, ostéopénie et ostéoporose.

Indice Z (Z-score) : mesure statistique indiquant la différence entre le résultat obtenu par un individu et la moyenne des résultats obtenus par une population de référence. En densitométrie, on utilise les indices Z pour comparer les sujets à la moyenne des adultes normaux du même âge.

Intolérance au lactose : incapacité de digérer le lactose, le sucre naturel des produits laitiers, à cause de quantités insuffisantes de l'enzyme appelée lactase. Les symptômes comprennent des malaises gastro-intestinaux, des gaz et de la diarrhée après consommation de produits laitiers contenant du lactose.

Ipriflavone : composé synthétique dérivé d'isoflavones naturelles doté d'un effet bénéfique pour les os.

Isoflavone : substance végétale naturelle retrouvée dans le soja et qui produit, dans l'organisme, des effets analogues à ceux des œstrogènes.

Magnésium : élément minéral essentiel contenu dans les aliments et qui intervient dans différents processus de l'organisme, y compris la formation des os.

Mammographie : radiographie diagnostique utilisée pour détecter le cancer du sein.

Masse osseuse : quantité totale de tissu minéral osseux du corps.

Médicament anti-résorption : médicament qui réduit l'activité des ostéoclastes, diminuant ainsi la résorption osseuse.

Ménopause : arrêt de la fonction menstruelle qui survient chez la femme entre l'âge de 45 et de 55 ans parce que les ovaires produisent moins d'œstrogènes et de progestérone.

Ménopause artificielle : cessation des règles, par exemple, à la suite de l'ablation chirurgicale des ovaires avant l'arrivée naturelle de la ménopause.

Miacalcin : voir *calcitonine*.

Minéraux traces : éléments minéraux essentiels comme le fer, le zinc et le sélénium, que l'on trouve dans l'organisme en très petites quantités (moins de 5 grammes).

Modulateurs sélectifs des récepteurs des œstrogènes (MSRE) : composés qui, dans l'organisme, ont des effets similaires à ceux des œstrogènes, et souvent sans les effets secondaires de ces hormones. Certains MSRE, dont le tamoxifène et le raloxifène, ont des effets positifs sur les os.

Œstrogènes : hormones sexuelles femelles parmi lesquelles on trouve l'estradiol, l'estrone et l'estriol.

Œstrogènes conjugués : composés d'œstrogènes, extraits de l'urine de juments gravides (nom commercial : Prémarine), utilisés dans l'hormonothérapie de remplacement. Ce médicament est approuvé par la FDA pour la prévention et le traitement de l'ostéoporose.

Œstrogénothérapie de substitution (ETS) : traitement dans lequel on administre des œstrogènes à des femmes post-ménopausées. Voir aussi *hormonothérapie de remplacement (HTR)* dans laquelle la progestérone est administrée en association avec des œstrogènes. L'ETS n'est habituellement recommandée que chez les femmes qui se sont fait enlever l'utérus parce que le traitement aux seuls œstrogènes est associé à une incidence accrue de cancer de l'endomètre.

Os cortical : couche extérieure dense du tissu osseux.

Ostéoblastes : cellules responsables de la formation du tissu osseux.

Ostéoclastes : cellules responsables de la résorption du tissu osseux.

Ostéopénie : densité osseuse anormalement faible, mais pas encore assez faible pour être classée comme ostéoporose. Définie comme une densité osseuse comprise entre 1 et 2,5 écarts type sous la moyenne pour de jeunes adultes normaux (indice T compris entre - 1 et - 2,5).

Ostéoporose : maladie chronique, évolutive, caractérisée par une faible masse osseuse entraînant une fragilité des os et un risque de fracture accru. Aux fins de diagnostic, une densité osseuse qui se situe à plus de 2,5 écarts types sous la moyenne de jeunes adultes normaux (indice T inférieur à - 2,5).

Os trabéculaire : structure dentelée de cristaux de calcium qui forme l'intérieur de l'os, sous la couche dure de l'os cortical.

Ovaire : organe en forme d'amande chez la femme, qui produit les œstrogènes et les ovules.

Ovulation : libération d'un ovule par l'ovaire ; a généralement lieu au milieu du cycle menstruel.

Oxalates : composés présents dans les aliments, surtout dans les légumes verts, qui se lient au calcium et à d'autres minéraux, interférant ainsi avec leur absorption.

Phosphore : élément minéral essentiel que l'on trouve dans les aliments et qui intervient dans de nombreux processus chimiques de l'organisme. Le phosphore est aussi une composante des os et des dents.

Phytoœstrogènes : composés que l'on trouve dans les plantes et qui, dans l'organisme, ont des effets similaires à ceux des œstrogènes.

Pic de masse osseuse : quantité maximale de masse osseuse qu'une personne aura au cours de sa vie. On atteint habituellement ce pic au cours de la période jeune adulte.

Placebo : substance inerte, inoffensive, comme une pilule de sucre, que l'on donne aux sujets du groupe témoin dans les essais cliniques afin de pouvoir comparer les effets du traitement à ceux du placebo.

Prémarine : voir *œstrogènes conjugués.*

Progestérone : hormone femelle produite par les ovaires durant la deuxième moitié du cycle menstruel et au cours de la grossesse. Dans l'hormonothérapie de remplacement, on associe progestérone et œstrogènes afin de diminuer le risque de cancer de l'endomètre.

Proprioception : capacité de connaître sa position dans l'espace.

Quadriceps : quatre muscles à l'avant de chaque cuisse qui régissent l'extension de la jambe et son mouvement vers l'avant.

Radius : os de l'avant-bras qui s'étend du coude jusqu'à la base du pouce.

Raloxifène : modulateur sélectif des récepteurs des œstrogènes (MSRE), aussi appelé « œstrogène faible ». Médicament qui a reçu l'approbation de la FDA pour la prévention et le traitement de l'ostéoporose et qui réduirait le risque de cancer du sein.

Récepteur : région à la surface d'une cellule qui réagit à une substance. La plupart des hormones réagissent avec un récepteur spécifique situé à la surface de la cellule et qui permet à l'hormone d'y exercer son effet.

Remodelage osseux : cycle de renouvellement des os comprenant la croissance, l'entretien et la réparation, dans lequel les ostéoclastes décomposent ou dissolvent le tissu osseux existant et les ostéoblastes rebâtissent du nouveau tissu osseux.

Résorption : phase de décomposition ou de dissolution du tissu osseux dans le processus de remodelage des os au cours de laquelle il y a perte de tissu osseux.

Rythme cardiaque cible : rythme cardiaque recommandé comme objectif à atteindre pour les personnes qui font des exercices aérobiques.

Stéroïdes : médicaments anti-inflammatoires utilisés pour traiter des affections telles que l'asthme, l'arthrite et les dermatites chroniques. Ils peuvent avoir un effet négatif sur les os.

Tamoxifène : MSRE utilisé pour le traitement du cancer du sein et qui a certains effets positifs sur les os, mais qui n'est pas utilisé pour prévenir ou traiter l'ostéoporose.

Testostérone : voir *androgènes.*

Thiazidique : sorte de diurétique utilisé pour traiter l'hypertension artérielle et qui aide les reins à conserver le calcium. On le croit bénéfique pour les os, mais il n'est pas utilisé pour prévenir ou traiter l'ostéoporose.

Thyroïde : glande située dans le cou et qui produit les hormones thyroïdiennes, lesquelles contrôlent le métabolisme du corps. Des niveaux élevés d'hormones thyroïdes nuisent aux os.

Tomodensitométrie (TMD) : méthode d'imagerie médicale en trois dimensions qui permet de mesurer la densité osseuse.

Trochanter : extrémité supérieure extérieure du fémur.

Ultrasons : ondes sonores de haute fréquence qui peuvent créer des images des os et d'autres structures internes du corps. On les utilise pour évaluer la densité osseuse du talon ou du genou.

Valeur quotidienne recommandée : recommandation nutritionnelle émise pour l'étiquetage des aliments.

Vertèbres : os cylindriques qui forment la colonne vertébrale et qui sont souvent le site de fractures ostéoporotiques.

Vitamines : éléments nutritifs que l'on trouve dans les aliments d'origine végétale et animale, et dont l'organisme a besoin en petites quantités pour assurer sa croissance et son bon fonctionnement.

Bibliographie

Vous trouverez ci-dessous une liste partielle des articles scientifiques auxquels je me suis référée pour écrire ce livre. Si certains de ces articles vous intéressent, je vous conseille de communiquer avec les bibliothécaires de votre bibliothèque municipale. Certaines des revues sont disponibles dans les grandes bibliothèques publiques, d'autres dans celles des universités.

Ostéoporose

Albright, F., P. Smith et A. Richardson. « Postmenopausal osteoporosis », *Journal of the American Medical Association,* vol. 116, n° 22, 1941, p. 2465-2474.

Cook, D. et autres. « Quality of life issues in women with vertebral fractures due to osteoporosis », *Arthritis and Rheumatism,* vol. 36, n° 6, 1993, p. 750-756.

Eddy, D. et autres. « Osteoporosis : review of the evidence for prevention, diagnosis and treatment and cost-effectiveness analysis », *Osteoporosis International,* vol. 8, n° S4, 1998, p. 1-88.

Kanis, J. et autres. « The diagnosis of osteoporosis », *Journal of Bone and Mineral Research,* vol. 9, n° 8, 1994, p. 1137-1141.

Kannus, P. et autres. « Epidemiology of hip fractures », *Bone*, vol. 18, n° 1S, 1996, p. 57S-63S.

Melton, L. « Epidemiology of hip fractures : implications of the exponential increase with age », *Bone*, vol. 18, n° 3S, 1996, p. 121S-125S.

Wasnich, R. « Vertebral fracture epidemiology », *Bone*, vol. 18, n° 3S, 1996, p. 179S-183S.

Facteurs de risque

Cummings, S. et autres. « Risk factors for hip fractures in white women », *New England Journal of Medicine*, vol. 332, n° 12, 1995, p. 767-773.

Harris, S. « Effects of caffeine consumption on hip fracture, bone density and calcium retention », *Nutritional Aspects of Osteoporosis*, New York, Springer-Verlag, 1997, p. 163-171.

Krall, E. et B. Dawson-Hughes. « Smoking and bone loss among postmenopausal women », *Journal of Bone and Mineral Research*, vol. 6, n° 4, 1991, p. 331-337.

Michaelsson, K. et autres. « Oral-contraceptive use and risk of hip fracture : a case-control study », *Lancet*, vol. 353, 1999, p. 1481-1484.

Chutes

Buchner, D. et autres. « The effect of strength and endurance training on gait, balance, fall risk, and health services use in community-living older adults », *Journal of Gerontology*, vol. 52A, n° 4, 1997, p. M218-M224.

Campbell, A., M. Borrie et G. Spears. « Risk factors for falls in a community-based prospective study of people 70 years and older », *Journal of Gerontology,* vol. 44, n° 4, 1989, p. M112-M117.

Campbell, A. et autres. « Randomized controlled trial of a general practice program of home-based exercise to prevent falls in elderly women », *British Medical Journal,* vol. 315, 1997, p. 1065-1069.

Hindmarsh, J. et H. Estes. « Falls in older persons : causes and interventions », *Archives of Internal Medicine*, vol. 149, 1989, p. 2217-2222.

Tinetti, M. et autres. « A multifactorial intervention to reduce the risk of falling among elderly people living in the community », *New England Journal of Medicine,* vol. 331, n° 13, 1994, p. 822-827.

Nutrition

Bingham S. et autres. « Phytoestrogens : where are we now ? », *British Journal of Nutrition,* vol. 79, n° 5, 1998, p. 393-406.

Buckley, L. et autres. « Calcium and vitamin D_3 supplementation prevents bone loss in the spine secondary to low-dose corticosteroids in patients with rheumatoid arthritis : a randomized, double-blind, placebo-controlled trial », *Annals of Internal Medicine,* vol. 125, 1996, p. 961-968.

Dawson-Hughes, B. « Calcium supplementation and bone loss : a review of controlled clinical trials », *American Journal of Clinical Nutrition,* vol. 54, 1991, p. 274S-280S.

Dawson-Hughes, B. et autres. « Effect of vitamin D supplementation on wintertime and overall bone loss in healthy postmenopausal women », *Annals of Internal Medecine,* vol. 115, 1991, p. 505-512.

Dawson-Hughes, B. et autres. « A controlled trial of the effect of calcium supplementation on bone density in postmenopausal women. », *New England Journal of Medecine,* vol. 323, n° 13, 1990, p. 878-883.

Dawson-Hughes, B. et S. Harris. « Regional changes in body composition by time of year in healthy postmenopausal women », *American Journal of Clinical Nutrition,* vol. 56, 1992, p. 307-313.

Dawson-Hughes, B. et autres. « Effect of calcium and vitamin D supplementation on bone density in men and women 65 years of age or older », *New England Journal of Medicine,* vol. 337, 1997, p. 670-676.

Feskanich, D. et autres. « Vitamin K intake and hip fractures in women : a prospective study », *American Journal of Clinical Nutrition,* vol. 69, 1999, p. 74-79.

Matkovic, V. et autres. « Bone status and fracture rates in two regions of Yugoslavia », *American Journal of Clinical Nutrition,* vol. 32, 1979, p. 540-549.

Potter, S. et autres. « Soy protein and isoflavones : their effects on blood lipids and bone density in postmenopausal women », *American Journal of Clinical Nutrition,* vol. 68 (supplément), 1998, p. 1375S-1379S.

Teegarden, D. et autres. « Previous milk consumption is associated with greater bone density in young women », *American Journal of Clinical Nutrition,* vol. 69, 1999, p. 1014-1017.

Tilyard, M. et autres. « Treatment of postmenopausal osteoporosis with calcitriol or calcium », *New England Journal of Medicine,* vol. 326, n° 6, 1992, p. 357-362.

Tucker, K. et autres. « Potassium, magnesium, and fruit and vegetable intakes are associated with greater bone mineral density in elderly men and women », *American Journal of Clinical Nutrition,* vol. 69, 1999, p. 727-736.

Exercice

Bassey, E. et S. Ramsdale. « Increase in femoral bone density in young women following high-impact exercise », *Osteoporosis International,* vol. 4, n° 2, 1994, p. 72-75.

Drinkwater, B. et autres. « Bone mineral content of amenorrheic and eumenorrheic athletes », *New England Journal of Medicine,* vol. 311, n° 5, 1984, p. 277-281.

Fehling, P. et autres. « A comparison of bone mineral densities among female athletes in impact loading and active loading sports », *Bone,* vol. 17, n° 3, 1995, p. 205-210.

Fisher, E. et autres. « Bone mineral content and levels of gonadotropins and estrogens in amenorrheic running women », *Journal of Clinical Endocrinology and Metabolism,* vol. 62, 1986, p. 1232-1236.

Kohrt, W., A. Ehsani et S. Birge. « Effects of exercise involving predominantly either joint-reaction or ground-reaction forces on bone mineral density in older women », *Journal of Bone and Mineral Research,* vol. 12, n° 8, 1997, p. 1253-1261.

Kohrt, W., A. Ehsani et S. Birge. « HRT preserves increases in bone mineral density and reductions in body fat after a supervised exercise program », *Journal of Applied Physiology,* vol. 84, n° 5, 1998, p. 1506-1512.

Layne, J. et M. Nelson. « The effects of progressive resistance training on bone density : a review », *Medicine and Science in Sports and Exercise,* vol. 31, n° 1, 1999, p. 25-30.

Morris, F. et autres. « Prospective ten-month exercise intervention in premenarcheal girls : positive effects on bone and lean-mass », *Journal of Bone and Mineral Research,* vol. 12, n° 9, 1997, p. 1453-1462.

Nelson, M. et autres. « Effects of high-intensity strength training on multiple risk factors for osteoporotic fractures », *Journal of American Medical Association,* vol. 272, 1994, p. 1900-1914.

Nelson, M. et autres. « A 1-year walking program and increased dietary calcium in postmenopausal women : effects on bone », *American Journal of Clinical Nutrition*, vol. 53, 1991, p. 1394-1411.

Nelson, M. et autres. « Diet and bone status in amenorrheic runners », *American Journal of Clinical Nutrition*, vol. 43, 1986, p. 910-916.

Notelovitz, M. et autres. « Estrogen therapy and variable resistance weight training increases bone mineral in surgically menopausal women », *Journal of Bone and Mineral Research,* vol. 6, 1991, p. 583-590.

Shaw, J. et C. Snow. « Weighted vest exercise improves indices of fall risk in older women », *Journal of Gerontology,* vol. 53, n° 1, 1998, p. M53-M58.

Snow-Harter, C. et M. Bouxsein. « Effects of resistance and endurance exercise on bone mineral status of young women : a randomized exercise intervention trial », *Journal of Bone and Mineral Research*, vol. 7, n° 7, 1992, p. 761-769.

Specker, B. « Evidence for an interaction between calcium intake and physical activity on changes in bone mineral density », *Journal of Bone and Mineral Research*, vol. 11, n° 10, 1996, p. 1539-1544.

Taaffe, D. et autres. « High-impact exercise promotes bone gain in well-trained female athletes », *Journal of Bone and Mineral Research*, vol. 12, n° 2, 1997, p. 255-260.

Traitements médicamenteux

Black, D. et autres. « Randomized trial of effect of alendronate on risk of fracture in women with existing vertebral fractures », *Lancet*, vol. 348, 1996, p. 1535-1541.

Col, N. et autres. « Patient-specific decisions about hormone replacement therapy in postmenopausal women », *New England Journal of Medicine*, vol. 277, n° 14, 1997, p. 1140-1147.

Col, N. et autres. « Individualizing therapy to prevent long-term consequences of estrogen deficiency in postmenopausal women », *New England Journal of Medicine*, vol. 159, n° 13, 1999, p. 1458-1466.

Cummings, S. et autres. « Effect of alendronate on risk of fracture in women with low bone density but without vertebral fractures : results from the fracture intervention trial », *Journal of the American Medical Association*, vol. 280, n° 24, 1998, p. 2077-2082.

Cummings, S. et autres. « The effect of raloxifene on risk of breast cancer in postmenopausal women : results from the

MORE randomized trial », *Journal of the American Medical Association,* vol. 281, n° 23, 1999, p. 2189-2197.

Ettinger, B. et autres. « Reduction of vertebral fracture risk in postmenopausal women with osteoporosis treated with raloxifene », *Journal of the American Medical Association,* vol. 282, n° 7, 1999, p. 637-645.

Felson, D. et autres. « The effect of postmenopausal estrogen therapy on bone density in elderly women », *New England Journal of Medicine,* vol. 329, n° 16, 1993, p. 1141-1146.

Gambacciani, M. et autres. « Body weight, body fat distribution, and hormonal replacement therapy in early postmenopausal women », *Journal of Clinical Endocrinology and Metabolism,* vol. 82, n° 2, 1997, p. 414-417.

Keating, N. et autres. « Use of hormone replacement by postmenopausal women in the United States », *Annals of Internal Medicine,* vol. 130, 1999, p. 545-553.

Recker, R. et autres. « The effect of low-dose continuous estrogen and progesterone therapy with calcium and vitamin D on bone in elderly women : a randomized, controlled trial », *Annals of Internal Medicine,* vol. 130, 1999, p. 897-904.

Reginster, J. et autres. « The effects of sodium monofluorophosphate plus calcium on vertebral fracture rate in postmenopausal women with moderate osteoporosis : a randomized, controlled trial », *Annals of Internal Medicine,* vol. 129, n° 1, 1998, p. 1-8.

Index

Table des matières